GRUPPE 47: EIN QUERSCHNITT

A Blaisdell Book

in the Modern Languages

CONSULTING EDITOR · HENRY H. H. REMAK · Indiana University

Hans Werner Richter

GRUPPE 47:
EIN QUERSCHNITT

An Anthology of
Contemporary
German Literature

EDITED BY

ELIZABETH WELT TRAHAN

Monterey Institute of Foreign Studies

g. M. Loughridge

March 1970.

forun

Blaisdell Publishing Company

A Division of Ginn and Company

WALTHAM, MASSACHUSETTS · TORONTO · LONDON

Acknowledgements

We are grateful to the following publishers and individuals for permission to reprint:

Verlag der Arche, Zurich. For "Salto Mortale" from *Salto Mortale* by Milo Dor; copyright © 1960 by Verlag der Arche. For "Die Leihgabe" from *Als Vaters Bart noch rot war* by Wolfdietrich Schnurre; copyright © 1958 by Verlag der Arche. Reprinted by permission of the publisher.

Walter-Verlag AG, Olten. For "Stockwerke", "Holzwolle" and "Der Milchmann" from *Eigentlich möchte Frau Blum den Milchmann kennenlernen* by Peter Bichsel; copyright © 1964 by Walter-Verlag. For "Das Begräbnis" from *Man sollte dagegen sein* by Wolfdietrich Schnurre; copyright © 1960 by Walter-Verlag. Reprinted by permission of Franz Brandenberg, N.Y.

Deutsche Verlags-Anstalt GMBH, Stuttgart. For "Der Don" and "Fischerhafen" from *Sarmatische Zeit* by Johannes Bobrowski; copyright © 1961 by Deutsche Verlags-Anstalt. Reprinted by permission of the publisher.

Christian Ferber. For "Mimosen im Juli" by Christian Ferber from *Almanach der Gruppe 47*; copyright © 1960 by Rowohlt Verlag. Reprinted by permission of the author.

S. Fischer Verlag, Frankfort am Main. For "Der Gefesselte" from *Der Gefesselte* by Ilse Aichinger; copyright © 1954 by S. Fischer. For "Mein grüner Esel" from *Wo ich wohne* by Ilse Aichinger; copyright © 1954 by S. Fischer. Reprinted by permission of the publisher.

Carl Hanser Verlag, München. For "Der Spiegel" and "Hausreise" from *Kinder und Narren* by Erich Fried; copyright © 1965 by Carl Hanser Verlag. Reprinted by permission of the publisher.

Hoffman und Campe Hamburg. For "Stimmungen der See" from *Das Feuerschiff* by Siegfried Lenz; copyright © 1960 by Hoffmann und Campe. Reprinted by permission of Dr. Jan van Loewen Ltd., London.

Hans Mayer. For "Gruppe 47—historisch gesehen" from *Almanach der Gruppe 47*; copyright © 1962 by Rowohlt Verlag. Reprinted by permission of the author.

Kiepenheuer und Witsch, Köln-Berlin. For "Wie in schlechten Romanen" from *Erzählungen, Hörspiele, Aufsätze* by Heinrich Böll; copyright © 1961 by Verlag Kiepenheuer & Witsch. Reprinted by permission of the publisher.

Hermann Luchterhand Verlag GMBH, Neuwied. For "Die Ballade von der schwarzen Wolke" and "Saturn" from *Gleisdreieck. Gedichte und Graphiken* by Günter Grass; copyright © 1960 by Hermann Luchterhand Verlag. Reprinted by permission of the publisher.

R. Piper Verlag, München. For "Reklame" and "Nachtflug" from *Die gestundete Zeit* by Ingeborg Bachmann; copyright © 1953 by R. Piper Verlag. For "Bericht über Hattington" from *Herr Meister, Dialog über einen Roman* by Walter Jens; copyright © 1963 by R. Piper Verlag. For "Von der Fragwürdigkeit und Notwendigkeit mündlicher Kritik" from *Literarisches Leben in Deutschland* by Marcel Reich-Ranicki; copyright © 1965 by R. Piper Verlag. Reprinted by permission of the publisher.

Joachim Kaiser. For "Verführungen" by Joachim Kaiser from *Almanach der Gruppe 47*; copyright © 1962 by Rowohlt Verlag. Reprinted by permission of the author.

Suhrkamp Verlag, Frankfurt am Main. For "Kurz vor dem Regen" and "Nachts" from *Botschaften des Regens* by Günter Eich; copyright © 1955 by Suhrkamp Verlag. For "memorandum" and "das ende der eulen" from *Landessprache* by Hans Magnus Enzensberger; copyright © 1960 by Suhrkamp Verlag. For "lock lied" from *Verteidigung der Wölfe* by Hans Magnus Enzensberger; copyright © 1957 by Suhrkamp Verlag. For "Weltansichten" and "Zum Beispiel" from *Zu den Akten* by Günter Eich; copyright © 1964 by Suhrkamp Verlag. For "Ein Urlaub" from *Lieblose Legenden* by Wolfgang Hildesheimer; copyright © 1962 by Suhrkamp Verlag. For "Ein bleicher Troß, heimwärts" and "Jetzt geht's nach Süden zu" from *Gedichte* by Walter Höllerer; copyright © 1964 by Suhrkamp Verlag. For "Osterwasser" from *Karsch, und andere Prosa* by Uwe Johnson; copyright © 1964 by Suhrkamp Verlag. For "Der Umzug" from *Ein Flugzeug über dem Haus* by Martin Walser; copyright © 1955 by Suhrkamp Verlag. For "Brief an einen ganz jungen Autor" from *Erfahrungen und Leseerfahrungen* by Martin Walser; copyright © 1965 by Suhrkamp Verlag. Reprinted by permission of the publisher.

Verlag Klaus Wagenbach, Berlin. For "Meine Ortschaft" by Peter Weiss from *Atlas*; copyright © 1965 by Klaus Wagenbach. For "Erster Mai," "Brigitte" and "Jahrmarkt am Rhein" from *Die Drahtharfe* by Wolf Biermann; copyright © 1965 by Verlag Klaus Wagenbach. Reprinted by permission of Harcourt, Brace and World, Inc.

We are also grateful to Toni Richter, Renate v. Mangoldt, and Klaus Wagenbach for permission to use their photographs of Gruppe 47.

Inhalt

Teil II. Lyrik

Teil III. Essayistik

Teil IV. Bibliographisches

Introduction

In 1947, when the writer Hans Georg Brenner first spoke of a small group of colleagues as *Gruppe 47*, it would have taken a clairvoyant to predict that within twenty years "Group 47" would be the best-known and most unusual literary association in the Western Hemisphere.

Group 47 came into being almost accidentally. Hans Werner Richter, a German writer and publisher, evoked the ire of the American occupation authorities with his irreverent postwar journal, *Der Ruf*, and the license for its publication was withdrawn. In September 1947, Richter and a few similarly oriented writers met to discuss publication of a new journal and to read and discuss their intended contributions. Two months later, Richter invited a somewhat larger group to view the first issue of *Der Skorpion*. Though its publication was thwarted by currency problems and censorship, the informal readings and discussions proved so satisfying that it was decided to continue them regularly. Five months later, Richter sent out another set of invitations, and a tradition was born.

Since that time, Group 47 reassembles annually at Hans Werner Richter's bidding. For some years its gatherings were the only means of literary communication — part coffee-house, part discussion hall. Gradually it became an institution, influential and normative. Richter began to seek out and encourage new talent, and added to his guest list the names of unknown writers as well as professional critics and publishers. Each of the recent sessions included well over a hundred participants, not counting spouses and special guests.

But though the intimacy of the first meetings is gone, their informality was preserved. It has become the Group's trademark. Criticism is spontaneous and blunt, no matter whether it is directed at the well-established writer or the literary newcomer. Everyone has the right to speak up — except the reader on the "electric chair." His composure is put to the test as much as his literary contribution. *Haltung*, Richter stresses, is as indispensable a qualification for participation as literary commitment, and more so than critical approbation.

Though Richter has been attacked or mocked for his insistence on good form, it has become an effective means for maintaining, even if artificially, the amicable and informal atmosphere of the early sessions. *Haltung*, with its aura of heroic suffering, establishes a bond between the participants, most of whom are potential readers as well as critics. More important, good form can prevent a negative critique from turning into an irreparable personal quarrel.

While the procedure of Group 47 has not changed essentially over the years, its orientation and emphasis have undergone considerable modification. The first participants of Group 47 were united by an important non-literary concern. They shared a belief in the writer's political responsibility toward his society and dedicated themselves to the task of building a new, responsible Germany, free from authoritarianism and discrimination. Gradually, this goal — its degree of attainment is difficult to assess — receded into the background. Though sympathizers with Fascist ideology were invariably excluded, the Group's orientation shifted toward a primarily esthetic emphasis. The topical, forceful, and unadorned style of the early period — Richter calls it *Kahlschlag-Prosa* — was superseded by wide-ranging stylistic and thematic experimentation.

These changes were highlighted by two "explosions" which took place during the Group's meeting at Princeton University in April 1966, the first meeting to take place in the United States. On the second day of readings, the presentation of a well-written but inconsequential story evoked the ire of Peter Weiss who, up to then, had been a tacit listener. Angrily he rose to question the writer's right to withdraw into a private world of fantasy at a time like the present. The ensuing heated debate showed how deeply the orientation of Group 47 had changed since 1947. The Group appeared split into two camps. One faction defended the writer's right to devote himself to purely esthetic concerns, the other demanded "commitment." But the nature of this commitment had changed. In 1947, it was directed against all forms of coercion — organizations, dogmatic philosophies, and any collective enterprises that sported slogans, programs, and flags. Today, Peter Weiss and a few others of the Group are known to be sympathetic to communist ideology.

While the discussion that evening was inconclusive, on the following day the problem came up once more in a different form. Peter Handke, a promising young Austrian writer, criticized a story for echoing the idyllic prose of nineteenth century regional literature. In a long, passionate diatribe he questioned the validity of much of today's literary and critical orientation in general. The Group came to life, nodded, laughed, shouted, and applauded — until Richter rose. In a low but icy voice he stated that this was no place for demonstrations. Quiet was restored immediately, and the critics began to snuff the spark of revolt in long analyses of the meaning and implications of Mr. Handke's statements.

Richter's gesture and the Group's response were revealing. Group 47 has been called a club, a circle of friends, a movement, a discussion group, a coffee-house gathering, a literary stock exchange, Richter's literary salon, a clique. At present, the Group seems to have two main functions. It's meetings serve as writers' workshops and as public competitions. But paradoxically, despite these concrete functions, Group 47 is basically an emanation of Hans Werner Richter's mind, a presence conjured up and dismissed by his will. A number of individuals are chosen by Richter — *in nomen omen!* — partly for their acumen or promise, partly for their respectability and influence, and always for a certain basic attitude. They gather at Richter's bidding, shed their status and professional pride, and become a group subservient to his decisions, requests, and reprimands. Their lustre informs the Group, and the Group, in turn, lends lustre to them.

Group 47 is not only a unique phenomenon, but also Germany's only major literary association. Every meeting is reported in the press, frequently with the coverage given to a significant cultural event. Despite some illustrious gaps in Richter's guest list, it has, at one time or other, included the names of most of Germany's important men of letters. Many leading publishers attend regularly and respond promptly when Richter asks for contributions toward the Group's prize. Although modest in size, the prize is easily the most esteemed literary award in Germany. Richter takes great pride in the fact that it was awarded to Eich, Böll, Aichinger, Bachmann, Walser, and Grass before they had received recognition elsewhere.

Richter has been attacked for being the Group's permanent, sole, and autocratic legislator. By his single-handed choice of participants and his insistence on their subservience, he could indeed transform an association of equals into a discriminating clique. But, whether by design or accident, the Group has an effective safety valve. Since the prestige of Group 47 stands or falls with the writers' and critics' response to Richter's invitations and with their evaluations of the sessions, Richter's concept and direction of the Group is tested at each meeting just as much as the participants' "good form." Group 47 is far from being "established." On the contrary — and perhaps this is the secret of its longevity and vigor — it is as vulnerable as ever, and its flexibility and fitness for survival must be demonstrated at each meeting.

The Princeton meeting marked one of the low points in the Group's history. A few prominent writers stayed away in protest, it was rumored, against the wholesale exportation of German culture at the bidding of the American dollar. (The invitation to Princeton was made possible by a generous grant from the Ford Foundation.) Some of those who came up to Peter Handke at the beer party that marked the end of the meeting and expressed their approval and admiration, must have shared his apprehension that the Group might be headed toward futility. Joachim Kaiser, one of the critics present, suggested in the *Süddeutsche Zeitung* of April 30, 1966 that the group's demise might be in sight. Wolfgang

Hildesheimer, long-term participant in the group's meetings, but absent in Princeton, wrote in *Die Zeit* of July 19, 1966 about a change in the Group's attitude, a kind of "collective shrinking of integrity, a creeping metamorphosis from responsibility toward irresponsibility."

An even greater number of prominent old-timers were absent when the Group met in the Fall of 1967. Yet, at this meeting the Group showed new vigor and dedication. Of twenty-five readings, twelve were by authors who had not read before, and after a gap of several years, the prize was again awarded. In addition, the Group passed a unanimous resolution to censure and boycott the Springer-Verlag, one of Germany's leading publishing houses, which had come under attack for its dictatorial policies and its biased news coverage. Thus, on its twentieth birthday, Group 47 seems to have rededicated itself to its original aims. Hopefully, like Antaeus, it will emerge revived and rejuvenated from this fresh contact with its roots.

In his contribution to the *Almanach der Gruppe 47, 1947–1962*, Richter stated that Group 47 would exist as long as it was a valid expression of our time and as long as it fulfilled a necessary function in it. Though the actual relationship of Group 47 to its environment is a topic far too complex to be discussed here, one interesting factor should at least be mentioned. In 1947, Group 47 consisted of writers who were not only afraid of authoritarianism but equally suspicious of the democratic effectiveness of mass organizations. The Group's purpose, as Richter saw it, was the creation of a democratic élite. Today, the Group can, in its relationship to the general cultural life of Germany, be considered such an élite. Internally, however, it comes closer to a classless society — ruled with a firm hand and great diplomatic skill by an absolute ruler.

Nor is Richter's rule unwelcome or unnecessary. Enzensberger's humorous observation that Group 47 can hardly be considered a circle of friends since no writer has more than two friends, points to the tensions within the Group. It is interesting as well as ironic that it is not the framework of representational democracy that holds Group 47 together but an intricate and precarious system of checks and balances between the Group and its leader. It is a system that is predicated entirely on the leader's personality and his concept of the Group's nature and function. Thus we have the paradox of Richter's imposing upon Germany his own creation, while at the same time, he can say with justification that Group 47 is a valid expression of our time and fulfills a necessary function.

Gruppe 47: Ein Querschnitt was assembled in the spirit of the preceding assessment of the Group's essence and function. The term "cross section" only applies in a limited sense. Though the book presents a cross section of Group 47 authors and critics, it does not limit itself to texts read at sessions. Nor does it reflect their wide thematic, formal, and qualitative range. The selections were chosen for their literary merit, for being representative of their authors, and for providing insights into the current problems of Germany and the world at large. This orientation is faithful to the Group's emphasis on commitment, but it also gives the book an overall structure and level absent from the sessions.

At the sessions, the manuscripts read are usually unpublished and often incomplete. In view of the difficulty of obtaining unpublished material, and because of the unsatisfactory experience of assessing fragments, this volume limits itself to published, complete works. It therefore includes short fiction, poetry, and critical prose, but omits excerpts from novels, plays, or radio plays.

The first of the book's three parts is devoted to short fiction. This, in turn, can be sub-divided into three sections. The first six stories show contemporary Germany in its search for values after the moral and physical bankruptcy of 1945. Schnurre's *Das Begräbnis* was the first selection to be read at the Group's first meeting in 1947, under the title *Das Begräbnis des lieben Gottes*. It introduces the *Kahlschlag-Prosa* of the postwar years. With brutal directness the story exposes the total loss of illusions, values, and human dignity brought about by the war. An added dimension is attained by Schnurre's skillful use of symbols. Joined to trifles, they enhance the biting irony with which the religious theme is presented. *Die Leihgabe*, in contrast, implies a positive attitude. Despite its gloomy setting, it is a true Christmas story in tone and spirit, suggesting that human dignity can be preserved under the most trying circumstances. But Christmas does not last. Ferber's *Mimosen im Juli* shows, with beautiful simplicity, the insidious blurring of the distinctions between right and wrong which war brings about. In the following three stories, Germany's postwar problems and their often nightmarish solutions not only reveal the dilemma of contemporary Germany but challenge the reader's attitudes and values.

Peter Bichsel's three sketches introduce the second section. In some ways, his sketches are counterparts to *Das Begräbnis*. Their backdrops, the trite but absorbing concerns of today's prosaic and mechanized environment, are consequences of the collapse of prewar social conditions and values. But Bichsel's simple, terse style achieves a subtle poetic transformation of the naturalistic idiom of the first story. In the selections of the second section, the individual's concerns are no longer the immediate material problems of privation, coercion, and corruption but the need to rediscover his inner sources of weakness and strength. In Bichsel's sketches resignation and defiance turn into a reconciliation with reality. In Jens' *Bericht über Hattington* the lessons of the past are studied. Fried's and Aichinger's stories achieve a new poetic transformation of reality. But here another danger can arise — the temptation to carry the transformation to the extreme, to escape from reality instead of coming to terms with it. Hildesheimer's *Der Urlaub* shows the failure of one such attempt to escape into a private world. It brings the section to a close and parallels, in many ways, the negative victory of *Salto Mortale*, the last story of the first section.

In the third and final section, the individual and his problems are viewed in the vast framework of time and space. Man's concerns are now commitment to humanity and collective responsibility. In the three stories of this section the past is evoked in historical perspective. Lenz's *Stimmungen der See* symbolically reiterates some of their insights: Past and present are part of the same circle; the past cannot be ignored or left behind; it must be mastered before a new present can be gained.

The poets represented in the anthology were chosen for the overall importance of their work. Contemporary poetry frequently reflects or is torn between two contradictory tendencies. Brecht's heritage of open and often crude didacticism tends, at its worst, toward a poetry of slogans, formulas, or enumerations; the expressionists' emotional or intellectual subjectivism frequently results in total obscurity. At its best, however, contemporary poetry has reached a synthesis of its dual heritage. By avoiding obscurity and verbal acrobatics as much as sledgehammer tactics, and by achieving a balance of significant form and content, it has become a powerful voice of our world's sensibility and conscience.

For this reason, intelligibility was considered as important a criterion of selection as formal achievement and thematic relevance. The poems chosen do not represent the extremes of their dual heritage. Nonetheless, they reflect the wide range of today's German poetry — from Grass' and Biermann's humorous or sarcastic attention to the incongruities of today's existence, to Bobrowski's and Höllerer's lyrical preoccupation with nature and the past, to Eich's emphasis on the individual's sensibility and on the word itself, to Enzensberger's and Bachmann's concern with the cosmic implications of our attitudes and actions.

The sequence of the poems was determined entirely by linguistic considerations, and the thematic pattern outlined above is incidental. Höllerer's poems were selected for their relative simplicity and are not necessarily representative. Actually, both Bobrowski and Höllerer achieve a far more original poetic transformation of reality in their prose. Unfortunately, it was considered too difficult for this anthology. The poems by the two East German poets represented — Biermann and Bobrowski — resemble those of their West German counterparts. However, the small sample given here is not intended as a reflection of the scope or nature of today's East German writing. It is the result of political realities. Though Bobrowski — who died in 1965 — attended several meetings of Group 47, Biermann never received his government's permission to accept Richter's invitation. Bobrowski's work is largely apolitical. Biermann, despite his limited output, is one of East Germany's most talked-about writers. His slender volume of ballads and songs, *Die Drahtharfe*, published in West Berlin and soon to be made available in this country, has attracted considerable attention for its outspoken criticism of some of the practices of the East German regime.

Linguistic and technical problems made it impossible to include all important or promising authors of Group 47. Nor could those included always be represented by the genre they favor. Richter, Grass and Johnson are primarily novelists; Fried is a poet; Jens and Höllerer are literary historians and critics. However, all prize winners up to 1967 were included except Adriaan Moriënn, who writes in Dutch. Also included were the Group's most important critics — Höllerer, Jens, Kaiser, Mayer and Reich-Ranicki. The latters' essays as well as Walser's brilliant *tour de force* provide some inside views of the Group in operation and of the personalities of some of its most prominent adherents.

In conclusion, a few words should be said about the critical concepts underlying the editorial arrangement. All selections are complete and unsimplified. The arrangement of the stories is predicated on the book's thematic pattern, though linguistic problems were taken into consideration. It was possible to minimize these by using the annotating system introduced by the author in another literary reader, *Die stillste Stunde*.

A technique designed to facilitate word study is based on the book's chronology. The stories are numbered consecutively, and the vocabulary lists, by number, the stories in which a word occurs for the first, second, and third times. Page references were omitted for two reasons. First, some words occur in one particular story in several meanings, and an exact numbering system would be cumbersome and confusing. Second, the system is not meant to encourage comparison of linguistic contexts as much as to enable the student to check and improve his memorization technique. It also provides the instructor with a quick means of checking a word's first occurrence.

Only words found in at least two stories are listed in the vocabulary; they should be added to the student's active vocabulary. Words occurring in only one story are explained in their contextual meaning in the footnotes. This aid should enable the student to concentrate on style and ideas rather than an excess of linguistic problems.

It may surprise some readers to find that common words may occur only once, while uncommon words occur in more than one story. This factor confirmed my reservations about the validity of frequency lists as a basis for abridging vocabularies. Therefore, the end vocabulary is complete, except for words annotated in the footnotes.

For an explanation of abbreviations see p. 214.

The book can be used by intermediate and advanced students. Once the student has mastered the essentials of German grammar, the texts present no unusual linguistic difficulties, and the level of discussion can be adapted to the maturity of the group.

I would also like to take this opportunity to express my appreciation to the many whose advice or help aided me in preparing this anthology.

I am indebted to Blaisdell Publishing Company for suggesting the project to me, to Hans Werner Richter for his approbation, without which it would not have been undertaken, and to Mrs. Richter and Mrs. von Mangoldt for putting their photographs of Group 47 at my disposal. Thanks are also due to Siegfried Unseld of the Suhrkamp-Verlag for suggesting some authors and contributions, and to the authors of Group 47 who responded promptly and conscientiously to my inquiries. I would like to express my appreciation to Eva Engel, Lore Foltin, Henry Lea, Eva Schiffer and Walter Sokel for their constructive criticism. Last and therefore most emphatically, I would like to thank Henry H. H. Remak for his invaluable editorial assistance, and Joan Fuller for her help in typing and annotating the text, and in preparing the vocabulary.

EWT

Monterey
January, 1968

Teil I Prosa

1 WOLFDIETRICH SCHNURRE

Das Begräbnis[1]

*„Das Begräbnis" was the first selection to
be read at the opening meeting of
GRUPPE 47 on September 10, 1947.*

Steh ich[2] in der Küche auf m[3] Stuhl. Klopft's.
Steig ich runter, leg den Hammer weg und den Nagel; mach auf:
Nacht; Regen.
Nanu,[4] denk ich, hat doch geklopft.
„Ptsch," macht die Dachrinne.
„Ja — ?" sag ich.
Ruft's hinter mir: „Hallo!"
Geh ich zurück wieder. Liegt n[5] Brief auf m Tisch. Nehm ihn.
Klappt die Tür unten. Leg ich den Brief hin, geh runter, mach auf:
Nichts.
Ulkig,[6] denk ich.
Geh rauf wieder.
Liegt der Brief da; weiß mit schwarzem Rand.[7]
Muß einer gestorben sein,[8] denk ich.
Seh mich um.
„Riecht nach Weihrauch,"[9] sagt meine Nase.
„Hast recht",[10] sag ich; „war doch vorher nich. Komisch."
Reiß den Brief auf, setz mich, putz mir die Brille.
So.
Richtig, ne Traueranzeige. Ich buchstabiere:
VON KEINEM GELIEBT, VON KEINEM GEHASST, STARB HEUTE NACH

---

[1] das Begräbnis, –se   funeral
[2] Omission of letters, and pronouns, mixing of verb forms or tense, and inverted word
   order to indicate immediacy and informality, are characteristic features of the mixture of low class Berlin dialect and colloquial language in which the story is written.
[3] m = einem *or* dem
[4] nanu   (*coll.*) exclamation indicating surprise
[5] n = ein
[6] ulkig   (*coll.*) odd
[7] Obituary announcements are mailed in black-rimmed envelopes.
[8] (es)muß einer gestorben sein   someone must have died
[9] der Weihrauch   incense
[10] Hast recht.   You're right.

LANGEM, MIT HIMMLISCHER GEDULT ERTRAGENEM LEIDEN: GOTT.

Klein, darunter:

Die Beisetzung[11] *findet heute nacht in aller Stille auf dem St.-Zebedäus-Friedhof statt.*

Siehste,[12] denk ich, hat's ihn auch geschnappt, den Alten; nu ja. Steck die Brille ins Futteral[13] und steh auf.

„Frau!" ruf ich, „n Mantel!"

„Wieso n?" brummelt sie oben.

„Frag nich so blöd", sag ich; „muß zur Beerdigung."

„Kenn ich", greint[14] sie; „Skat kloppen[15] willste."

„Quatsch", sag ich; „Gott is gestorben."

„Na und — ?" sagte[2] sie; „vielleicht noch n Kranz kaufen, hm?"

„Nee",[16] sag ich; „aber Franzens Zylinder[17] könntste rausrücken.[18] Wer weiß, wer alles da is."

„Ach nee", sagt sie; „auch noch n dicken Willem markieren?[19] Nee, is nich.[20] Außerdem duster;[21] sieht sowieso keiner, daß de n Zylinder aufhast."

Schön, denk ich; denn nich, liebe Tante.[22]

Zieh mein Paletot[23] an, klapp n Kragen hoch und geh runter zur Tür. s'pladdert.[24]

Den Schirm, denk ich. Aber den Schirm hat Emma.

„Nacht",[25] sag ich und mach zu hinter mir.

Alles wie immer draußen. Glitschiger[26] Asphalt, bißchen Laternenlicht; paar Autos, paar Fußgänger; auch die Straßenbahn fährt.

Frag ich einen: „Schon gehört — Gott is gestorben."

Sagt der: „Nanu; heut erst?"

Der Regen nimmt zu. Vor mir taucht n Kiosk[27] auf mit ner Karbid-lampe[28] drin.

Halt, denk ich, mußt doch mal sehn.

---

[11] **die Beisetzung, –en**   burial
[12] **siehste = siehst du** (*dial.*)
[13] **das Futteral, –e**   case
[14] **greinen**   (*dial.*) whine
[15] **Skat kloppen**   (*coll.*) play skat (a three hand card game)
[16] **nee** (*coll.*) **= nein**
[17] **der Zylinder, –**   top hat
[18] **rausrücken**   (*coll.*) let (me) have
[19] **n dicken Willem markieren**   (*idiom.*) play the bigshot
[20] **is nich** (*dial.*) **= damit ist nichts**   nothing doing
[21] **duster** (*dial.*) **= düster**
[22] **Schön, denk ich; denn nich, liebe Tante.**   (*idiom.*) O.K., I figure; have it your way.
[23] **der** *or* **das Paletot**   overcoat
[24] **s'pladdert**   (*dial.*) it's pouring
[25] **Nacht = Gute Nacht**
[26] **glitschig**   (*coll.*) slippery
[27] **der (Zeitungs–) Kiosk, –e**   news stand
[28] **die Karbidlampe, –n**   gas lamp

Beug mich rein; blättere, such.

HEUTE:[29] nichts. MORGEN: nichts. NEUE WELT: nichts. DIE ZUKUNFT: nichts. AM FEIERABEND: nichts. Keine Zeile; nicht mal unter Kurznachrichten.

Frag ich: „Sonst noch was?"

„Anzeigenblatt", sagt der Zeitungsmann.

„Moment", sag ich.

Such; find's: Letzte Seite; reiner Zufall. Unter *Sonstiges*,[30] klitzeklein:[31]

VON KEINEM GELIEBT, VON KEINEM GEHASST, STARB NACH LANGEM, MIT HIMMLISCHER GEDULT ERTRAGENEM LEIDEN: GOTT.

Aus; alles.[32]

Zeigt's[2] dem Zeitungsmann: „Na — ?"

Sagt der: „Armer Deubel. Kein Wunder."

Auf m Paradeplatz, mitten im Nebel, steht n Schutzmann.

Frag ich: „Nich was durchs Radio gekommen?"

„Krieg", sagte er.

„Nee", sag ich; „was Besonderes."

„Nee", sagt er.

„Kein Todesfall? Gott soll gestorben sein."

Zuckt er die Schultern: „Hat er davon."[33]

Wird dunkler. Die Straße verengt sich.

Ecke Kadettenweg renn ich einen an.

Sagt der: „Geht's n hier zum Zebedäus-Friedhof?"

„Pfarrer?"[34] frag ich; „Beerdigung?"

Er nickt.

„Wen denn."

Sagt er: „n gewissen Klott oder Gott oder so ähnlich."

Gehn wir zusammen. An Mietskasernen vorbei, schorfigen[35] Brandmauern, flackernden[36] Gaslaternen.

Fragt der Pfarrer: „Verwandt mit dem Toten?"

„Nee", sag ich; „bloß so."

Hinter uns wird n Fenster aufgerissen.

„Hilfe!" schreit ne Frau.

n Blumentopf klirrt aufs Pflaster. Gegenüber zieht einer n Roll-Laden[37] hoch. Licht fällt auf die Straße.

---

[29] HEUTE, MORGEN etc. names of newspapers and/or magazines
[30] Sonstiges miscellaneous items
[31] klitzeklein (*slang*) tiny
[32] Aus; alles Finished; nothing else.
[33] (Das) hat er davon serves him right
[34] der Pfarrer, – clergyman
[35] schorfig scabby
[36] flackern flicker
[37] der Roll-Laden, ∴ roll-shutter

„Ruhe!" brüllt[38] jemand.

„Noch weit?" fragt der Pfarrer.

„Nee", sag ich; „gleich."

Der Regen ist jetzt so dicht, daß man kaum noch die Laternen erkennt. Bin naß bis aufs Hemd.

„Hier", sag ich: „rechts."

Ist die Marschallstraße; mündet auf n Kohlenplatz, der jetzt mit Stacheldraht eingezäunt ist; Quarantänelager für Heimkehrer.[39]

Die stehn im Regen und warten. Links der Zebedäus-Friedhof daneben, eng an die Rückwand von Waldemars Ballsälen gequetscht.[40]

Rechts die Stickstoff-Fabrik.[41] Ihre verschmierten Fenster sind hell; man hört's, sie läuft auf Hochtouren.[42] Ihre Schornsteine sind von unten erleuchtet; oben verlieren sie sich im Nebel.

Vorm Friedhof steht was. n Wagen mit ner Kiste drauf; paar Leute, n Pferd.

„n Abend", sag ich.

„Biste der Pfarrer?"

„Nee", sag ich, „*der*."

„Los, pack mit an."[43]

Der Pfarrer greift zu, schweigend. Sie heben sich die Kiste auf die Schulter und schwanken durchs Tor.

„Beeilt euch!" schreit der Kutscher.[44] Er hat sich unter ner Decke verkrochen und lehnt an dem Pferd; raucht.

s Tor quietscht,[45] wie ich's zumach. Langsam schlendre ich hinter den Männern her.

Zwei tragen Spaten. Die kenn ich; sind die Totengräber. Der dritte hat n blauen Kittel[46] an, hinter seinem rechten Ohr klebt ne aufgeweichte Zigarette; n Strassenfeger oder so was.[47] Die andern beiden stecken in speckigen Feldblusen und haben Schildmützen auf; Heimkehrer aus m Lager wahrscheinlich. Der sechste ist der Pfarrer.

Jetzt sind sie aus m Schritt gekommen, die Kiste auf ihren Schultern liegt schief. Hat der Pfarrer dran schuld; kriegt s Kreuz[48] nicht raus, stöhnt. Schreit plötzlich: „Absetzen!" Duckt sich.

„Rumms."

---

[38] **brüllen** yell
[39] **der Heimkehrer, –** a soldier returning from a P.O.W. camp
[40] **quetschen** squeeze
[41] **die Stickstoff-Fabrik, –en** nitrogen factory
[42] **auf Hochtouren** at capacity
[43] **Los, pack mit an.** Come on, give a hand.
[44] **der Kutscher, –** driver, coachman
[45] **quietschen** creak
[46] **der Kittel, –** smock, overalls
[47] **so was** some such
[48] **das Kreuz, –e** cross *or* back; *here,* the symbolic overtone is probably intentional.

Der Deckel fliegt ab. Haben sie die Bescherung.[49]

Der Pfarrer hinkt;[50] hat die Kiste auf n Fuß gekriegt.

Der Tote ist rausgefallen. Liegt da, bleich. Die Azetylenlampen vom Lager leuchten ihn an. n graues Hemd trägt er, ist hager, und an seinem Mund und im Bart ist etwas Blut festgetrocknet. Er lächelt.

,,Idiot,'' sagte der Kittelmann.

Sie drehn die Kiste um und heben den Toten wieder rein.

Sagt der eine Heimkehrer: ,,Er is dreckig, paß auf.''

,,Schon gut'', sagt der andre.

Wie der Deckel drauf ist, bücken sie sich.

,,Haaaaaau — ruck!'' schrein die Totengräber.

,,Maaaaarsch!''

Der Pfarrer hinkt.

An nem zermanschten[51] Erdhaufen wartet ne Frau. Kenn ich; ist die Inspecktorin. Sie hat n durchlöcherten Schirm aufgespannt, durch den man die erleuchteten Schornsteine sieht. Ihr Rock ist aus Sackleinen; STÄDTISCHE STICKSTOFFWERKE steht drauf.[52]

,,Hierher!'' schreit sie.

Neben dem Erdhaufen ist n Loch. Neben dem Loch liegt n Strick. Daneben n Blechkreuz mit ner Nummer drauf.

Die Träger schwenken ein.

,,Seeeeeeetzt — ab!'' kommandieren die Totengräber.

Die Kiste rumpelt zur Erde. H. GOTT ist drangeschrieben mit Kreide. Drunter n Datum; schon verwischt aber.

Der Pfarrer räuspert sich.

,,Junge, Junge'', sagt der eine Heimkehrer und betupft sich die Stirn.

Der andre stellt den Fuß auf die Kiste und beugt sich vornüber.

,,Mistwetter'',[53] sagt er und bewegt die Zehen, die aus der Schuhspitze raussehen.

,,Los, Leute'', sagte die Inspektorin, ,,haut hin.''[54]

Der eine Totengräber mißt das Loch mit m Spatenstiel aus. ,,Werd[55] verrückt'', sagt er.

,,Was n'',[56] fragt der andre.

,,Zu kurz.''

Sie schippen.

Es plantscht,[57] wenn die Brocken[58] ins Loch fallen; Grundwasser.

---

[49] **die Bescherung, –en** (*coll.*) mess (*lit.*: exchanging of gifts at Christmas)
[50] **hinken** limp
[51] **zermanscht** (*dial.*) soggy
[52] **Stickstoffwerke steht drauf** . . . *i.e.*, made of sacking discarded by the factory.
[53] **Mistwetter** (*coll.*) lousy weather
[54] **haut hin** (*coll.*) get going!
[55] **werd** = ich werd'
[56] **Was denn?** What is it?
[57] **plantschen** splash
[58] **der Brocken, –** piece, chunk

„Paßt", sagt der Kittelmann.

Der Pfarrer räuspert sich. „Liebe Anwesende", sagt er.

„Hier", sagt der eine Totengräber, „faß mal n Strick an. So. Und jetz drauf mit dem Ding."

Sie heben die Kiste an und stellen sie auf den Strick, der rechts und links mit je drei Schlaufen drunter vorsieht.

„Zuuuuu — gleich!" kommandieren die Totengräber.

Die Kiste schwebt überm Loch.

Taghell machen's die Azetylenlampen. Die Blechkreuze rings auf den flachen Hügeln sind nicht höher als Kohlköpfe.[59]

Es regnet ununterbrochen.

Von der schimmligen[60] Rückwand von Waldemars Ballsälen löst sich n Putzplacken[61] ab und haut zwei Grabkreuze um.

„Nachlassen", sagt der eine Totengräber; „langsam nachlassen."

Die Kiste senkt sich.

„Woran is er n[62] gestorben?" frag ich.

Die Inspektorin gähnt.[63] „Soll[64] *ich* n das wissen."

Vom Quarantänelager kommt Harmonikamusik rüber.

„Bei drei loslassen", sagt der andre Totengräber; zählt: „Eins —, zwei —"

„Moment", sagt der Pfarrer und zieht sein Bein aus der Grube; „so."

„Drei!"

Klang, als wär n Sack ins Wasser geplumpst.

„Sauerei",[65] sagt der Kittelmann und wischt sich s Gesicht ab.

Die Heimkehrer ziehn die Mützen vom Kopf. Der Pfarrer faltet die Hände.

„Na ja." Der eine Totengräber spuckt aus und wickelt den Strick auf.

„Bißchen tiefer hättet ihr ruhig[66] gehn können", sagt die Inspektorin.

Der Pfarrer hat fertig gebetet. Er hebt nen Lehmbatzen[67] auf und wirft ihn ins Loch.

„Bumms", macht es. Auch ich bück mich.

„Bumms."

Der Kittelmann schubst[68] seine Portion mit m Fuß rein.

„Bumms."

n Augenblick ist es still; man hört nur das Rattern und Stampfen der Maschinen aus der Stickstoff-Fabrik. Dann setzt die Musik wieder ein,

---

[59] **der Kohlkopf, ⁀e** cabbage head
[60] **schimmlig** moldy
[61] **der Putzplacken, –** piece of plaster
[62] **n = denn**
[63] **gähnen** yawn
[64] **soll = wie soll**
[65] **Sauerei!** What a disgusting mess!
[66] **ruhig** easily
[67] **der Lehmbatzen, –** lump of clay
[68] **schubsen** (*coll.*) push

lauter jetzt. Die Heimkehrer haben die Mützen wieder aufgesetzt, sie wiegen sich in den Hüften und summen mit.

„Fertig — ?" fragt der Kittelmann.

„Fertig", sagt die Inspektorin. „Haut des Kreuz weit genug rein."

Der Pfarrer putzt sich die Hände ab. „Liebe Anwesende", sagt er.

„He!" schreit draußen der Kutscher.

„Ja doch!"[69] brüllt der Kittelmann. Tippt an die Mütze: „n Abend allerseits."

„n Abend", sagen die Heimkehrer und gehn auch.

Die Inspektorin folgt ihnen. Sieht aus wie ne Steckrübe[70] mit ihrem geschürzten Rock.

Die Totengräber fangen an zu schippen.

„Rumms", macht es; „rumms, rumms."

„— fluchter Dreck", sagt der eine und tritt mit m Absatz den Lehm vom Spaten.

„Geben se n heut im Odeon?"[71] fragt der andre.

Der Pfarrer starrt die Rückwand von Waldemars Ballsälen an.

„Noch nich[72] nachgesehn", sagt der erste Totengräber; „gleich mal[73] vorbeigehn."

„Hü!" schreit der Kutscher draußen.

„n Abend", sag ich.

Der Pfarrer rührt sich nicht.

„n Abend", sagen die Totengräber.

s Friedhofstor quietscht, wie ich's zumach. Am Zaun ist n Zettel aufgespießt.[74] Reiß ihn ab; Stück Zeitungspapier. Inseratenteil,[75] weich vom Regen. Links sucht die Patria-Bar n eleganten Kellner mit eigener Wäsche; rechts tauscht einer n Bettlaken[76] gegen ne Bratpfanne ein. Dazwischen, schwarzer Rand, Traueranzeige:

Von keinem geliebt, von keinem gehasst, starb heute nach langem, mit himmlischer Geduld ertragenem Leiden: Gott.

Dreh mich um.

Der eine Totengräber ist ins Loch reingesprungen und trampelt die Erde fest. Der andre schneuzt sich[77] und schlenkert n Rotz[78] von den Fingern.

In der Stickstoff-Fabrik rattern die Maschinen. Ihre Schornsteine sind

---

[69] **Ja doch!** All right!
[70] **die (Steck-) Rübe, –n** turnip
[71] **Was geben... Odeon?** What's playing at the Odeon today?
[72] **noch nich** = ich hab' noch nicht
[73] **gleich mal** = ich werd' gleich mal
[74] **auf-spießen** impale, stick on a nail
[75] **der Inseratenteil, –e** advertisement section (of a newspaper)
[76] **das Laken, –** sheet
[77] **sich schneuzen** blow one's nose
[78] **schlenkert n Rotz** shakes the snot off

von unten erleuchtet. Oben verlieren sie sich im Nebel. Hinterm Stachel-
draht auf m Kohlenplatz stehn die Heimkehrer und warten. s regnet.
Taghell haben's die Azetylenlampen gemacht; wo sie nicht hinreichen, ist
Nacht.

Jetzt ist auch die Harmonika wieder da. Einer singt zu ihr: ,,La paloma
ohé!''

s Friedhofstor quietscht. Ist der Pfarrer.

Er hinkt.[79]

FRAGEN UND THEMEN

1. Was macht diese Geschichte so ungewöhnlich?

2. Was ist wohl (*probably*) die Bedeutung des Nageleinschlagens, des
   Weihrauchgeruchs und ähnlicher symbolischer Einzelheiten?

3. Beschreiben Sie die Reaktion der Menschen auf die Nachricht vom Tod
   Gottes.

4. Interpretieren Sie die Episode mit der Frau, die um Hilfe schreit.

5. Wie nehmen die Menschen die ,,Grabrede'' des Pfarrers auf?

6. Was zeigen die Umstände, unter denen Gott begraben wird, über die
   religiöse Haltung der Anwesenden?

7. Was sagt uns die Geschichte über die wirtschaftliche (*economic*) Lage
   Deutschlands zu der Zeit?

8. Versuchen Sie eine Stilanalyse.

---

[79] **er hinkt**   *here*, perhaps an allusion to the Devil who, according to German tradition,
limps

2 WOLFDIETRICH SCHNURRE

Die Leihgabe

Am meisten hat Vater sich jedesmal zu Weihnachten Mühe gegeben.[1]
Da fiel es uns allerdings auch besonders schwer, drüber wegzukommen,
daß wir arbeitslos waren. Andere Feiertage, die beging man oder man
beging sie nicht; aber auf Weihnachten lebte man zu, und war es erst da,
dann hielt man es fest; und die Schaufenster, die brachten es ja oft noch
nicht mal im Januar fertig, sich von ihren Schokoladenweihnachtsmännern
zu trennen.

Mir hatten es vor allem immer die Zwerge und Kasperles[2] angetan.[3]
War Vater dabei,[4] sah ich weg; aber das fiel meist mehr auf, als wenn man
hingesehen hätte; und so fing ich dann allmählich doch wieder an, in die
Läden zu kucken.[5]

Vater war auch nicht gerade unempfindlich gegen die Schau-
fensterauslagen, er konnte sich nur besser beherrschen. Weihnachten,
sagte er, wäre das Fest der Freude; das Entscheidende wäre jetzt
nämlich: nicht traurig zu sein; auch dann nicht, wenn man kein Geld
hätte.

„Die meisten Leute", sagte Vater, „sind bloß am ersten und zweiten
Feiertag fröhlich und vielleicht nachher zu Sylvester[6] noch mal. Das
genügt aber nicht; man muß mindestens schon einen Monat vorher mit
Fröhlichsein anfangen. Zu Sylvester", sagte Vater, „da kannst du dann
getrost[7] wieder traurig sein; denn es ist nie schön, wenn ein Jahr einfach so
weggeht. Nur jetzt, so vor Weihnachten, da ist es unangebracht,[8]
traurig zu sein."

---

[1] **sich Mühe geben**   try hard, make an effort
[2] **das Kasperle, −s**   clown (Punch of the Punch-and-Judy show)
[3] **mir hatten es . . . angetan**   had cast a spell on me
[4] **dabei sein**   be present
[5] **kucken (gucken)**   peek
[6] **der Sylvester**   New Year's Eve (St. Sylvester's Day)
[7] **getrost**   *here:* with a good conscience
[8] **unangebracht**   out of place

Vater selber gab sich auch immer große Mühe, nicht traurig zu sein um diese Zeit; doch er hatte es aus irgendeinem Grund da[9] schwerer als ich; wahrscheinlich deshalb, weil er keinen Vater mehr hatte, der ihm dasselbe sagen konnte, was er mir immer sagte.

Es wäre bestimmt auch alles leichter gewesen, hätte Vater noch seine Stelle gehabt. Er hätte jetzt sogar[10] wieder als Hilfspräparator[11] gearbeitet; aber sie brauchten keine Hilfspräparatoren im Augenblick. Der Direktor hatte gesagt, aufhalten im Museum könnte Vater sich gern,[12] aber mit Arbeit müßte er warten, bis bessere Zeiten kämen.

,,Und wann, meinen Sie, ist das?" hatte Vater gefragt.

,,Ich möchte Ihnen nicht wehtun", hatte der Direktor gesagt.

Frieda hatte mehr Glück gehabt; sie war in einer Großdestille[13] am Alexanderplatz[14] als Küchenhilfe eingestellt worden und war dort auch gleich in Logis.[15] Uns war es ganz angenehm, nicht dauernd mit ihr zusammenzusein; sie war jetzt, wo wir uns nur mittags und abends mal[16] sahen, viel netter.

Aber im Grunde lebten auch *wir* nicht schlecht. Denn Frieda versorgte uns reichlich mit Essen, und war es zu Hause zu kalt, dann gingen wir ins Museum rüber; und wenn wir uns alles angesehen hatten, lehnten wir uns unter dem Dinosauriergerippe[17] an die Heizung, sahen aus dem Fenster oder fingen mit dem Museumswärter ein Gespräch über Kaninchenzucht an.

An sich war das Jahr also durchaus dazu angetan,[18] in Ruhe und Beschaulichkeit[19] zu Ende gebracht zu werden. Wenn Vater sich nur nicht solche Sorge um einen Weihnachtsbaum gemacht hätte.

Es kam ganz plötzlich.

Wir hatten eben Frieda aus der Destille abgeholt und sie nach Hause gebracht und uns hingelegt, da klappte Vater den Band ,Brehms Tierleben' zu, in dem er abends immer noch las und fragte zu mir rüber: ,,Schläfst du schon?"

,,Nein", sagte ich, denn es war zu kalt zum Schlafen.

,,Mir fällt eben ein", sagte Vater, ,,wir brauchen ja einen Weihnachtsbaum." Er machte eine Pause und wartete meine Antwort ab.

,,Findest du?" sagte ich.

---

[9] **da**   in this respect
[10] **sogar**   even (*i.e.*, as a last resort)
[11] **der Hilfspräparator, –en**   assistant taxidermist
[12] **gern**   *here:* was welcome to
[13] **die Großdestille, –n**   wholesale distillery
[14] **Alexanderplatz**   a square in Berlin made famous by Alfred Döblin's novel *Berlin Alexanderplatz* (*1930*)
[15] **das Logis**   lodgings
[16] **mal = manchmal**
[17] **das Dinosauriergerippe, –**   dinosaur skeleton
[18] **An sich . . . durchaus dazu angetan**   Basically, . . . was very well suited to
[19] **die Beschaulichkeit**   contemplation

„Ja", sagte Vater, „und zwar so einen richtigen, schönen; nicht so einen murkligen,[21] der schon umkippt, wenn man bloß mal eine Wallnuß[22] dranhängt."

Bei dem Wort Wallnuß richtete ich mich auf. Ob man nicht vielleicht auch ein paar Lebkuchen[23] kriegen könnte zum Dranhängen?

Vater räusperte sich. „Gott —", sagte er, „warum nicht; mal mit Frieda reden."[24]

„Vielleicht", sagte ich, „kennt Frieda auch gleich[25] jemand, der uns einen Baum schenkt."

Vater bezweifelte das. Außerdem: so einen Baum, wie er ihn sich vorstellte, den verschenkte niemand, der wäre ein Reichtum, ein Schatz wäre der.

Ob er vielleicht eine Mark[26] wert wäre, fragte ich.

„Eine Mark — ?!" Vater blies verächtlich die Luft durch die Nase: „mindestens zwei."

„Und wo gibt's ihn?"

„Siehst du", sagte Vater, „das überleg ich auch gerade."

„Aber wir können ihn doch gar nicht kaufen", sagte ich; „zwei Mark: wo willst du die denn jetzt hernehmen?"

Vater hob die Petroleumlampe auf und sah sich im Zimmer um. Ich wußte, er überlegte, ob sich vielleicht noch was ins Leihhaus bringen ließe; es war aber schon alles drin, sogar das Grammophon, bei dem ich so geheult hatte,[27] als der Kerl hinter dem Gitter mit ihm weggeschlurft[28] war.

Vater stellte die Lampe wieder zurück und räusperte sich. „Schlaf mal erst; ich werde mir den Fall durch den Kopf gehen lassen."

In der nächsten Zeit drückten wir uns bloß immer an den Weihnachtsbaumverkaufsständen herum. Baum auf Baum bekam Beine und lief weg; aber wir hatten noch immer keinen.

„Ob man nicht *doch* — ?"[29] fragte ich am fünften Tag, als wir gerade wieder im Museum unter dem Dinosauriergerippe an der Heizung lehnten.

„Ob man *was*?" fragte Vater scharf.

„Ich meine, ob man nicht doch versuchen sollte, einen gewöhnlichen Baum zu kriegen?"

„Bist du verrückt?!" Vater war empört. „Vielleicht so einen

---

[20] **zwar**   and for that matter
[21] **murklig**   (*coll.*) wobbly, shabby
[22] **die Wal(l)nuß, ⁻e**   walnut
[23] **der Lebkuchen, –**   gingerbread cookie
[24] **mal = ich will einmal**
[25] **gleich**   at the same time
[26] **1 Mark** = now, approx. 25 cents; during the depression much more
[27] **heulen**   howl, *i.e.* cry
[28] **weg-schlurfen (ist)**   shuffle away
[29] **ob man nicht doch**   shouldn't we after all

Kohlstrunk,[30] bei dem man nachher nicht weiß, soll es ein Handfeger
oder eine Zahnbürste sein? Kommt gar nicht in Frage."[31]

Doch was half es; Weihnachten kam näher und näher. Anfangs waren
die Christbaumwälder in den Straßen noch aufgefüllt worden; aber
allmählich lichteten sie sich, und eines Nachmittags waren wir Zeuge,
wie der fetteste Christbaumverkäufer vom Alex,[14] der Kraftriemen-
Jimmy,[32] sein letztes Bäumchen, ein wahres Streichholz von einem Baum,
für drei Mark fünfzig verkaufte, aufs Geld spuckte, sich aufs Rad schwang
und wegfuhr.

Nun fingen wir doch[33] an traurig zu werden. Nicht schlimm; aber
immerhin, es genügte, daß Frieda die Brauen noch mehr zusammenzog,
als sie es sonst schon zu tun pflegte, und daß sie uns fragte, was wir denn
hätten.[34]

Wir hatten uns zwar daran gewöhnt, unseren Kummer für uns zu
behalten, doch diesmal machten wir eine Ausnahme, und Vater erzählte
es ihr.

Frieda hörte aufmerksam zu. „Das ist alles?"

Wir nickten.

„Ihr seid aber komisch", sagte Frieda; „wieso geht ihr denn nicht
einfach in den Grunewald[35] einen klauen?"[36]

Ich habe Vater schon häufig empört gesehen, aber so empört wie an
diesem Abend noch nie.

Er war kreidebleich geworden. „Ist das dein Ernst?"[37] fragte er
heiser.

Frieda war sehr erstaunt. „Logisch",[38] sagte sie; „das machen doch
alle."

„Alle—!" echote Vater dumpf, „alle—!" Er erhob sich steif und
nahm mich bei der Hand. „Du gestattest wohl",[39] sagte er darauf zu
Frieda, „dass ich erst den Jungen nach Hause bringe, ehe ich dir hierauf
die gebührende Antwort erteile."

Er hat sie ihr niemals erteilt. Frieda war vernünftig; sie tat so, als
ginge sie auf Vaters Zimperlichkeit ein,[40] und am nächsten Tag entschuldigte sie sich.

---

[30] **der Kohlstrunk, –e** cabbage stalk
[31] **(es) kommt gar nicht in Frage** (it is) out of the question
[32] **Kraftriemen-Jimmy** perhaps, "Strong-man Jimmy" (*lit.:* **der Kraftriemen**
    jockstrap)
[33] **doch** nonetheless
[34] **was wir denn hätten** what was wrong
[35] **Grunewald** a section of Berlin with a big park
[36] **klauen** (*slang*) swipe
[37] **Ist das dein Ernst?** Are you serious?
[38] **logisch** naturally
[39] **du gestattest** you will permit me
[40] **als ginge sie auf Vaters Zimperlichkeit ein** as if she sympathized with father's
    prudery

Doch was nützte das alles; einen Baum, gar einen Staatsbaum,[41] wie Vater ihn sich vorstellte, hatten wir deshalb noch lange nicht.[42]

Aber dann — es war der dreiundzwanzigste Dezember und wir hatten eben wieder unseren Stammplatz unter dem Dinosauriergeripppe bezogen — hatte Vater die große Erleuchtung.

,,Haben Sie einen Spaten?" fragte er den Museumswärter, der neben uns auf seinem Klappstuhl eingenickt war.

,,Was?!" rief der und fuhr auf, ,,was habe ich?!"

,,Einen Spaten, Mann," sagte Vater ungeduldig; ,,ob sie einen Spaten haben."

Ja, den hätte er schon.[43]

Ich sah unsicher an Vater empor. Er sah jedoch leidlich[44] normal aus; nur sein Blick schien mir eine Spur unsteter[45] zu sein als sonst.

,,Gut", sagte er jetzt; ,,wir kommen heute mit zu Ihnen nach Hause, und Sie borgen[46] ihn uns."

Was er vorhatte, erfuhr ich erst in der Nacht.

,,Los", sagte Vater und schüttelte mich, ,,steh auf."

Ich kroch schlaftrunken über das Bettgitter. ,,Was ist denn bloß los!"

,,Paß auf", sagte Vater und blieb vor mir stehen: ,,Einen Baum stehlen, das ist gemein; aber sich einen borgen, das geht."

,,Borgen — ?" fragte ich blinzelnd.

,,Ja", sagte Vater. ,,Wir gehen jetzt in den Friedrichshain[47] und graben eine Blautanne aus. Zu Hause stellen wir sie in die Wanne[48] mit Wasser, feiern morgen dann Weihnachten mit ihr, und nachher pflanzen[49] wir sie wieder am selben Platz ein. Na — ?" Er sah mich durchdringend an.

,,Eine wunderbare Idee", sagte ich.

Summend und pfeifend gingen wir los; Vater den Spaten auf dem Rücken, ich einen Sack unter dem Arm. Hin und wieder hörte Vater auf zu pfeifen, und wir sangen zweistimmig ,,Morgen, Kinder, wird's was geben" und ,,Vom Himmel hoch, da komm ich her"[50] Wie immer bei solchen Liedern, hatte Vater Tränen in den Augen und auch mir war schon ganz feierlich zumut.[51]

Dann tauchte vor uns der Friedrichshain auf, und wir schwiegen.

---

[41] **gar einen Staatsbaum**   a "supertree" at that
[42] **hatten wir deshalb noch lange nicht**   we were as far from having as ever
[43] **Ja, den hätte er schon.**   Yes, he did have one.
[44] **leidlich**   fairly
[45] **unstet**   unsteady, restless
[46] **borgen**   loan, lend; borrow
[47] **der Friedrichshain**   a Berlin park
[48] **die (Zink-) Wanne, –n**   (zinc) tub
[49] **pflanzen**   plant
[50] German carols
[51] **zumut(e)–sein**   feel, be in a mood

Die Blautanne, auf die Vater es abgesehen hatte,[52] stand inmitten eines strohgedeckten Rosenrondells.[53] Sie war gut anderthalb Meter hoch und ein Muster an ebenmäßigem Wuchs.

Da der Boden nur dicht unter der Oberfläche gefroren war, dauerte es auch gar nicht lange, und Vater hatte die Wurzeln freigelegt. Behutsam kippten wir den Baum darauf um, schoben ihn mit den Wurzeln in den Sack, Vater hing seine Joppe über das Ende, das raussah, wir schippten das Loch zu, Stroh wurde drüber gestreut, Vater lud sich den Baum auf die Schulter, und wir gengen nach Hause.

Hier füllten wir die große Zinkwanne mit Wasser und stellten den Baum rein.

Als ich am nächsten Morgen aufwachte, waren Vater und Frieda schon dabei, ihn zu schmücken. Er war jetzt mit Hilfe einer Schnur an der Decke befestigt, und Frieda hatte aus Stanniolpapier[54] allerlei Sterne geschnitten, die sie an seinen Zweigen aufhängte; sie sahen sehr hübsch aus. Auch einige Lebkuchenmänner sah ich hängen.

Ich wollte den beiden den Spaß nicht verderben; daher tat ich so, als schliefe ich noch. Dabei überlegte ich mir, wie ich mich für ihre Nettigkeit revanchieren könnte.[55]

Schließlich fiel es mir ein: Vater hatte sich einen Weihnachtsbaum geborgt, warum sollte ich es nicht fertigbringen, mir über die Feiertage unser verpfändetes[57] Grammophon auszuleihen? Ich tat also, als wachte ich eben erst auf, bejubelte vorschriftsmäßig[56] den Baum, und dann zog ich mich an und ging los.

Der Pfandleiher war ein furchtbarer Mensch; schon als wir zum ersten Mal bei ihm gewesen waren, und Vater ihm seinen Mantel gegeben hatte, hätte ich dem Kerl sonst was zufügen mögen;[58] aber jetzt mußte man freundlich zu ihm sein.

Ich gab mir auch große Mühe. Ich erzählte ihm was von zwei Großmüttern und „gerade zu Weihnachten" und „letzte Freude auf alte Tage" und so, und plötzlich holte der Pfandleiher aus und haute mir eine herunter[59] und sagte ganz ruhig:

„Wie oft du *sonst* schwindelst, ist mir egal;[60] aber zu Weihnachten wird die Wahrheit gesagt, verstanden?"

Darauf schlurfte[28] er in den Nebenraum und brachte das Grammophon

---

[52] **auf . . . abgesehen hatte**   had designs on
[53] **das Rosenrondell, –e**   round bed of roses
[54] **das Stanniolpapier, –e**   tin foil
[55] **für ihre Nettigkeit revanchieren**   repay their thoughtfulness
[56] **vorschriftsmäßig**   properly
[57] **verpfänden pawn   der Pfandleiher, –**   pawnbroker
[58] **hätte ich . . . sonst was zufügen mögen**   I would have liked to become violent
[59] *d.h.*, **eine Ohrfeige**
[60] **wie oft du sonst schwindelst, ist mir egal**   I don't care how often you lie at other times

an.[61] ,,Aber wehe, ihr macht was an ihm kaputt![62] Und nur für drei Tage! Und auch bloß, weil du's bist!''

Ich machte einen Diener, daß ich mir fast die Stirn an der Kniescheibe stieß; dann nahm ich den Kasten unter den einen, den Trichter[63] unter den anderen Arm und rannte nach Hause.

Ich versteckte beides erst mal in der Waschküche. Frieda allerdings mußte ich einweihen, denn die hatte die Platten; aber Frieda hielt dicht.[64]

Mittags hatte uns Friedas Chef, der Destillenwirt, eingeladen. Es gab eine tadellose Nudelsuppe, anschließend Kartoffelbrei mit Gänseklein.[65] Wir aßen, bis wir uns kaum noch erkannten; darauf gingen wir, um Kohlen zu sparen, noch ein bißchen ins Museum zum Dinosauriergeripp; und am Nachmittag kam Frieda und holte uns ab.

Zu Hause wurde geheizt. Dann packte Frieda eine Riesenschüssel voll übriggebliebenem Gänseklein, drei Flaschen Rotwein und einen Quadratmeter Bienenstich[66] aus, Vater legte für mich seinen Band ,,Brehms Tierleben'' auf den Tisch, und im nächsten unbewachten Augenblick lief ich in die Waschküche runter, holte das Grammophon rauf und sagte Vater, er sollte sich umdrehen.

Er gehorchte auch; Frieda legte die Platten raus und steckte die Lichter an,[67] und ich machte den Trichter fest und zog das Grammophon auf.

,,Kann ich mich umdrehen?'' fragte Vater, der es nicht mehr aushielt, als Frieda das Licht ausgeknipst hatte.

,,Moment'', sagte ich; ,,dieser verdammte[69] Trichter — denkst du, ich krieg das Ding fest?''

Frieda hüstelte.

,,Was denn für ein Trichter?'' fragte Vater.

Aber da ging es schon los. Es war ,,Ihr Kinderlein, kommet'';[70] es knarrte zwar etwas, und die Platte hatte wohl auch einen Sprung, aber das machte nichts.[71] Frieda und ich sangen mit, und da drehte Vater sich um. Er schluckte erst und zupfte sich[72] an der Nase, aber dann räusperte er sich und sang auch mit.

Als die Platte zu Ende war, schüttelten wir uns die Hände, und ich erzählte Vater, wie ich das mit dem Grammophon gemacht hätte.

---

[61] **an** = **heran** (*coll.*)
[62] **Aber wehe, ihr macht was an ihm kaputt!** But don't you dare ruin anything!
[63] **der Trichter, –** *here:* horn of the gramophone
[64] **dicht-halten** hold one's tongue, keep a secret
[65] **das Gänseklein** goose giblets
[66] **der Bienenstich** a cake (*lit.:* bee-sting)
[67] *d.h.*, **am Baum**
[68] **aus-knipsen** turn off, switch off
[69] **verdammt** damn
[70] **,,Ihr Kinderlein kommet''** a German carol
[71] **das machte nichts** . . . it didn't matter
[72] **zupfen** tug, pull

Er war begeistert. „Na — ?" sagte er nur immer wieder zu Frieda und nickte dabei zu mir rüber: „na — ?"

Es wurde ein sehr schöner Weihnachtsabend.[73] Erst sangen und spielten wir die Platten durch; dann spielten wir sie noch mal ohne Gesang; dann sang Frieda noch mal alle Platten allein; dann sang sie mit Vater noch mal, und dann aßen wir und tranken den Wein aus, und darauf machten wir noch ein bißchen Musik; und dann brachten wir Frieda nach Hause und legten uns auch hin.

Am nächsten Morgen blieb der Baum noch aufgeputzt stehen. Ich durfte liegenbleiben, und Vater machte den ganzen Tag Grammophonmusik und pfiff Zweite Stimme dazu.

Dann, in der folgenden Nacht, nahmen wir den Baum aus der Wanne, steckten ihn, noch mit den Stanniolpapiersternen geschmückt, in den Sack und brachten ihn zurück in den Friedrichshain.

Hier pflanzten wir ihn wieder in sein Rosenrondell. Darauf traten wir die Erde fest und gingen nach Hause. Am Morgen brachte ich dann auch das Grammophon weg.

Den Baum haben wir noch häufig besucht; er ist wieder angewachsen. Die Stanniolpapiersterne hingen noch eine ganze Weile in seinen Zweigen, einige sogar bis in den Frühling.

Vor ein paar Monaten habe ich mir den Baum wieder mal angesehen. Er ist jetzt gute zwei Stock hoch und hat den Umfang[74] eines mittleren Fabrikschornsteins. Es mutet merkwürdig an,[75] sich vorzustellen, daß wir ihn mal zu Gast in unserer Wohnküche hatten.

FRAGEN UND THEMEN

1. Was erfahren wir über den Erzähler? über seinen Vater? über die Beziehung zwischen den beiden?

2. Erklären Sie den ersten Satz der Geschichte.

3. Welche Rolle spielt Frieda in der Geschichte?

4. Was wissen wir über die materiellen Umstände der drei?

5. Inwiefern beleuchtet die Episode mit dem Pfandleiher den Charakter des Jungen?

6. Welche moralischen Werte werden betont, und auf welche Weise?

7. Vergleichen Sie Schnurres zwei Geschichten mit Bezug auf (a) Stil, (b) Thematik, und (c) Weltanschauung.

---

[73] **Weihnachtsabend** In Germany the main celebration takes place on Christmas Eve.
[74] **der Umfang, ¨e** circumference
[75] **Es mutet merkwürdig an** it seems strange

3 CHRISTIAN FERBER

Mimosen im Juli

„Nach der Karte müssen wir gleich da sein", sagte Klieber. Der Wagen verließ den schattigen Tunnel, den unbeschnittene Korkeichen über der Straße gebildet hatten; zwischen breiten Wassergräben näherte er sich einer Ortschaft. „Ich will noch tanken, bevor wir auf die Fähre[1] gehen. Wer weiß, ob es auf der Insel Benzin[2] gibt."

„Es ist plötzlich alles so hell", antwortete Kliebers Mutter. „Und dabei verschwommen, die Linien schwanken, oder liegt es an meinen Augen?"

„Das ist oft so, wenn man auf die Küste zukommt. Es kommt vom Wasserdunst in der Sonne."

„Ich weiß, mein Junge. Vater hat von all diesen Dingen in seinen Briefen geschrieben. Vater wollte ja immer an der See leben, ich sage mir immer, wie gut es ist, daß er es wenigstens ein paar Jahre lang gekonnt hat."

„Ja, Mutter", sagte Klieber.

In der Mauer des Hauses neben der Tankstelle war eine der gelblichen Tafeln eingelassen, die sie überall in den Städten und Dörfern bemerkt hatten. Während eine alte Frau Benzin einfüllte, ging Klieber hin und las den Text darauf.

„Was sind das für Tafeln?" fragte die Mutter, als sie weiterfuhren.

„Gedenktafeln. Für Franzosen, die an dieser Stelle gefallen sind. Oder hingerichtet."

„Das ist wahrscheinlich eine gute Sitte", sagte die Mutter.

„Wahrscheinlich. Da ist das Meer nun wirklich. Und da kommt die Fähre. Wir haben Glück."

Sie fuhren auf die Betonrampe, die in das Meer hineingebaut war, und schlossen sich den wartenden Wagen an. Sie mußten warten und stiegen aus. Sachte[3] zog die Ebbe[4] das Wasser neben der Rampe fort;

---

[1] **die Fähre**   ferry boat
[2] **der** *or* **das Benzin**   gasoline
[3] **sachte**   gently
[4] **die Ebbe**   low tide

da und dort lagen auf dem schimmernden Schlick⁵ die stumpf glasigen Halbkugeln sterbender Quallen.⁶

,,Nie hätte ich gedacht, daß die Insel so nahe am Land ist.''

Die Mutter hatte sich auf die Zehenspitzen gestellt und betrachtete das breite, sanft gewölbte Eiland mit seinem dunklen Kamm aus Nadelholz. ,,Davon hat Vater nie geschrieben. Ich habe mir immer vorgestellt, sie läge mitten im Meer, wie eine ganz einsame Festung.''

,,Eine einsame Festung war sie auch so.'' Klieber ärgerte sich darüber, daß seine Stimme heiser klang. ,,Außerdem täuscht das Licht. Sie ist schon weit genug weg.''

,,Wir werden auf jeden Fall bald dort sein'', sagte die Mutter zufrieden.

Als der Wagen auf der Fähre verstaut⁷ war, lehnte sich die Mutter in ihrem Sitz zurück und schloß die Augen. Klieber stieg aus und kletterte auf das obere Deck hinauf. Mit einer Wendung löste sich die Fähre von der Rampe. Klieber setzte sich auf eine Bank gegenüber von drei Nonnen. Die Insel, auf der nun Häuser und weiße Strandstreifen zu erkennen waren, erschien ihm so reizlos wie alle Inseln.

Ein rundlicher Mann kam das Treppchen herauf und ließ sich neben Klieber nieder. Er trug einen neuen, knisternden⁸ Trenchcoat mit enggeschnalltem Gürtel.⁹ ,,Na, Herr Landsmann?'' fragte er. Klieber zwang sich zu einem Lächeln.

,,Ich habe nämlich Ihren Wagen gesehen — Sie meinen nicht?''¹⁰

,,Nein.''

,,Hier in der Gegend sieht man ja noch wenig Deutsche. Wollen Sie drüben Urlaub machen?''

,,Vielleicht'', sagte Klieber. Er spähte zu seiner Mutter hinunter; sie saß noch so, wie er sie verlassen hatte.

,,Solten Sie ruhig.¹¹ Sehr zu empfehlen, die Insel — wenn sie noch ist wie vor siebzehn Jahren. Und ein nettes Völkchen, wirklich sehr nett, gar nicht wie manche andere Franzosen.''

,,Sie waren im Krieg hier?'' fragte Klieber widerwillig.

,,Zwei Jahre. Seitdem nicht wieder. Aber ich will nicht hin mit der Masche¹² wie jetzt wie¹³ manche, ,Alter Krieger besucht altes Schlachtfeld' — nein, ich fahre bloß so, aus Sentimentalität, weil's damals ganz nett hier war. Mal das Mädchen wiedersehen und so weiter.''

,,Aha'', sagte Klieber. ,,Waren Sie bis zum Schluß hier?''

---

⁵ **der Schlick**   silt
⁶ **die stumpf glasigen Halbkugeln sterbender Quallen**   the glassy, dull bells of dying jellyfish
⁷ **verstaut**   secured
⁸ **knisternd**   crisp
⁹ **der Gürtel, –**   belt
¹⁰ **Sie meinen nicht?** = Sie haben meinen Wagen nicht gesehen?
¹¹ **sollten Sie ruhig**   you really should
¹² **mit der Masche**   with the line
¹³ **wie = so**   (the second **wie** indicates his sloppy speech)

„Germaine hieß das Mädchen — passend, was? Meine Frau weiß das gar nicht, aber meine Frau ist nicht so — alte Erinnerungen, na schön.[14] Das versteht sie. Nein, ich kam schon 43 weg. Leider. Denn hier war ja gar kein Schlachtfeld."

„Nicht?"

„Unterhaupt nicht.[15] Hat damals allerhand Aufsehen gemacht — aber Sie waren damals bestimmt noch zu jung . . . ."

„Ich war vierzehn."

„Na eben.[16] Nein, die Insulaner müssen mächtig dankbar sein. Der Kommandant hat ohne einen Schuß kapituliert. Das stand sogar groß in der Zeitung, Verräter stand da, Sippenhaft[17] und so weiter. Hätte ich dem Alten gar nicht zugetraut, so hart, wie der sonst war . . . ."

„Haben Sie ihn denn gekannt?"

„Gekannt ist überstrieben, junger Mann. Ich war Obergefreiter.[18] Er war'n richtiger Kommißkopf,[19] obgleich Reservist. Na ja, solche Typen verlieren eben mal die Nerven. Menschen sind wir ja alle. Und die Insel hat was, die macht einen weich — deswegen wollte ich ja wieder mal hin . . . ."

„Wir sind gleich da." Klieber stand auf. „Und viel Vergnügen."

„Steigen Sie auf den Leuchtturm an der Westspitze!" rief der Mann ihm nach. „Ein doller Rundblick,[20] sage ich Ihnen!"

Dichtes, dunkelgrünes Nadelholz säumte die schmale Straße auf der Insel. „Es ist genau, wie ich es mir vorgestellt habe", sagte die Mutter. „Vater war doch sehr präzise in seinen Briefen. Jetzt muß das große Haus mit dem weißen Turm kommen, und dahinter geht es nach links auf den Sandweg. Es ist wirklich ein schöner Spaziergang — er hat ihn jeden Abend gemacht."

„Ich weiß", antwortete Klieber, „Aber den Sandweg haben sie inzwischen geteert." Er bog ab und fuhr langsamer.

„Ich bin so lange diesen Weg in Gedanken nicht mehr gegangen", sagte die Mutter. „Aber ich weiß doch jede Einzelheit. Es liegt wohl daran,[21] daß ich Vaters Briefe im Gefängnis jeden Tag gelesen habe und mir alles vorstellte — viel genauer als beim ersten Mal, wenn sie ankamen und ich sie aufmachte. Ich hätte sie gleich so genau lesen müssen und richtig darauf antworten."

„Das hat er nie erwartet", sagte Klieber. „Er war der Briefschreiber

---

[14] **Na schön.** Well, all right.
[15] **unterhaupt nicht = überhaupt nicht** (made-up word; probably his crude attempt at being witty)
[16] **Na eben.** There you are.
[17] **die Sippenhaft** (Nazi term): arrest of the entire family
[18] **der Obergefreite, -n, -n** corporal
[19] **Kommisskopf** (*slang*) military man
[20] **ein doller Rundblick** (**doll** = *North German for* **toll**) a sensational panorama
[21] **es liegt wohl daran** it is most likely because . . .

in der Familie. Und du hast die Briefe beim ersten Mal nicht nur gelesen, sondern mir auch vorgelesen."

„Aber nicht genau genug", sagte die Mutter.

Klieber nahm den Fuß vom Gashebel.[22] „Da ist das Haus. Es stimmt — es ist wieder eine Auberge,[23] und man kann hinein. Sieht ziemlich teuer aus."

Sie setzten sich in den Garten, das Tischchen stand neben einer hohlen, fahl grünen Hecke. Ein Mädchen mit weißer Rüsche[24] im Haar brachte Kaffee und einen Krug[25] voll heißer Milch. Sie tranken und schwiegen.

„Es wird schwierig sein, davon anzufangen", sagte Klieber nach einer Weile.

„Ich würde schon Worte finden, wenn ich französisch könnte", antwortete die Mutter.

Ein dicker weißhaariger Mann mit großer Nase schlenderte durch den Garten. Er trug ein gelbes Hemd mit offenem Kragen. An den wenigen besetzten Tischen blieb er stehen und unterhielt sich mit den Gästen. „Das ist Cremier", sagte die Mutter. „Der Besitzer. Er kann sich kaum verändert haben, er ist gut zu erkennen, findest du nicht?"

Klieber antwortete nicht. Die Mutter brach einen kleinen Zweig von der Hecke, zerrieb das lederartige Blatt zwischen den Fingern und roch daran. Sie ließ Cremier nicht aus den Augen.

Er ließ sich Zeit. Er plauderte gemächlich,[26] und es schien, als wollte er ihren Tisch auslassen und zum Haus zurückkehren. Aber plötzlich wandte er sich um und kam. Er lächelte. Er fragte, ob alles nach ihren Wünschen sei.

Klieber dankte. Man sei sehr zufrieden.

„Es sitzt sich hier unter der Mimosenhecke besonders schön", fügte die Mutter hinzu.

Cremier sah Klieber fragend an. Klieber übersetzte.

Cremier verneigte sich ein wenig. „Madame ist eine Kennerin", sagte er. „Wenige Gäste wissen, daß das Mimosen sind — jetzt im Juli, nicht wahr, sie sind sozusagen nicht da, sie blühen nicht, sie sind eine ganz gewöhnliche Hecke."

Klieber übersetzte. „Aber im November sind sie eine gelbe Flockenmauer",[27] sagte die Mutter. Es klang wie ein Zitat. Klieber wollte es nicht dolmetschen,[28] aber Cremier sah ihn aus blaßblauen Augen so forschend an, daß er es endlich tat.

---

[22] **der Gashebel, –**   gas pedal
[23] **Auberge**   (*French*) inn
[24] **die Rüsche, –n**   gathered ribbon
[25] **der Krug, ⁚e**   pitcher
[26] **er plauderte gemächlich**   he chatted leisurely
[27] **die Flockenmauer, –n**   wall of blossoms
[28] **dolmetschen**   interpret, translate

„Sie sprechen ausgezeichnet französisch", erwiderte Cremier darauf; er schien nicht bei der Sache zu sein.

„Danke." Klieber lächelte verlegen. „Ich habe früh mit dem Lernen angefangen. Und heute geben wir uns in Deutschland natürlich Mühe."

„Oh", sagte Cremier, und blickte dabei nicht Klieber, sondern seine Mutter an, „wir haben nichts gegen Deutsche — nichts mehr, wenn Sie wollen. Jetzt ist es eine andere Zeit, nicht wahr, was soll[29] die Vergangenheit . . . ."

„Gewiß." Klieber nahm sich zusammen. Er bemühte sich, leise zu sprechen. „Die Insel — war es nicht so, daß sie auch in der Vergangenheit nicht allzusehr zu klagen hatte?"

„Krieg war überall", antwortete Cremier; er blickte nun über ihre Köpfe hinweg. „Und Soldaten, und all das."

„Natürlich. Das meinte ich auch nicht. Aber ich hörte, es sei hier nicht mehr gekämpft worden. Der Kommandant — er soll doch einfach übergeben haben? Er hat der Insel doch den Krieg erspart?"

„Wenn Sie es so nennen . . . ." Cremier senkte langsam den Kopf.

„Ich nenne es so", sagte Klieber. „War es nicht so?"

„Der Kommandant war kein Narr", erwiderte Cremier.

„Was sprecht ihr miteinander?" fragte die Mutter.

„Von der Übergabe der Insel", antwortete Klieber. „Monsieur Cremier sagt, man wüßte hier genau, wie mutig[30] und menschlich der Kommandant gehandelt hat."

„Was sollte er machen?" sagte Cremier. „Die Alliierten rückten auf dem Festland vor, an der Ostspitze hatte sich der Maquis[31] schon organisiert — es war reine Vernunft, nicht wahr?"

Klieber wandte sich wieder zu seiner Mutter. „Er sagt, der Kommandant hat im richtigen Augenblick richtig gehandelt, weil er die Menschen hier liebte."

„Ja", sagte die Mutter.

„Und er sagt, man spräche hier oft davon."

„Der Kommandant war eben klug", fuhr Cremier fort. „Er war ja auch Lehrer für Französisch und Englisch, nicht wahr, kein durchschnittlicher[32] Deutscher — verzeihen Sie. Das ist, wie gesagt, Vergangenheit und längst vergessen. Lassen wir es."

„Er sagt, der Kommandant wäre von der Bevölkerung immer geachtet worden — jeder wußte, daß er nicht der Durchschnitt war. Und er hätte gewußt, was er tat, und hätte es eben trotzdem getan . . . ."

„Ja", sagte die Mutter. „Es war Ende Oktober, ein paar von den Mimosen müssen schon geblüht haben."

---

[29] **was soll** . . . why evoke . . .
[30] **mutig** bravely
[31] **der Maquis** French underground
[32] **durchschnittlich** average

,,Darf ich Ihnen wünschen, daß Sie den Aufenhalt hier genießen?"
Cremier lächelte, neigte den Kopf und wandte sich zum Gehen.

,,Vielen Dank", antwortete Klieber.

Die Mutter sah Cremier nach. ,,Ich hätte vielleicht doch auch selber
mit ihm sprechen sollen", sagte sie. ,,Vater hat einmal geschrieben,
er könnte wahrscheinlich ganz gut deutsch, er wollte es nur nicht zeigen.
Aber heute ist das doch anders."

,,Hat er das geschrieben?" sagte Klieber. ,,Das hatte ich vergessen."

,,Es war schön hier, mein Junge, sehr schön, und es war richtig, daß
wir hier waren. Aber wir wollen doch weiterfahren. Es strengt mich
sehr an."

,,Natürlich", antwortete Klieber. ,,Die Seeluft."

Die Mutter brach noch einen Zweig von der Mimosenhecke und steckte
ihn in ihre Handtasche. ,,Weißt du, es ist jetzt nicht mehr so schlimm,
daß ich nicht weiß, wie er gestorben ist und daß wir sein Grab nicht
finden konnten."

,,Ich werde gehen und zahlen", sagte Klieber nach einer Weile.

FRAGEN UND THEMEN

1. Was erfahren wir über den Kommandanten?

2. Wie reagieren die Deutschen und wie die Franzosen auf seine Hand-
   lungsweise?

3. Weshalb besuchen Klieber und seine Mutter wohl die Insel?

4. Besprechen Sie die Rolle des ,,Landsmanns" in der Geschichte.

5. Analysieren Sie das Gespräch zwischen Klieber, der Mutter, und
   Cremier, und besprechen Sie seine Tragweite (*implications*).

4 HEINRICH BÖLL

Wie in schlechten Romanen

Für den Abend hatten wir die Zumpens eingeladen, nette Leute, deren
Bekanntschaft ich meinem Schwiegervater verdanke; seit unserer Hochzeit bemüht er sich, mich mit Leuten bekannt zu machen, die mir geschäftlich nützen können, und Zumpen kann mir nützen: er ist Chef
einer Kommission, die Aufträge bei großen Siedlungen vergibt,[1] und ich
habe in ein Ausschachtungsunternehmen[2] eingeheiratet.

Ich war nervös an diesem Abend, aber meine Frau, Bertha, beruhigte
mich. „Die Tatsache", sagte sie, daß er überhaupt kommt, bedeutet
schon etwas. Versuche nur, das Gespräch vorsichtig auf den Auftrag
zu bringen. Du weißt, daß morgen der Zuschlag erteilt wird.[3]"

Ich stand hinter der Haustürgardine[4] und wartete auf Zumpen. Ich
rauchte, zertrat die Zigarettenstummel und schob die Fußmatte darüber.
Wenig später stellte ich mich hinter das Badezimmerfenster und dachte
darüber nach, warum Zumpen die Einladung wohl angenommen hatte;
es konnte ihm nicht viel daran liegen, mit uns zu Abend zu essen, und
die Tatsache, daß der Zuschlag für die große Ausschreibung,[5] an der
ich mich beteiligt hatte, morgen erteilt werden sollte, hätte ihm die
Sache so peinlich machen müssen, wie sie mir war.

Ich dachte auch an den Auftrag: es war ein großer Auftrag, und ich
würde 20.000 Mark daran verdienen, und ich wollte das Geld gerne
haben.[6]

Bertha hatte meinen Anzug ausgewählt: dunkler Rock, eine etwas hellere
Hose und die Krawattenfarbe neutral. Solche Dinge hat sie zu Hause
gelernt und im Pensionat bei den Nonnen. Auch, was man den Gästen

---

[1] **die Aufträge bei großen Siedlungen vergibt** which negotiates the contracts for
big housing projects
[2] **das Ausschachtungsunternehmen, –** excavation business
[3] **der Zuschlag wird erteilt** the contract is awarded
[4] **die Haustürgardine, –n** hall door curtain
[5] **die Ausschreibung, –en** competition
[6] **ich wollte . . . gerne haben** I would welcome

25

anbietet: wann man den Kognak reicht, wann den Wermut, wie man den Nachtisch assortiert: es ist wohltuend, eine Frau zu haben, die solche Sachen genau weiß.

Aber auch Bertha war nervös: Als sie mir ihre Hände auf die Schultern legte, berührten sie meinen Hals, und ich spürte, daß die Daumen feucht und kalt waren.

,,Es wird schon gut gehen", sagte sie. ,,Du wirst den Auftrag bekommen."

,,Mein Gott", sagte ich, ,,es geht für mich um 20.000 Mark, und du weißt, wie gut wir sie gebrauchen können."

,,Man soll", sagte sie leise, ,,den Namen Gottes nie im Zusammenhang mit Geld nennen!"

Ein dunkles Auto hielt vor unserem Haus, ein Fabrikat, das mir unbekannt war, aber italienisch aussah. ,,Langsam", flüsterte Bertha, ,,warte, bis sie geklingelt haben, laß sie zwei oder drei Sekunden stehen, dann geh langsam zur Tür und öffne."

Ich sah die Zumpens die Treppe heraufkommen: er ist schlank und groß, hat ergraute Schläfen, einer von der Sorte, die man vor dreißig Jahren ,,Schwerenöter"[7] nannte; Frau Zumpen ist eine von den mageren dunklen Frauen, bei deren Anblick ich immer an Zitronen[8] denken muß. Ich sah Zumpens Gesicht an, daß es furchtbar langweilig für ihn war, mit uns zu essen.

Dann klingelte es, und ich wartete eine, wartete zwei Sekunden, ging langsam zur Tür und öffnete.

,,Ach", sagte ich, ,,es ist wirklich nett, daß Sie zu uns gekommen sind!"

Wir gingen mit den Kognakgläsern in der Hand durch unsere Wohnung, die Zumpens gern[9] sehen wollten. Bertha blieb in der Küche, um aus einer Tube Mayonnaise auf die Appetithappen[10] zu drücken; sie macht das nett; herzförmige Muster, Mäander,[11] kleine Häuschen. Den Zumpens gefiel unsere Wohnung; sie lächelten sich an, als sie in meinem Arbeitszimmer den großen Schreibtisch sahen, auch mir kam er in diesem Augenblick ein wenig zu groß vor.

Zumpen lobte[12] einen kleinen Rokokoschrank, den ich von Großmutter zur Hochzeit bekommen hatte, und eine Barockmadonna in unserem Schlafzimmer.

Als wir ins Eßzimmer zurückkamen, hatte Bertha serviert; auch das hatte sie nett gemacht, so schön und doch sehr natürlich, und es wurde ein gemütliches Essen. Wir sprachen über Filme und Bücher, über die

---

[7] der ,,Schwerenöter"   "lady-killer"
[8] die Zitrone, –n   lemon
[9] gern sehen wollten   wished to see
[10] der Appetithappen, –   hors d'oeuvre
[11] der Mäander, –   coil, scallop
[12] loben   praise

letzten Wahlen, und Zumpen lobte die verschiedenen Käsesorten,[13] und Frau Zumpen lobte den Kaffee und die Törtchen.[14] Dann zeigten wir Zumpens die Fotos von unserer Hochzeitsreise: Bilder von der bretonischen Küste, spanische Esel und Straßenbilder aus Casablanca.

Wir tranken jetzt wieder Kognak, und als ich aufstehen und den Karton mit den Fotos aus unserer Verlobungszeit holen wollte, gab mir Bertha ein Zeichen, und ich holte den Karton nicht. Es wurde für zwei Minuten ganz still, weil wir keinen Gesprächsstoff mehr hatten, und wir dachten alle an den Auftrag: ich dachte an die 20.000 Mark, und es fiel mir ein, daß ich die Flasche Kognak von der Steuer[15] abschreiben konnte. Zumpen blickte auf die Uhr, sagte: ,,Schade: es ist zehn; wir müssen weg. Es war ein so netter Abend!'' Und Frau Zumpen sagte: ,,Reizend war es, und ich hoffe, wir werden Sie einmal bei uns[16] sehen.''

,,Gern würden wir kommen,'' sagte Bertha, und wir standen noch eine halbe Minute herum, dachten wieder alle an den Auftrag und ich spürte, daß Zumpen darauf wartete, daß ich ihn beiseite nehmen und mit ihm darüber sprechen würde. Aber ich tat es nicht. Zumpen küßte Bertha die Hand, und ich ging voran, öffnete die Türen und hielt unten Frau Zumpen den Schlag auf.

,,Warum'', sagte Bertha sanft, ,,hast du nicht mit ihm über den Auftrag gesprochen? Du weißt doch, daß morgen der Zuschlag erteilt wird.''

,,Mein Gott'', sagte ich, ,,ich wußte nicht, wie ich die Rede darauf hätte bringen sollen.''

,,Bitte'', sagte sie sanft, ,,du hättest ihn unter irgendeinem Vorwand[17] in dein Arbeitszimmer bitten, dort mit ihm sprechen müssen. Du hast doch bemerkt, wie sehr er sich für Kunst interessiert. Du hättest sagen sollen: Ich habe da noch ein Brustkreuz aus dem 18. Jahrhundert, vielleicht würde es Sie interessieren, das zu sehen, und dann....'' Ich schwieg, und sie seufzte und band sich die Schürze um. Ich folgte ihr in die Küche; wir sortierten die restlichen Appetithappen in den Eisschrank, und ich kroch auf dem Boden herum, um den Verschluß für die Mayonnaisetube zu suchen. Ich brachte den Rest des Kognaks weg, zählte die Zigarren: Zumpen hatte nur eine geraucht; ich räumte die Aschenbecher leer, aß stehend noch ein Törtchen und sah nach, ob noch Kaffee in der Kanne[18] war. Als ich in die Küche zurückkehrte, stand Bertha mit dem Autoschlüssel in der Hand da.

,,Was ist denn los?'' fragte ich.

,,Natürlich müssen wir hin'', sagte sie.

,,Wohin?''

---

[13] **die Käsesorte, –n**   type of cheese
[14] **das Törtchen, –**   tart
[15] **die (Einkommen-) Steuer, –n**   (income) tax
[16] **bei uns**   at our house
[17] **der Vorwand, ∵e**   pretext
[18] **die Kanne, –n**   pot

„Zu Zumpens", sagte sie, „was denkst du dir?"

„Es ist gleich halb elf."

„Und wenn es Mitternacht wäre", sagte Berta, „soviel ich weiß, geht es um 20.000 Mark. Glaub nicht, daß die so zimperlich sind."

Sie ging ins Badezimmer, um sich zurechtzumachen, und ich stand hinter ihr und blickte ihr zu, wie sie den Mund abwischte, die Linien neu zog, und zum ersten Male fiel mir auf, wie breit und einfältig dieser Mund ist. Als sie mir den Krawattenknoten festzog, hätte ich sie küssen können, wie ich es früher immer getan hatte, wenn sie mir die Krawatte band, aber ich küßte sie nicht.

In der Stadt waren die Cafés und die Restaurants hell erleuchtet. Leute saßen draußen auf den Terrassen, und in silbernen Eisbechern und Eiskübeln fing sich das Laternenlicht. Bertha blickte mich ermunternd an; aber sie blieb im Auto, als wir an Zumpens Haus hielten, und ich drückte sofort auf die Klingel und war erstaunt, wie schnell die Tür geöffnet wurde. Frau Zumpen schien nicht erstaunt, mich zu sehen; sie trug einen schwarzen Hausanzug mit losen flatternden Hosenbeinen, mit gelben Blumen benäht,[19] und mehr als je zuvor mußte ich an Zitronen denken.

„Entschuldigen Sie", sagte ich, „ich möchte Ihren Mann sprechen."

„Er ist noch ausgegangen", sagte sie, „er wird in einer halben Stunde zurück sein."

Im Flur[20] sah ich viele Madonnen, gotische und barocke, auch Rokokomadonnen, wenn es die überhaupt gibt.

„Schön", sagte ich, „wenn Sie erlauben, komme ich in einer halben Stunde zurück."

Bertha hatte sich eine Abendzeitung gekauft: sie las darin, rauchte, und als ich mich neben sie setzte, sagte sie: „Ich glaube, du hättest auch mit ihr darüber sprechen können."

„Woher weißt du denn, daß er nicht da war?"

„Weil ich weiß, daß er im Gaffel-Club sitzt und Schach spielt, wie jeden Mittwochabend um diese Zeit."

„Das hättest du mir früher sagen können."

„Versteh mich doch", sagte Bertha und faltete die Abendzeitung zusammen.

„Ich möchte dir doch helfen, möchte, daß du es von dir aus[22] lernst, solche Sachen zu erledigen.[23] Wir hätten nur Vater anzurufen brauchen, und er hätte mit einem einzigen Telefongespräch die Sache für dich erledigt, aber ich will doch, daß du allein den Auftrag bekommst."

---

[19] **benähen**　sew on, appliqué
[20] **der Flur, –e**　hall(way)
[21] **das Schach**　chess
[22] **von dir aus**　on your own
[23] **erledigen**　take care of

„Schön", sagte ich, „was machen wir also: warten wir die halbe Stunde oder gehen wir gleich 'rauf und reden mit ihr ?"

„Am besten gehen wir gleich 'rauf", sagte Bertha.

Wir stiegen aus und fuhren zusammen im Aufzug nach oben.

„Das Leben", sagte Bertha, „besteht daraus, Kompromisse zu schließen und Konzessionen zu machen."

Frau Zumpen war genauso wenig erstaunt wie eben, als ich allein gekommen war. Sie begrüßte uns, und wir gingen hinter ihr her in das Arbeitszimmer ihres Mannes. Frau Zumpen holte die Kognakflasche, schenkte ein, und noch bevor ich etwas von dem Auftrag hatte sagen können, schob sie mir einen gelben Schnellhefter zu: „Siedlung Tannen-idyll" las ich und blickte erschrocken auf Frau Zumpen, auf Bertha, aber beide lächelten, und Frau Zumpen sagte: „Öffnen Sie die Mappe",[24] und ich öffnete sie; drinnen lag ein zweiter, ein rosenfarbener Schnellhefter. und ich las auf diesem „Siedlung Tannenidyll — Ausschachtungsarbeiten", ich öffnete auch diesen Deckel, sah meinen Kostenanschlag als obersten liegen; oben an den Rand hatte jemand mit Rotstift geschrieben: „Bil-ligstes Angebot!"[25]

Ich spürte, wie ich vor Freude rot wurde, spürte mein Herz schlagen und dachte an die 20.000 Mark.

„Mein Gott", sagte ich leise und klappte den Aktendeckel zu, und diesmal vergaß Bertha, mich zu ermahnen.

„Prost",[26] sagte Frau Zumpen lächelnd, „trinken wir also."

Wir tranken, und ich stand auf und sagte: „Es ist vielleicht plump, aber Sie verstehen vielleicht, daß ich jetzt nach Hause möchte."

„Ich verstehe Sie gut", sagte Frau Zumpen, „es ist nur noch eine Kleinigkeit zu erledigen." Sie nahm die Mappe, blätterte sie durch und sagte: „Ihr Kubikmeterpreis liegt dreißig Pfennig unter dem Preis des nächstbilligeren. Ich schlage vor, Sie setzen den Preis noch um fünfzehn Pfennig herauf: so bleiben Sie immer noch der Billigste und haben doch viertausendfünfhundert Mark mehr. Los, tun Sie's gleich!" Bertha nahm den Füllfederhalter aus ihrer Handtasche und hielt ihn mir hin, aber ich war zu aufgeregt, um zu schreiben; ich gab die Mappe Bertha und beobach-tete sie, wie sie mit ruhiger Hand den Meterpreis umänderte, die End-summe neu schrieb und die Mappe an Frau Zumpen zurückgab.

„Und nun", sagte Frau Zumpen, „nur noch eine Kleinigkeit. Nehmen Sie Ihr Scheckbuch[27] und schreiben Sie einen Scheck über dreitausend Mark aus, es muß ein Barscheck[27] sein und von Ihnen diskontiert."[28]

---

[24] **die Mappe, –n**   folder
[25] **das Angebot, –e**   bid, offer
[26] **Prost!** Cheers!
[27] **das Scheckbuch, ̈er**   check book   **der Barscheck, –s**   counter check (*i.e.*, a check payable to bearer)
[28] **diskontieren** endorse

Sie hatte das zu mir gasagt, aber Bertha war es, die unser Scheckbuch aus ihrer Handtasche nahm und den Scheck ausschrieb.

„Es wird gar nicht gedeckt sein", sagte ich leise.

„Wenn der Zuschlag erteilt wird, gibt es einen Vorschuß, und dann wird er gedeckt sein", sagte Frau Zumpen.

Vielleicht habe ich das, als es geschah, gar nicht begriffen. Als wir im Aufzug hinunterfuhren, sagte Bertha, daß sie glücklich sei, aber ich schwieg.

Bertha wählte einen anderen Weg, wir fuhren durch stille Viertel, Licht sah ich in offenen Fenstern, Menschen auf Balkonen sitzen und Wein trinken; es war eine helle und warme Nacht.

„Der Scheck war für Zumpen?" fragte ich nur einmal leise, und Bertha antwortete ebenso leise: „Natürlich."

Ich blickte auf Berthas kleine bräunliche Hände, mit denen sie sicher und ruhig steuerte. Hände, dachte ich, die Schecks unterschreiben und auf Mayonnaisetuben drücken, und ich blickte höher — auf ihren Mund und spürte auch jetzt keine Lust, ihn zu küssen.

An diesem Abend half ich Bertha nicht, den Wagen in die Garage zu setzen, ich half ihr auch nicht beim Abwaschen. Ich nahm einen großen Kognak, ging in mein Arbeitszimmer hinauf und setzte mich an meinen Schreibtisch, der viel zu groß für mich war. Ich dachte über etwas nach, stand auf, ging ins Schlafzimmer und blickte auf die Barockmadonna, aber auch dort fiel mir das, worüber ich nachdachte, nicht ein.

Das Klingeln des Telefons unterbrach mein Nachdenken; ich nahm den Hörer auf und war nicht erstaunt, Zumpens Stimme zu hören.

„Ihrer Frau", sagte er, „ist ein kleiner Fehler unterlaufen. Sie hat den Meterpreis nicht um fünfzehn, sondern um fünfundzwanzig Pfennige erhöht."

Ich überlegte einen Augenblick und sagte dann: „Das ist kein Fehler, das ist mit meinem Einverständnis geschehen."

Er schwieg erst und sagte dann lachend: „Sie hatten also vorher die verschiedenen Möglichkeiten durchgesprochen?"

„Ja", sagte ich.

„Schön, dann schreiben Sie noch einen Scheck über tausend aus."

„Fünfhundert", sagte ich, und ich dachte: Es ist wie in schlechten Romanen — genauso ist es.

„Achthundert", sagte er, und ich sagte lachend: „Sechshundert", und ich wußte, obwohl ich keine Erfahrung hatte, daß er jetzt siebenhundertfünfzig sagen würde, und als er es wirklich sagte, sagte ich „ja" und hing ein.

Es war noch nicht Mitternacht, als ich die Treppe hinunterging und Zumpen den Scheck ans Auto brachte; er war allein und lachte, als ich ihm den zusammengefalteten Scheck hineinreichte. Als ich langsam ins Haus ging, war von Bertha noch nichts zu sehen; sie kam nicht, als ich ins Arbeitszimmer zurückging; sie kam nicht, als ich noch einmal hinunterging, um mir noch ein Glas Milch aus dem Eisschrank zu holen, und ich wußte, was sie dachte; sie dachte: Er muß darüber kommen, und ich muß ihn allein lassen, er muß das begreifen.

Aber ich begriff das nie, und es war auch unbegreiflich.

FRAGEN UND THEMEN

1. Charakterisieren Sie den Erzähler; seine Frau; die Zumpens.

2. Warum werden die Zumpens vom Erzähler eingeladen, und warum nehmen sie die Einladung an?

3. Wie verändert sich das Verhältnis des Erzählers zu seiner Frau im Lauf der Geschichte, und aus welchem Grunde?

4. Erklären Sie den Titel der Geschichte.

5. Analysieren Sie die Haltung zur Religion auf Grund der in der Geschichte vorkommenden religiösen Symbole.

6. Viele Einzelheiten, die scheinbar unwichtig sind, beziehen sich auf das Hauptthema der Geschichte. (z.B., Berthas Erziehung (*upbringing*), die Tatsache, daß Herr Zumpen nur eine Zigarre raucht, die vollen Restaurants, Berthas Wahl eines anderen Heimwegs.) Beleuchten Sie diese Beziehungen.

7. Vergleichen Sie die ethische und religiöse Haltung der Menschen in Bölls Geschichte mit der in Schnurres beiden Geschichten.

5 MARTIN WALSER

Der Umzug

Wir waren schon längere Zeit verheiratet, hatten es auch zu einem Kind gebracht — zu einer Tochter übrigens — da sagte Gerda, meine Frau: allmählich beginne sie es meinem Vater übelzunehmen, daß er mich nichts anderes habe lernen lassen, als Fahrräder zu reparieren. Nun bin ich ein fröhlicher Mensch und gebrauche meine Lippen vor allem dazu, vor mich hinzupfeifen. Aber als ich meine Frau so sprechen hörte, bogen sich mir die Lippen ganz von selbst zu einer mir gänzlich ungewohnten Rundung und daraus entfuhr[1] ein Pfiff, den ich bei mir noch nicht gehört hatte. Ich erinnerte mich, in den Filmen, die ich samstags mit Vorliebe besuchte, da ließen sich die einschlagenden Granaten[2] von solchen Pfeiftönen begleiten. Da ich aber diese Situationen nur als Zuschauer ertragen kann, in gut gepolsterten Sitzen, die mindestens in der zehnten Reihe oder noch weiter hinten liegen müssen, wandte ich mich ab und versuchte zu vergessen, was ich aus dem Munde meiner Frau hatte hören müssen.

Aber ich vergaß nicht, konnte nicht vergessen, denn Gerda sagte schon am nächsten Tag: ,,Ich geniere mich[3] so vor den Leuten." Und ihre Augen sahen mich nur noch wie durch gut eingefaßte,[4] wenig benützte Knopflöcher an.

Nun muß ich aber die Entwicklung der Dinge in aller Sorgfalt ausbreiten, wenn ich verstanden werden will. Und das will ich, denn inzwischen wurde begonnen, Schuld auf meine Schultern zu laden, die ich nicht tragen kann.

Meine Frau hatte ich im Kino kennengelernt. Ja, so fing es an. Samstags. Vierzehnte Reihe. Auf der Leinwand flog ein breitschultriger Mann mit Tropenhelm,[5] flog mit einem winzigen Flugzeug tief über dem Urwald

---

[1] **entfahren, u, a (ist)** escape
[2] **die Granate, –n** grenade, shell
[3] **sich genieren** be embarrassed
[4] **gut eingefaßt** well-stitched
[5] **der Tropenhelm, –e** sun helmet

dahin, und zuletzt holte er die weiße Frau doch noch aus den sehnigen[6] Armen des dunklen Barbaren, der sie gerade in die Schilfhütte schleifen wollte. Als der Mann mit dem Flugzeug und den breiten Schultern die Frau an sich preßte, der Wilde aber in seinem Blut, das durch die Revolverwunde sickerte,[7] verröchelte[8] und vergeblich das wenige Weiße weiner Augen zu dem ineinander versunkenen Paar der hygienischen Europäer hinaufdrehte, da atmete ich erleichtert[9] auf, seufzte auch und sah zufällig nach rechts, wo ein Mädchen saß, das in diesem Augenblick auch so aufatmete und nach links schaute, wo ich saß.

Ich trug samstags immer meinen guten Anzug. Schmal stach daraus mein Hals auf und die glänzende Krawatte stand wohlig[10] und anziehend vor meiner Brust. Wir gerieten also aneinander.[11] Heirateten sogar. „Kommen wir aus mit 65 Mark die Woche?" hatte ich übervorsichtig gefragt, weil ich sah, wie schmal ihre Hände waren. Sie hatte solche Fragen geradezu verboten und war beleidigt, wenn ich Überlegungen dieser Art anstellen wollte. Ich machte Überstunden[12] in der Werkstatt und begann abends an Erfindungen zu arbeiten, auf die die Menschheit nun nicht länger warten sollte. Um genau zu sein: es war Gerdas Wunsch, daß ich mich allabendlich über das mit Papier bespannte Bügelbrett bücken sollte, um Neues zu entwerfen. Ihr zuliebe bedeckte ich das schöne Papier mit allerlei Linien. Flüchtete mich aber bald zu Blech und Draht und ähnlich vertrautem Material. Da krümmte und bog und fädelte ich dann abstruse Gegenstände zusammen, bis Gerda, die mich streng beobachtete, zufrieden lächelte und beteuerte,[13] daß sie das alles ihren Eltern schreiben werde, um denen endlich einmal zu beweisen, daß die Tochter in die Arme eines ihrer durchaus würdigen Mannes eingegangen sei. Auf solche Redensarten achtete ich damals viel zu wenig. Erst heute klingen sie in mir bedeutungsvoll auf.

Meine Erfindungen wurden leider nicht im rechten Maß gewürdigt von der mitlebenden Umwelt. Eine Fahrradklingel, gekoppelt mit der Rücktrittbremse,[14] hatte ich konstruiert. Sie wurde abgelehnt, weil überkluge Spezialisten wissen wollten,[15] daß es zu spät sei, zu klingeln, wenn man schon gebremst habe. Das Klingeln soll das Bremsen unnötig machen, meinten diese Herrn, nur so habe es im stets sich beschleunigenden Straßenverkehr seine Berechtigung. Nun gut. Ich wollte nicht streiten. Hoffte auf die Nachwelt, ließ meine Lippen pfeifen, soviel sie

---

[6] **sehnig**   sinewy
[7] **sickern (ist *oder* hat)**   trickle
[8] **verröcheln (ist)**   expire
[9] **erleichtert**   relieved
[10] **wohlig**   nicely
[11] **Wir gerieten also aneinander.**   And so we were thrown together.
[12] **Überstunden machen**   work overtime
[13] **beteuern**   assure
[14] **gekoppelt mit der Rücktrittbremse**   coupled with the backpedalling brake
[15] **wissen wollten**   claimed

wollten, und brachte, angetrieben von Gerda, im Lauf der Zeit doch vier Erfindungen unter Patentschutz. Ich gestehe allerdings, daß mir dieser Schutz angesichts meiner Erfindungen fast ein bißchen überflüssig vorkam.

Gerda wollte nun an unserer Wohnungstür ein Schild anbringen, auf dem unter meinem Namen das Fremdwort *Ingenieur* stehen sollte. Das erlaubte ich nicht. Wenn die Erfindungen Erfolg haben würden, sagte ich, dann schon.[16]

So lebten wir denn vorerst weiter von den Einkünften meiner Werkstattarbeit und waren auch damit zufrieden; ich mehr, Gerda weniger. Dann aber starb Gerdas Onkel, der als Junggeselle im vornehmsten[17] Viertel unserer Stadt seine Tage gezählt hatte. Daß er außerdem noch etwas getan hätte, ist mir nicht zu Ohren gekommen. Und Gerda, die ihn manchmal besucht hatte, erbte[18] jetzt seine Wohnung. Das war ein Aufschwung.[19] Unter Beteuerung[20] meines ehrlichen Mitleids, ließ ich die Bewohner unserer um so viel ärmlicheren Straße zurück. Gerda fand keine Zeit mehr, sich von unseren bisherigen Nachbarn zu verabschieden.[21]

Mit unseren schmalen Möbeln stießen wir nicht ein einziges Mal an, als wir in die Wohnhallen des verblichenen Onkels einzogen. Als wir dann unsere Stücke gleichmäßig auf die sechs Zimmer verteilt hatten und einen ersten Rundgang machten, hatten diese heimtückischen Hallen alle unsere Möbel gefressen. Wir fanden da und dort noch einen Stuhl, aber nur, wenn wir ganz nah hingingen und danach tasteten. Aber wir waren doch sehr stolz auf diese große Wohnung, die uns gar nichts kostete, weil der gute Onkel sie als Eigentum erworben hatte. Jeden Morgen frühstückten wir jetzt auf dem geräumigen Balkon und grüßten händeschwingend hinüber, hinunter und hinauf zu den anderen Balkons, die an den großen stillen Häusern klebten. Wir waren fröhlich und wollten auf gute Nachbarschaft halten.[22] Aber ringsum saßen Menschen, die sich nicht bewegten. So sehr ich auch hinschaute, niemals sah ich einen die Hand regen, den Kopf heben oder gar den Mund auftun. Am Vormittag schoben sich unsere neuen Nachbarn aus den Zimmern heraus auf die Balkone. Aber so langsam waren ihre Bewegungen, wenn es überhaupt welche waren, so langsam, daß man sie einfach nicht erkennen konnte. Na ja, dachte ich, beim Mond bemerkt man's ja auch nicht.[23] Diese Leute waren wohl viele hundert Jahre älter als das gelenkige, immer händeschüttelnde und durcheinanderlaufende[24] Volk, das in unserer alten Straße gewohnt hatte. Die hier mußten wahrscheinlich fürchten, in ein Häufchen weiß-

---

[16] **dann schon** then, all right
[17] **vornehmste** most elegant
[18] **erben** inherit
[19] **der Aufschwung, ˙·e** rise, improvement
[20] **die Beteuerung, –en** protestation
[21] **sich verabschieden** say goodbye
[22] **auf gute Nachbarschaft halten** be neighborly
[23] **d.h., daß er sich bewegt.**
[24] **durcheinanderlaufend** running back and forth

lichen Mehls[25] zusammenzufallen, wenn sie sich in einer allzu plötzlichen Regung ihrer wenigen Festigkeit[26] beraubten. Beim Frühstück saßen sie aufrecht und ernst. Von jedem Mund führte eine farblose Röhre in eine Schale hinein. Ich vermutete, daß ihnen mit solchem Röhrenwerk die kostbare Nahrung ins Innere gepumpt wurde. Nach dem Frühstück wurden sie durch den Druck auf irgendeinen Knopf samt ihren Stühlen ins Innere ihrer Häuser gesogen. Wenige Minuten später rollten große Autos unhörbar aus den Gärten, darin saßen hinter den steifen Chauffeuren, weit zurückgelehnt und wieder bewegungslos die silbrigen Herrn, denen in der Zwischenzeit jemand senkrechte Hüte aufgesetzt hatte. Die Frauen dieser Herrn rollten später mit kleineren Autos ebenso still davon. Erst dann kam ein kleines Geräusch auf in der Straße. Klappern dünnen Geschirrs[27] und motoriges Brummen praktischer Hausgeräte.[28]

Wenn ich einmal mein Fahrrad gerade in dem Augenblick aus dem Tor schob, in dem eines dieser mächtigen Autos seine Bahn vorüberzog, spürte ich einen Hauch unendlicher Kälte, der mir auch in Hochsommertagen schaurige Gänsehäute verursachte und alles Pfeifen meiner Lippen jäh einfrieren ließ. Aber nur für eine Sekunde, dann fand ich mich wieder und pfiff, daß die regungslose Straße ängstlich klirrte.

In all der Zeit dachte ich nicht viel nach über diese Straße. Wir hatten eine Wohnung, mußten keine Miete bezahlen, obwohl die Wohnung so groß war, daß ich oft lange laufen und tasten mußte, bis ich Gerda schmal vor einer der riesigen Wände fand. Was kümmerte es mich, wenn diese Straße oft so erfroren aussah. Ich hatte die Vögel nicht vertrieben aus den Vorgärten. Das hatten die getan, die die Bäume und die Büsche vertilgt und gusseisernes Schmiedewerk[29] an deren Stelle aufgerichtet hatten. Kunstvoll zwar, aber ganz ohne Atem. Da und dort hatte man Zwerggewächs gesetzt. Zerrbild des Natürlichen, traurig an Wald und richtigen Baumwuchs erinnernd. Hatten die in aller Äußerung so verhaltenen Bewohner Angst vor natürlicher Baumgröße? Fürchteten sie, daß die kräftigen Wolken, die im Frühjahr aus den Blüten fahren,[30] ihre empfindlichen Schleimhäute ätzten[31] oder gar das sorgfältig behütete Innere in Aufruhr[32] brachten?

Am Anfang hielt ich's für eine Marotte,[33] jetzt denk' ich, es muß eine Krankheit sein, die noch keinen Namen hat. Als ich es noch für eine Marotte hielt, meinte ich, die Leute hier seien spaßig geworden durch ihre

---

[25] **das Mehl**   flour
[26] **wenige Festigkeit**   minimal solidity
[27] **das Geschirr**   china, crockery
[28] **das Hausgerät, –e**   (electrical) appliance; *i.e.,* the servants' activities
[29] **das Schmiedewerk**   wrought-iron decorations
[30] *d.h.,* **Duftwolken**
[31] **ihre empfindlichen Schleimhäute ätzten**   would eat into their sensitive mucous membranes
[32] **der Aufruhr**   uproar, turmoil
[33] **die Marotte, –n**   caprice, fad

besonderen Verhältnisse. Ich dachte, vielleicht wissen sie nicht, daß man sich tatsächlich bewegen kann, ohne gleich einen Arm und den Hals dazu zu brechen. So trat ich denn oft am Morgen auf den Balkon und turnte[34] ein bißchen. Keine körperliche Raserei und waghalsige[35] Akrobatik, o nein, das ist auch mir zuwider.[36] Mehr ein Räkeln in der Frühluft, ein kleines Spiel der Gelenke und dann und wann ein kindliches Muskelmanöver. Ich dachte, die alten Menschen rundum sehen zwar nicht her, sollen sie auch gar nicht,[37] aber wenn ihre Augen überhaupt noch Augen sind, dann muß ihnen meine schüchterne Bewegungen doch eine Spur von Leben in die Pupille streuen; und vielleicht gelingt es so, diese Pupillen noch einmal zur Regung zu bringen, bevor sie brechen. Vielleicht löst sich die Starre der Augen, teilt sich noch dem Genick mit,[38] der Kopf fängt an sich zu drehen, die Schultern gar, und rundum auf allen Balkons begänne ein Tanz, der später bis zu einem wirklichen Händedruck könnte erweitert werden. So meine Hoffnung. Aber umsonst. Ich bewegte mich und ich muß auch bemerkt worden sein. Denn, wie von einem einzigen großen Motor gelenkt, drehten sich die alten Menschen ringsum von mir weg. Ruhig, kaum merkbar kreisend, wurden sie alle so gedreht, daß sie später unserem Balkon den Rücken zuwandten. Und als ich es dann mit Pfeifen probierte, die Lippen spielen ließ wie niemals zuvor, alle vertriebenen Vögel ersetzte und sogar übertraf, da ließen die seltsamen Nachbarn sich von ihren Häusern einsaugen, so fließend, wie eine Schnecke[39] sich bedächtig in ihren verhärteten Schutz zurücknimmt, wenn ihre empfindlichen Fühler es wollen. Wie sollte ich diese Nachbarn begreifen? In den Straßen, die ich kannte, war das anders gewesen. Da hatte man sich abends vor dem Haus getroffen, hatte irgendeinem in die Wohnung geschaut, und wenn einer in den Blumentopf spuckte, der auf dem Fenstergesims stand, so mäkelten höchstens die Frauen und machten es unter sich aus, die Männern zu strafen. Aber hier? Auf allen Balkons die gleichen ununterscheidbaren Gesichter aus Schlafgips und Totenkalk.[40]

Gerda bemerkte natürlich, wie sehr man uns allein ließ. Sie war den ganzen Tag zu Hause und erfuhr manches, was ich nur ahnen konnte. Sie wurde anders als sie war. Früher hatte sie beim Frühstück auf dem Balkon gelacht, daß es weithin quirlte.[41] Sie hatte die Hände zusammengeschlagen, wenn ich etwas erzählte und flink waren ihre Bewegungen gewesen, wenn sie auf dem Tisch hantierte. Jetzt aber lachte sie nicht mehr. Dann und wann hob sie noch die Augenbrauen, aber nur sehr

---

[34] **turnen**   exercise
[35] **waghalsig**   daredevil
[36] **zuwider**   repugnant
[37] **sollen sie auch gar nicht**   they weren't expected to either
[38] **teilt sich noch dem Genick mit**   moves briefly into the base of the neck
[39] **die Schnecke, –n**   snail
[40] **aus Schlafgips und Totenkalk**   made of the plaster of sleep and the lime of death
[41] **quirlen**   waft, bubble

langsam und vorsichtig, als tue sie heimlich Verbotenes. Das schallende Klatschen ihrer Hände war zusammengeschrumpft[42] zu einer kaum noch wahrnehmbaren Bewegung des kleinen Fingers, den sie sanft auf das Tischtuch klopfen ließ. Und den Tisch richtete sie nur noch im Zimmer, schob ihn langsam wie einen Schwerkranken auf den Balkon und folgte vorsichtig nach. Mir verbot sie zu pfeifen und sah mich mißbilligend[43] an, wenn ich in lautes Lachen ausbrach. Jeden Tag gab sie mir neue Anweisungen, wie ich das Fahrrad vors Tor zu schieben habe, wie ich mir der Hand das Tor zu öffnen und wie ich es zu schließen habe. So ging es fort, bis die Sätze kamen, die ich nicht umsonst an den Anfang dieser Mitteilungen stellte. Jene Sätze, in denen sie es offen sagte, daß mein Beruf nicht gut sei. Sie sprach, ohne die Lippen zu bewegen. Ihre Augen hatten allen Glanz verloren. Ihre Reden aber waren beladen mit Mißbilligung und Vorwurf, so schwer, daß sie schließlich meine Ohren eindrückten und mich in dumpfe Taubheit versetzten. Ich begann zu grübeln[44] und pfiff dazu traurige Melodien. Ich begann zu begreifen, daß Gerda von jener Krankheit befallen worden war, für die ich noch keinen Namen gehört hatte. Je länger ich sie beobachtete, desto genauer erkannte ich, daß ich sie nie mehr würde heilen können. Ohne daß ich es bemerkt hatte, war jene Lähmung[45] durch die Wände gedrungen und hatte sie angesteckt mit der zähen Langsamkeit, die ihr Wesen war. Ich versuchte Gerda wieder beweglich zu machen, versuchte ihre Lippen zum Lachen zu bringen, aber die krankheit hatte sich schon zu tief in sie eingefressen. Gerda ließ sich nichts mehr sagen von mir.[46] Jedes meiner Worte empfand sie als Beleidigung, als ungehöriges Betragen.[47] Und immer wieder mußte ich hören, so wie ich könne sich nur ein Fahrradmechaniker aufführen.

,,Oh", sagte ich da und wandte mich um und pfiff tonlos in mich hinein. Dann machte ich einen letzten Versuch: ich versuchte, mich auch von dieser Krankheit anstecken zu lassen. Was ich auch immer an Seltsamem bemerkte—und das wurde täglich mehr—ich ahmte es nach,[48] bewegte mich so langsam, daß mir oft tagelang alle Glieder einschliefen und zum Verrücktwerden kribbelten.[49] Ich brauchte für alle Wege dreimal so lang, wie ich gebraucht hätte, wenn ich normal gegangen wäre. Mit der Stoppuhr maß ich meine Wege und ging wieder zurück, machte den Weg nochmal, wenn ich sah, daß ich mich ungebührlich schnell bewegt hatte. Das Frühstück dehnte sich oft bis zum Mittagessen und ins Geschäft kam ich erst nachmittags. Daß ich meinen Arbeitsplatz in der Werkstatt verlor,

---

[42] **zusammen-schrumpfen (ist)**   shrink
[43] **mißbilligend**   disapprovingly
[44] **grübeln**   brood
[45] **die Lähmung, –en**   paralysis
[46] **ließ sich nichts mehr sagen von mir**   did not listen to me any more
[47] **das Betragen**   conduct
[48] **nach-ahmen**   imitate
[49] **zum Verrücktwerden kribbelten**   prickled to distraction

ist selbstverständlich und kann meinem Meister nicht zum Vorwurf gemacht werden.

„Gut, daß das dein Vater nicht mehr erleben mußte", sagte er. „Ich bin verheiratet", sagte ich bedeutungsvoll ins Ungefähre[50] und ging. Jetzt saß ich tagelang zu Hause und strich wie der Schatten einer Schnecke an unseren großen Wänden entlang.   Ich wurde langsamer, aber nicht ruhiger. Alles was ich unterdrückte, staute sich[51] in mir von Tag zu Tag höher, drängender, erstickte mich fast. Gerda beobachtete mich und bewegte beifällig ihr linkes Ohr. Das war für ihre Begriffe eine schon fast zügellose Äußerung ihrer Gefühle. Deshalb stieg ihr ein blasses Rosa in die bleichen Wangen. Eine Andeutung von Scham.

So ging es, bis ich es eines Morgens nicht mehr ertrug. Es war ein warmer Tag im Frühjahr. Wir saßen starr auf dem Balkon, als wären wir die Schneemänner vom letzten Winter. Gerda schenkte Tee ein und goß[52] sich etwas vom dampfenden Getränk über die Hand. Auf der Haut schoß eine fahle Blase[53] auf, Gerda aber schob lediglich ihre linke Augenbraue um einen schwachen Millimeter höher. Der Schmerz aber, der die zweifellos plagte,[54] zerrte ihre Augen zuckend[55] nach oben, daß ich nur noch das Weiße sah. Kein schöner Anblick, aber ich mußte lachen. Zum erstenmal nach langer Zeit brach ich aus. Und als hätte dieses zuerst recht harmlose Lachen meinem ganzen Körper das Signal zum Aufruhr gegeben, schüttelte jetzt ein Krampf meine Nerven, die Muskeln hüpften, die Arme schlugen und aus dem Munde stürzte mir ein nicht endenwollendes Gelächter, das schrill und hart in immer neuen Sturzbächen[56] in die totenstille Straße stach. Gerda erstarrte. Die Nachbarn ließen sich familienweise[57] in ihre Wohnungen hineinsaugen, ich sprang auf, rief „Pfui Teufel",[58] hüpfte die Treppe hinunter, rannte hinaus und hielt erst ein, als ich Menschen sah, die verhärmten[59] Gesichts, aber mit vielerlei Bewegungen ihren täglichen Geschäften nachgingen.

Um es kurz zu machen: ich arbeite wieder in meiner Werkstätte. Abends bin ich noch einigemal durch jene reglose Straße gegangen. Auf den Balkons saßen wie Säulen die alten Menschen. Ein Gesicht wie das andere. Gerda konnte ich nicht mehr erkennen.

In den nächsten Tagen will ich meine Tochter holen. Ich glaube, Gerda wird sie kaum vermissen. Das Kind ist viel zu unruhig und würde Gerda und der ganzen Straße nur Ärger bereiten. Vielleicht merkt sie es gar

---

[50] **ins Ungefähre**   into the air
[51] **sich stauen**   accumulate, rise
[52] **gießen, o, o**   pour
[53] **die Blase, -n**   blister
[54] **plagen**   torment
[55] **zuckend**   convulsively
[56] **der Sturzbach, ⸚e**   torrent
[57] **familienweise**   whole families at a time
[58] **Pfui Teufel!**   Disgusting!
[59] **verhärmt**   careworn

nicht, wenn ich heimlich in die Wohnung dringe und das Kind mitnehme. Ich hatte nämlich den Eindruck, als sei die allgemeine Erstarrung[60] noch ungeheuer fortgeschritten, seit ich nicht mehr in der Straße wohne. Sollte ich doch eine Störung gewesen sein für jene Art von Ruhe, so wird die endgültige Versteinerung jetzt nicht mehr länger auf sich warten lassen.[61] Und davor möchte ich meine Tochter bewahren.

Sollte aber auch sie in reiferem[62] Lebensalter unmäßige Forderungen an mich stellen, so werde ich ihr zu beweisen versuchen, daß es keinen Grund gibt, auf dieser Welt nach etwas anderem zu streben, als ein Fahrradmechaniker zu sein. Alles andere ist, werde ich sagen, sündige und ungesunde Fassadenkletterei.[63] Und wenn sie es halt[64] gar nicht einsehen kann, daß es gut ist, einen Vater zu haben, der sich einiges Geschick in der Reparatur[65] auch der zerstörtesten Fahrräder erworben hat, dann kann ich sie ja immer noch auf den Balkon zurücktragen und sie neben die Kruste ihrer Mutter setzen. „Pfui Teufel", werde ich dann nicht mehr sagen, aber ich werde den Balkon und das Haus und den Garten und die Straße ebenso schnell verlassen wie damals, als ich mich dieses Ausrufs nicht enthalten konnte.

FRAGEN UND THEMEN

1. Der erste Absatz gibt eine thematische und stilistische Einführung (*introduction*) in die Geschichte. Analysieren Sie ihn von diesem Gesichtspunkt (*viewpoint*).

2. Gerda und der Erzähler sind wirklich nur „aneinandergeraten". Erklären Sie die volle Bedeutung dieses Verbs.

3. Inwiefern is Gerda für den Verlauf der Geschichte verantwortlich?

4. Besprechen Sie die Rolle, die Humor und Ironie in der Geschichte spielen.

5. Warum scheint dem Erzähler ein Patentschutz seiner Erfindungen überflüssig, und inwiefern ist diese Tatsache wichtig?

6. Die „heimtückischen Hallen" werden zu einem Symbol in der Geschichte. Versuchen Sie eine Stilbesprechung auf Grund dieses und ähnlicher symbolischer Einzelheiten.

---

[60] **die Erstarrung**   stiffening, torpor
[61] **so . . . jetzt nicht mehr länger auf sich warten lassen**   then . . . won't be slow in coming now
[62] **reifer**   more mature
[63] **die Fassadenkletterei**   climbing to the top (*lit.:* climbing up the face of a house)
[64] **halt**   for that matter
[65] **die Reparatur, –en**   repair(ing)

7. Das hier entworfene Sozialbild zeigt einen fast unüberbrückbaren Gegensatz zwischen zwei Gesellschaftsklassen. Welches sind die charakteristischen Züge jeder der beiden Gruppen?

8. Der Snobismus wird hier als Krankheit beschrieben. (a) Welches sind ihre Symptome? (b) Wie verbreitet sie sich (*spread*)? (c) Wer scheint besonders anfällig (*vulnerable*)? (d) Welche Gegenmittel versucht der Erzähler, und mit welchem Erfolg?

6 MILO DOR

Salto mortale[1]

Ehe ich an diesem Dienstagmorgen mein Zimmer verlassen hatte, war alles wie immer. Daran, daß es ein Dienstag war, kann ich mich noch genau erinnern. Auf dem Kalender, der neben dem Badezimmerspiegel hing, stand noch Montag. Ich war gerade dabei, mich zu rasieren, und hatte das Blatt noch nicht abgerissen, denn das tat ich jeden Tag erst, nachdem ich mein Gesicht mit Rasierwasser befeuchtet hatte. Während ich mich rasierte, betrachtete ich mich im Spiegel und versuchte festzustellen, ob ich mir an diesem Morgen sympathisch war oder nicht. Ich war mir weder besonders sympathisch noch besonders unsympathisch. Es war ein ganz gewöhnlicher Tag. Das Fenster stand weit offen. Draußen war mildes Frühlingslicht, und von der Straßenecke her hörte ich etwas müde und holprige[2] Musik eines Leierkastens:[3]

> Übers Jahr,[4] wenn die Kornblumen blühen,
> komm ich wieder, komm ich wieder . . .

Das erinnerte mich an meinen kurzen Aufenthalt in der Haupstadt des benachbarten Auslands. Ich hatte dort eine Freundin, ein Mädchen, das mit einem Amerikaner verlobt gewesen war. Er war dann irgendeinmal nach Amerika vorausgefahren und sie hätte ihm nachfahren sollen. Es war aber nie dazu gekommen. Sie blieb aus unerklärlichen Gründen da — sie wollte nie zugeben, daß er sie einfach verlassen hatte — sie blieb da mit den neuen Möbeln, die sie sich noch zusammen mit ihm angeschafft hatte, mit dem neuen Küchengeschirr und sogar mit den neuen Pyjamas, die sie für ihn gekauft hatte. Als ich zum erstenmal bei ihr schlief, bot sie mir eines dieser Pyjamas an, ich zog es aber vor, in meinem Hemd zu schlafen, weil ich das Gefühl hatte, mit dem Pyjama auch eine fremde Rolle übernehmen zu müssen, eine Rolle, die mir nicht lag und die ich gar nicht zu

---

[1] **salto mortale** (*Ital.*) an acrobat's climactic leap (*lit.*: death leap)
[2] **holprig** bumpy
[3] **der Leierkasten, ∵ = die Drehorgel, –n** barrel organ
[4] **übers Jahr** next year

spielen beabsichtigte. Am nächsten Tag brachte ich mein eigenes Pyjama
mit. Als der Tag meiner Abreise kam, packte ich es zusammen mit
meinem Rasierzeug und anderen Kleinigkeiten wieder ein und wartete,
am Fenster stehend, auf das Taxi, das mich zum Flugplatz bringen sollte.
Da hörte ich ein Werkel[5] dieses Lied spielen:

> Übers Jahr, wenn die Kornblumen blühen,
> komm ich wieder, komm ich wieder . . .

Das Mädchen begann natürlich zu weinen, sagte aber nichts. So ging
ich. Als ich aber schon im Taxi saß, überfiel mich eine seltsame Trauer.
Ich drehte mich um und sah sie am Fenster lehnen und mir stumm und
bewegungslos nachblicken.

Ich versuchte später oft, mich an sie zu erinnern. Ich wußte nur, daß
sie klein und etwas mollig[6] war, daß sie gern Bonbons[7] aß und daß ihre
Küsse davon ein bißchen klebrig waren. Ich konnte mich aber nie erinnern, wie sie wirklich war, noch wie sie hieß. Ich glaube sogar, daß ich
sie, wäre ich ihr auf der Straße begegnet, nicht einmal erkannt hätte. Ich
weiß aber ganz sicher, daß genau dieses Lied von einer Drehorgel[3] gespielt
worden war, an dem Morgen, an dem ich sie verlassen hatte. Dieser Zufall
hatte jedoch keinen Zusammenhang mit all dem, was sich an diesem
Dienstag noch ereignete.[8]

Wenn ich gewußt hätte, was mich draußen alles erwartete, dann wäre
ich wahrscheinlich zu Hause geblieben. Ich wußte aber noch nichts. Es
war ein ganz gewöhnlicher Tag, und alles war wie immer. Ich rasierte mich
also fertig, riß das Blatt, auf dem noch Montag stand, von meinem
Wandkalender ab und ging in die Redaktion.[9]

Vor zwei, drei Jahren wäre ich um diese Zeit noch im Bett gelegen und
hätte keine Ahnung gehabt, ob an diesem Morgen ein Dienstag oder ein
Sonntag begann; das hätte mich überhaupt nicht interessiert. Ich war
damals freier Schriftsteller und lebte einmal da und einmal dort, in den
Tag hinein. Ich hatte zwei Bücher geschrieben, die ganz gut aufgenommen
worden waren, und bereitete mich darauf vor, ein drittes zu schreiben, das
viel besser sein sollte als die zwei ersten. Ich hatte für dieses Buch schon
einen Titel und schrieb ihn fein säuberlich auf ein Heft, doch zu diesem
Titel kam nichts mehr hinzu. Ich reiste umher, sah mir die Menschen an
und dachte nach, aber aus dem Buch wurde nichts.[10] Se beschloß ich, eine
Stelle anzunehmen, bis mir wieder zum Schreiben etwas einfiel. *Der
Stadtanzeiger*[11] nahm mich vor etwa zwei Jahren auf. Meine Aufgabe war

---

[5] **das Werkel, – (*coll*.)** = **der Leierkasten**
[6] **mollig** plump
[7] **der** *oder* **das Bonbon, –s** (hard) candy
[8] **was sich . . . noch ereignete** that was to take place
[9] **die Redaktion, –en** editorial office; **der Redakteur, –e** editor; **redigieren** edit
[10] **aus . . . wurde nichts** nothing came of
[11] **Der Stadtanzeiger** The City Informer—probably an intentionally ambiguous name for a newspaper

es; alle einlaufenden Nachrichten durchzusehen, die interessantesten von
ihnen auszusuchen, sie umzuschreiben und an die zuständigen Redak-
teure[9] weiterzuleiten. Ich war froh, daß ich diese Arbeit hatte, denn ich
hatte keinen ordentlichen Beruf erlernt und konnte nichts anderes als
schreiben. Außerdem sollte meine Beschäftigung beim *Stadtanzeiger* nicht
ewig dauern. Ich hatte mich absichtlich hinter die Anonymität eines
Nachrichtenredakteurs versteckt, ich wollte so in aller Stille Atem
schöpfen, um dann mit um so mehr Kraft aus dieser Namenlosigkeit
emporzuschießen wie ein leuchtender Pfeil.

Unterdessen gewöhnte ich mich daran, jeden Tag zur selben Morgenstunde aufzustehen, und kaufte mir einen Abreißkalender, damit ich schon
beim Rasieren wissen könne, was für ein Tag heute war. Ein ähnlicher
Kalender stand auch auf meinem Schreibtisch in der Redaktion. Von
diesem Kalender riß ich das letzte Blatt immer erst ab, wenn ich mich an
meinen Schreibtisch setzte. Es machte mir besondere Freude, an jedem
Morgen den vergangenen Tag gleich zweimal in den Papierkorb zu werfen.
An diesem Dienstag jedoch wurde ich dieser vollkommenen Genugtuung[12]
beraubt.

Es begann schon an der Tür. Der Portier, der mir immer ,,einen schönen
guten Morgen" gewünscht und dabei meinen Namen genannt hatte, sagte
diesmal nur: ,,Guten Morgen, der Herr!" Das fiel mir zuerst nicht auf, er
war ja schon alt und konnte nicht mehr gut sehen. Als ich aber das große
Vorzimmer[13] betrat, drehte sich Fräulein Deubler,[14] unsere Redaktions-
sekretärin, um und fragte mich mit einem gleichgültig-liebenswürdigen
Lächeln: ,,Sie wünschen?"

Ich stutzte[15] im ersten Augenblick, aber dann faßte ich mich wieder.
Sicher wollte sie auch einmal einen Witz[16] mit mir machen, nachdem ich
sie schon so oft mit fingierten[17] Anrufen hereingelegt hatte.

,,Mein Name ist Jaroslaw Nowatschek",[18] sagte ich und verbeugte mich
leicht. ,,Ich habe soeben meine Schwiegermutter erschlagen und möchte
nun Ihrem Redakteur die wahren Motive meiner Tat schildern.[19] Die
Polizei würde sie mir nämlich nicht glauben. Ihre Zeitung jedoch, zu
deren begeisterten Lesern, ja, Abonnenten[20] ich mich zählen darf, wird
die Wahrheit ans Tageslicht bringen."

Damit wollte ich in mein Zimmer gehen. Doch Fräulein Deubler sah
mich groß an,[21] sie hatte nicht einmal aus Höflichkeit versucht zu lachen,

---

[12] **die Genugtuung** satisfaction
[13] **Vorzimmer** *here:* outer office
[14] **Fräulein Deubler** the name alludes to **Deubel**, *i.e.,* **Teufel**.
[15] **stutzen** be taken aback
[16] **der Witz, –e** joke
[17] **fingiert** fake
[18] **Jaroslaw Nowatschek** a frequent Czech name
[19] **schildern** depict
[20] **der Abonnent, –en, –en** subscriber
[21] **sah mich groß an** gave me a big look

und fragte mich mit ernster Miene, die ihr verwelktes Gesicht einer alternden Jungfrau noch kälter machte:

,,Wen darf ich bitte melden? Und in welcher Angelegenheit?"

Ich war an diesem Morgen nicht so gut aufgelegt, ich hatte auch keinen Grund dazu, und hörte deshalb auf mit dem albernen[22] Spiel. Ich ging auf mein Zimmer zu und machte die Tür auf. An meinem Schreibtisch saß ein junger, rothaariger Kerl und tippte sehr ungeschickt, aber ungerührt, mit zwei Fingern auf meiner Schreibmaschine. Er hatte auch die Unverfrorenheit[23] besessen, das letzte Blatt von meinem Kalender abzureißen; oben stand[24] schon Dienstag.

,,Was soll das heißen?" fragte ich Fräulein Deubler. ,,Bin ich vielleicht über Nacht in ein anderes Zimmer übersiedelt worden?"

,,Übersiedelt?" stotterte[25] Fräulein Deubler. ,,Wie meinen Sie das?"

,,Was sucht[26] der junge Mann da auf meinem Platz?"

,,Herr Neuhold[27] ist unser Nachrichtenredakteur. Das ist sein Zimmer", antwortete sie in einem Ton, in dem man Schulkindern das Einmaleins erklärt.

,,Und was bin ich?" schrie ich.

Da erhob sich der junge Mann von meinem Schreibtisch, kam zur Tür und sagte mit erstaunlich tiefer Stimme:

,,Ich möchte Sie bitten, etwas weniger Lärm zu machen, ich muß gerade einen sehr dringenden Artikel fertig schreiben. Der Setzer wartet schon auf mein Manuskript."

Darauf schloß er die Tür, und ich hörte, wie er wieder langsam und tolpatschig[28] auf meiner Schreibmaschine tippte...

,,Ich möchte mit dem Chefredakteur sprechen", sagte ich entschieden.

,,Ich weiß nicht . . ." begann Fräulein Deubler, besann sich aber gleich eines Besseren,[29] nachdem sie einen kurzen Blick auf mich geworfen hatte. ,,Ich werde gleich nachschauen." Sie begann auch sogleich diensteifrig das Telefon zu bedienen. Ihre Vermittlung[30] erwies sich aber als überflüssig, denn fast in demselben Augenblick erschien Herr Titinger persönlich im Vorzimmer.

,,Ich lasse mich nicht so behandeln", schrie ich ihm entgegen.

,,Worum handelt es sich denn?" fragte der kleine Mann wehleidig,[31] holte ein Taschentuch hervor und betupfte sich damit die gerötete Nase.

---

[22] **albern**   silly
[23] **die Unverfrorenheit**   impudence
[24] **stand** *here:* it said
[25] **stottern**   stammer
[26] **was sucht** *here:* what is . . . doing
[27] **Neuhold** *lit.:* "newly-favored"
[28] **tolpatschig**   awkwardly
[29] **besann sich aber gleich eines Besseren**   but changed her mind immediately
[30] **die Vermittlung, –en**   mediation   **das Vermittlungsbüro, –s**   employment office
[31] **wehleidig**   plaintively

Er hatte einen chronischen Schnupfen[32] und sprach immer wehleidig.

„Der Herr wollte Sie sprechen", erklärte Fräulein Deubler, „und ich wollte Sie gerade. . . ."

Herr Titinger gab ihr nur ein kurzes Zeichen mit dem Taschentuch, und sie verstummte.

„Ich bin bereit, Sie anzuhören", sagte er.

„Sagen Sie mir bitte nur eines: Wieso kommt dieser junge Mann dazu, an meinem Schreibtisch zu sitzen?" fragte ich und wies auf die Tür, hinter der meine Schreibmaschine erbärmlich klapperte, als hätte sie über Nacht Gelenkrheumatismus bekommen.

„Ich verstehe Sie nicht", stieß Herr Titinger unter dem Taschentuch hervor, das er wieder vor seiner Nase hielt.

Mir wurde plötzlich klar, was hier gespielt wurde. Der rothaarige Jüngling war bestimmt ein Verwandter von Herrn Titinger. Man hatte ihm meine Stelle gegeben und mich wollte man auf eine sehr primitive Weise vor die Tür setzen.[33] Ich wußte seit jeher, daß ich nicht unersetzlich war — meine Arbeit hier konnte genau so gut auch jeder andere verrichten — aber die Art, auf die man mir das zur Kenntnis bringen wollte, war beleidigend. Ich mußte mich aber trotzdem beherrschen und meine wahren Gefühle verbergen, ich durfte mich nicht lächerlich machen.

„Sie können mich nicht so einfach entlassen", sagte ich, „ich habe einen Vertrag mit Ihnen gemacht."

„Einen Vertrag?" fragte Herr Titinger verwundert und wandte sich dann mit einer theatralischen Geste[34] an Fräulein Deubler. „Was wollen denn alle von mir? Ich kann doch nicht alle stellungslosen Journalisten beschäftigen. Wir sind kein Wohltätigkeitsverein,[35] sondern eine Zeitung. Bitte, machen Sie das dem Herrn klar. Wir sind auch kein Vermittlungsbüro. Ich kann den Herrn niemandem empfehlen, ich kenne ihn nicht einmal. Warum kommen nur alle zu mir? Schön, ich habe einigen geholfen, aber so geht das nicht weiter. Ich tue alles, was in meiner Macht steht, aber ich kann nicht mehr!"

Während dieser kurzen Szene vollführte[36] er mit seinem Taschentuch wahre Kunststücke, die ihm keine Dame[37] mit einem Fächer hätte nachmachen können. Er strich sich mit dem Taschentuch über die Stirn, drückte es gegen sein Herz und faltete es wieder auseinander, um es mit einer müden, gebrochenen Handbewegung auf seine Augen zu legen.

„Ich kann nicht mehr", wiederholte er weinerlich und ging schleppenden Schritts zur Tür. Dort umfaßte er erschöpft die Klinke und drehte sich noch einmal um. Er hätte Schauspieler werden sollen.

---

[32] **der Schnupfen, –**   cold
[33] **vor die Tür setzen**   throw out, fire
[34] **die Geste, –n**   gesture
[35] **der Wohltätigkeitsverein, –e**   benevolent society
[36] **vollführen**   carry out
[37] **die Dame, –n**   lady

Auf der Straße trat ich in ein Bierlokal, um über das eben Vorgefallene nachdenken zu können. Eigentlich war mir recht geschehen, daß man mich aus der Redaktion hinausgeworfen hatte. Das war eine Strafe dafür, daß ich mich selbst verraten hatte; ich wollte doch einmal etwas ganz anderes werden als ein Nachrichtenredakteur, der alles, was auf seinen Schreibtisch kam, für den Druck zurechtstutzte;[38] ich wollte Bücher schreiben, Bücher, die unverwechselbar waren und die niemand anderes außer mir schreiben konnte. Ich war Herrn Titinger nicht böse, daß er seinen Neffen oder was immer der rothaarige Kerl mit der tiefen Stimme ihm war, mir vorgezogen hatte, im Gegenteil, ich war ihm dankbar, weil er mich gezwungen hatte, meinen eigenen Weg zu gehen. War aber Charlotte bereit, mir auf diesem Weg zu folgen? Ich bezahlte mein Bier und ging zu Charlotte, um ihr zu erzählen, was ich heute morgen erlebt hatte.

Ich hatte sie um diese Zeit nie besucht und war neugierig, was sie jetzt tat. Lag sie noch im Bett, räumte sie ihre kleine Wohnung auf oder war sie schon einkaufen gegangen? Ich wollte sie einmal überraschen. Aber sie war keineswegs überrascht, sondern ich, denn sie hatte mich erwartet, das heißt, sie hatte jemanden anderen, für den sie mich hielt, erwartet.

,,Ah, Sie sind schon da!'' rief sie in der Tür aus. Sie hatte zwar noch ihren Morgenrock an, aber sie war schon geschminkt[39] und gekämmt. ,,Ich habe Sie nicht so schnell nach Ihrem Anruf erwartet, aber bitte, kommen Sie nur weiter, wenn Sie schon da sind.''

Ich trat ein und sie geleitete[40] mich in das Wohnzimmer, in dem sie mich aufforderte, mich in einen Fauteuil[41] zu setzen.

,,Das zweite Zimmer ist genauso groß wie dieses hier. Ich werde es Ihnen gleich zeigen, ich muß nur einen Augenblick — mein Bett ist nämlich noch nicht gemacht.'' Sie errötete leicht und machte zwei zögernde Schritte auf das Schlafzimmer zu, blieb aber stehen und sprach weiter, wobei sie mit der Rechten ihren Morgenrock über der Brust zuhielt.

,,Ich habe Sie erst in einer halben Stunde erwartet. Das Badezimmer kann man auch durch das Schlafzimmer betreten, man kann zwar auch durch das Vorzimmer hinein, aber ich muß auch dort noch etwas Ordnung machen. Ich glaube, daß Ihnen die Wohnung gefallen wird, sie ist sehr hell, den ganzen Tag haben Sie hier Sonne. . . . Ich habe auch eine Menge Geld in diese Wohnung investiert — allein der elektrische Speicher, der gleichzeitig das Bad und die Küche mit warmen Wasser versorgt — und jetzt wäre ich froh, wenn ich wenigstens einen Teil davon bekommen könnte. Einen Augenblick, bitte!''

Sie ging ins Schlafzimmer und schloß hinter sich die Tür. So wie sie sich

---

[38] **zurechtstutzen**   edit (*lit.:* trim to shape)
[39] **schminken**   make up
[40] **geleiten**   escort
[41] **der** *or* **das Fauteuil, –s**   armchair

eifrig[42] bemühte, mir, dem vermeintlichen[43] Käufer, ihre Wohnung einzureden, gefiel sie mir weniger denn je; sie hatte einen häßlich gierigen[44] Zug um den Mund. Aber sie spielte gut. Sie hatte sich nicht anmerken lassen, daß sie mich kannte. Warum wollte sie mich nicht erkennen? Wir waren erst vorgestern zusammen, und da konnte sie nicht genug hören, wie sehr ich sie liebte.

Martha, mit der ich eine Zeitlang ausgegangen war, hatte sich auch plötzlich geweigert, mich zu erkennen, aber das war ganz anders. Martha hatte sich mit einem Oberst[45] verlobt. Sie hatte von mir genug gehabt und sich nach etwas Soliderem[46] umgesehen. Der Oberst hatte ernste Absichten mit ihr gehabt, er wollte sie heiraten. Es war also natürlich gewesen, daß sie mich nicht erkennen wollte, um ihn nicht eifersüchtig[47] zu machen. Als ich ihr einige Male auf der Straße begegnete, schaute sie immer ostentativ zur Seite, um meinen Gruß nicht erwidern zu müssen. Aber jetzt hatte ich ein sicheres Einkommen, jetzt wollte ich Charlotte heiraten. Was wollte sie nur damit erreichen? Vielleicht hatte sie erfahren, daß ich meine Stelle verloren hatte. Vielleicht hatte irgendeine tückische Krankheit mein Gesicht in ein paar Stunden so entstellt,[48] daß mich niemand erkennen konnte. Ich hatte schon Menschen gesehen, deren Gesichter durch Rotlauf[49] oder ähnliche Krankheiten so verunstaltet[50] waren, daß sie nicht einmal ihre eigene Mutter erkennen konnte.

Ich ging ins Vorzimmer und von dort aus ins Badezimmer, um mein Gesicht im Spiegel zu sehen. Charlotte war noch im Schlafzimmer beschäftigt. Ich trat vor den Spiegel und sah hinein. Es war mein Gesicht, das mir aus dem Spiegel entgegenstarrte; es war weder besonders sympathisch noch besonders unsympathisch, es war aber ohne Zweifel mein Gesicht. Ich wollte meinem Spiegelbild gerade die Zunge ausstrecken, als Charlotte ins Badezimmer kam. Sie hatte jetzt ein Kostüm[51] an.

,,Was soll das Theater?"[52] fragte ich sie barsch.[53] ,,Warum willst du deine Wohnung verkaufen?"

,,Wie sprechen Sie denn mit mir in meiner eigenen Wohnung?" rief sie empört. Ihr Gesicht war dunkelrot vor Zorn und auf ihren Schläfen traten Adern hervor. Jetzt war sie noch häßlicher als vorhin.

---

[42] **eifrig** eagerly
[43] **vermeintlich** supposed
[44] **gierig** greedy
[45] **der Oberst, –e** colonel
[46] **nach etwas Soliderem** for something more dependable
[47] **eifersüchtig** jealous
[48] **entstellen** disfigure
[49] **der Rotlauf** erysipelas
[50] **verunstalten** deform
[51] **das Kostüm, –e** (two-piece) suit
[52] **Was soll das Theater?** Why this farce?
[53] **barsch** rudely

„Ich übersiedle in die Provinz,[54] zu meinem Bräutigam,[55] wenn Sie es genau wissen wollen!"

Ich begann zu lachen.

„Den hast du sicher durch eine Korrespondenzanzeige[56] in der Zeitung kennengelernt?"

„Ja, genau so. Was geht Sie das aber an!"

Sie hatte mir schon einige Male, als wir Streit hatten, gedroht, daß sie mich verlassen und irgendeinen anderen heiraten werde, aber ich hatte nie daran gedacht, daß sie ihre Drohungen wahrmachen würde. Sie mußte das alles schon lange hinter meinem Rücken vorbereitet haben.

„Es ist also alles aus zwischen uns?" fragte ich.

„Es hat zwischen uns auch nie etwas angefangen", antwortete sie.

Damit hatte sie recht; ich hatte sie niemals geliebt. Wahrscheinlich hatte ich ein Verhältnis mit ihr angefangen, nur weil es so bequem für mich war; sie wohnte kaum ein paar Häuser von meiner Pension entfernt. Ich hatte mich aber, obwohl sie mich oft dazu aufgefordert hatte, immer geweigert, zu ihr überzusiedeln; ich wollte frei bleiben. Aber erst jetzt war ich wirklich frei. Ich konnte von Glück sprechen, daß ich an diesem Morgen gleich zwei lästige Bindungen losgeworden war. Ich konnte kaum erwarten, nach Hause zu kommen, um dort in aller Ruhe mit meiner eigentlichen Arbeit zu beginnen.

Als ich aber das kühle Stiegenhaus meiner Pension betrat, überfiel mich eine namenlose[57] Angst. Was würde geschehen, wenn man mich auch hier nicht erkannte? Je höher ich die Stufen hinaufging, desto drückender wurde die Angst. Ich war in einem fremden Haus und läutete an einer falschen Tür. Alles, was dann geschah, hatte ich schon in der Sekunde vorher gewußt, in der ich auf den Klingelknopf gedrückt hatte.

Frau Gruber[58] erschien und weigerte sich, mich in mein Zimmer hineinzulassen. Sie behauptete, alle Zimmer in ihrer Pension seien belegt und wollte mich um keinen Preis erkennen. Als ich mich damit nicht abspeisen[59] ließ, riß sie die Tür meines Zimmers auf; ich hatte das Zimmer Nummer sieben, und die Sieben sollte meine Glückszahl sein.

Auf dem zugedeckten[60] Bett lag ein stämmiger Kerl, ganz angezogen und drehte lässig[61] seinen schweren Körper, daß die Bettfedern krachten; er mußte sehen, wer in der Tür war. Frau Gruber machte ihm nicht einmal Vorhaltungen, weil er ihre Bettdecke zerdrückte — ich hätte so etwas nie tun dürfen; wenn ich mich tagsüber niederlegen wollte, mußte ich mit dem alten Plüschsofa vorliebnehmen —, sie entschuldigte sich sogar wegen der

---

[54] **in die Provinz**   into the country
[55] **der Bräutigam, –e**   fiancé
[56] **die Korrespondenzanzeige, –n**   pen-pal advertisement
[57] **namenlos**   *here:* inexpressible
[58] *cf.,* **die Grube**   pit, grave
[59] **ab-speisen**   put off, turn away
[60] **zugedeckt**   made up, covered
[61] **lässig**   lazily

Störung und schloß wieder behutsam die Tür. Als ich sie nach meinen Sachen fragte, führte sie mich in eine Kammer, um mir zu zeigen, was alles von den früheren Mietern übriggeblieben war. Sie tat es mit der finsteren Entschlossenheit eines Menschen, der einem Verrückten beweisen will, daß er einem Hirngespinst[62] zum Opfer gefallen sei. Alles, was frühere Mieter in der Pension vergessen hatten, waren einige Regenschirme, unbrauchbare Zahnbürsten und alte, zerbeulte Hüte, eine verrostete Brennschere,[63] mit der man einst Locken[64] im Haar machte, einige verstaubte Zeitschriften sowie ein billiger Papierkoffer, in dem ein zerschlissenes Korsett und ein violetter Sockenhalter[65] lagen.

Während ich die Treppe hinunterging, sehnte ich mich plötzlich in die schützende Geborgenheit meines Redaktionszimmers und in die warme Umarmung Charlottes zurück. Ich konnte aber nicht als Bettler[66] zurückkehren; das hätte mir wahrscheinlich auch nichts genützt.[67]

So ging ich ins Kaffeehaus an der Ecke und hoffte inständig,[68] daß mich wenigstens dort jemand erkennen würde, ich gehörte schon seit einigen Jahren zu den Stammgästen.

In einer Ecke spielten die Herren Baumann, Nortinger und Schwarz Karten. Ich pflegte auch allabendlich mit ihnen Karten zu spielen, aber sie nahmen von mir keine Notiz, sie schienen nicht einmal zu spüren, daß ihnen der vierte Partner fehlte. Sie hockten dicht beieinander und verständigten sich mit kurzen Worten oder Kopfnicken, während ihre Hände unaufhörlich mit den Karten beschäftigt waren.

Herr Baumann war ein korrekter, bis oben zugeknöpfter,[69] pensionierter höherer Staatsbeamter, der hagere Herr Nortinger und der kleine, kugelrunde[70] Herr Schwarz waren aktive Politiker, das heißt, sie saßen in irgendwelchen Ausschüssen,[71] die sie sehr wichtig nahmen. Mich hatten sie nie besonders gemocht, weil ich ihnen schon öfters zur Kenntnis gebracht hatte, daß ich vom Handwerk der Politik nichts halte.[72] Sie bildeten sich ein, daß sie durch ihr Tun den Lauf der Geschichte bestimmten; dabei rann sie ihnen durch die Finger, ohne daß sie von ihr einen einzigen Tropfen zu fassen bekamen.[73]

Daß die zwei meine mißliche Lage dazu ausnützten, um sich von mir endgültig loszusagen, mußte ich, wenn auch schweren Herzens, hinnehmen,

---

[62] **das Hirngespinst, –e**   fixed idea
[63] **die Brennschere, –n**   curling iron
[64] **die Locke, –n**   curl
[65] **der Sockenhalter, –**   garter
[66] **der Bettler, –**   beggar
[67] **das hätte mir wahrscheinlich auch nicht genützt**   that would probably not have done me any good either
[68] **inständig**   fervently
[69] **zugeknöpft**   reserved (*lit.:* buttoned up)
[70] **kugelrund**   ball-shaped
[71] **der Ausschuß, ¨e**   committee
[72] **ich von . . . nichts halte**   I had no use for
[73] **zu fassen bekommen**   succeed in catching

ich konnte aber nicht begreifen, daß auch der korrekte und durchaus zuverlässige[74] Herr Baumann mit ihnen zusammenhielt. Als ich an ihren Tisch trat und sie höflich fragte, ob ich mich zu ihnen setzen und mit ihnen Karten spielen dürfe — sie brauchten ohnehin einen vierten Partner — sahen sie kaum von ihren Karten auf.

„Das geht leider nicht", brummte Herr Nortinger vor sich hin.

„Wir haben einem Freund versprochen, auf ihn zu warten", fügte Herr Schwarz mit seiner piepsenden[75] Stimme hinzu.

„Vielleicht ein anderes Mal", versuchte Herr Baumann mich zu trösten. Das war alles, was er für mich tat.

Bald kam ein blasser Mann herein, setzte sich grußlos an ihren Tisch, so als sei er nur ein paar Minuten fortgewesen, und fragte hüstelnd:

„Wer gibt?"[76]

Baumann und Schwarz deuteten auf den hageren Nortinger, der die Karten absammelte und sie mit seinen knochigen Fingern zu mischen begann.

Ich verließ das Kaffeehaus und blieb ratlos an der Ecke stehen. Wo sollte ich auch noch hingehen? Ich hatte kein Zuhause mehr, auf meinem Bett in der Pension räkelte sich ein anderer Mann, mein Mädchen bereitete sich gerade darauf vor, zu einem anderen zu fahren, und ein anderer saß auf meinem Stammplatz im Kaffeehaus und spielte Karten mit den drei Verrätern, die sich meiner nicht erinnern wollten. Ich hatte keine Arbeit und kein Zuhause, ich hatte nicht einmal einen Namen. Natürlich gab es noch viele Menschen, die mich kannten; den Delikatessenhändler, bei dem ich ab und zu eine Flasche Schnaps kaufte, den Zeitungsverkäufer und die bucklige Besitzerin des kleinen Zigarettenladens in meiner Straße; sie alle kannten mich wohl, sie hatten mich doch schon so oft gesehen, aber sie wußten nicht, wie ich hieß, noch hatten sie eine Ahnung, wer ich eigentlich war und was ich machte. Ich war für sie nur ein Käufer, ein Mann, der bei ihnen Schnaps, Zeitungen und Zigaretten kaufte und den man deshalb freundlich begrüßen mußte. Sie als Zeugen für meine Identität aufzurufen, wäre ein lächerliches Unterfangen[77] gewesen. Sie wären nie imstande gewesen,[78] zu beweisen, daß ich der Mann war, der in der Pension „Gruber" wohnte, beim *Stadtanzeiger* beschäftigt war, ein Mädchen namens Charlotte hatte und mit den Herren Baumann, Nortinger und Schwarz im Kaffeehaus an der Ecke alla bendlich Karten spielte. Das konnte niemand beweisen.

Ich hätte freilich auch zur Polizei gehen können, mich dort ausweisen und verlangen, daß man mir zu meinem Recht verhelfe. Was nützte mir aber, zu beweisen, daß ich so und so hieß und daß ich einmal dort und dort geboren wurde, wenn es einfach unmöglich war, irgendeine Verbindung

---

[74] **zuverlässig**   trustworthy
[75] **piepsend**   high-pitched, bird-like
[76] **Wer gibt?**   *here:* Who is dealing?
[77] **das Unterfangen, –**   undertaking
[78] **imstande sein**   be able

zwischen mir, meiner Zeitung und meiner Pension herzustellen; die Leute wollten nicht zugeben, daß sie mit mir etwas zu tun hätten, sicher hatten sie mich schon aus ihren Listen gestrichen, nach ihrem Benehmen[79] zu schließen, waren sie sogar imstande, alle Listen zu verbrennen, so daß man nicht einmal feststellen konnte, ob mein Name jemals auf ihnen vermerkt worden war.

Ich versuchte, mich mit dem Gedanken zu trösten, daß ich alle diese Menschen nicht brauchte. Doch ohne sie kam ich mir vor wie ein Artist, der sich gerade anschickt, auf einem fliegenden Trapez einen *Salto mortale* zu vollführen und plötzlich zu seinem Entsetzen[80] bemerkt, daß einige Zirkusarbeiter unten in der Arena seine letzte Sicherheit, das schützende Auffangnetz, in erstaunlicher Eile zusammenklappen, es schnell zusammenrollen und wegtragen. Vielleicht brauchte ich alle diese Menschen nicht, aber sie waren mein schützendes Netz, mein letzter Rückhalt. Ohne sie schwebte ich einsam und verloren durch die ungewohnten Lüfte und fühlte ganz intensiv, wie immer näher der Augenblick kam, in dem ich schwer und leblos wie ein Stein auf die Erde hinabfallen werde.

In meiner Verzweiflung erinnerte ich mich an Tante Barbara und ihren Jockey, das heißt Onkel Freddie. Tante Barbara war eine Cousine meiner Mutter, mit der meine Mutter schon vor vielen Jahren jede Beziehung abgebrochen hatte. Tante Barbara hatte es gewagt, sich in Onkel Freddie zu verlieben und Onkel Freddie war ein Jockey gewesen. Man hatte bei uns zu Hause nie seinen Namen erwähnt, man hatte nur von ,,Barbara und ihrem Jockey‟ gesprochen. Meine Mutter hatte mir strengstens verboten, mit ihnen zu verkehren. Das war wahrscheinlich der Grund dafür gewesen, daß ich sie, mit stummem Einverständnis meines Vaters, eine Zeitlang regelmäßig besucht hatte. Onkel Freddie war zu dieser Zeit längst kein Jockey mehr; er war in der Ehe zu dick geworden und konnte nicht mehr reiten. Da er sich aber von seinem Beruf nicht ganz trennen konnte, eröffnete er ein Wettbüro[81] für Pferderennen. Ich kann mich noch ganz genau an den kleinen Laden erinnern, in dem ein großes Bild eines schönen Pferdes mit dem Siegeskranz um den Hals hing. Auf dem Pferd saß natürlich Onkel Freddie, der stolze Derbysieger in einem Jahr, in dem es mich noch gar nicht auf der Welt gegeben hatte.[82] Ich saß als Knabe[83] stundenlang in diesem Laden, der voll war von Männern, die ihre karierten[84] Mützen und ihre Melonen[85] aufbehielten, unentwegt[86] Bier tranken — ich mußte es ihnen selbst manchmal aus dem benachbarten Gasthaus holen — und die genauso wie ich gespannt Onkel Freddies

---

[79] **das Benehmen** behavior
[80] **das Entsetzen** horror
[81] **das Wettbüro, –s** betting office
[82] **. . . es mich noch gar nicht auf der Welt gegeben hatte** I hadn't even been born
[83] **der Knabe, –n, –n** boy
[84] **kariert** checkered
[85] **die Melone, –n** melon, bowler hat
[86] **unentwegt** unswervingly

Erzählungen lauschten. Der kleine, gedrungene[87] Mann saß auf einem
schiefen Stuhl, wie auf einem Thron, und murmelte mit seinen dünnen
Lippen Pferdenamen vor sich hin. Es waren keine Pferdenamen, sondern
Zauberformeln: Nofretete, Caesar, Kassandra, Mississippi.

Meine Mutter hatte mich einmal dabei erwischt, und ich durfte von da an
nicht mehr in Onkel Freddies Album mit den vielen Pferdebildern blättern
und Tante Barbaras Pflaumenkuchen[88] essen, mit denen sie mich immer
in ihrer kleinen Wohnung gleich hinter dem Laden traktiert hatte.[89]

Natürlich war der Gedanke, zu Tante Barbara und Onkel Freddie zu
gehen, eine Schnapsidee.[90] Ich hatte sie jahrelang nicht gesehen, ich
wußte nicht einmal, ob sie noch lebten; wenn sie aber noch am Leben
waren, wer garantierte mir, daß sie mich erkennen würden, sie hatten mich
ja nur als Knabe gekannt. Da wurde mir klar, daß ich eigentlich nicht
hingehen wollte, um von jemandem erkannt zu werden, sondern um dort
etwas zu finden, was ich einmal verloren hatte, ich wußte nicht, was das
war, ich wollte aber dort einen Faden aufnehmen, den ich vielleicht weiter
verfolgen konnte. Wenn ich dort auch nichts fand, was mir nützen konnte,
schaden konnte es mir auch nicht; ich hatte nichts zu verlieren.

An die Straße und die Nummer — es war 33 — konnte ich mich noch
erinnern. So setzte ich mich in die Straßenbahn und fuhr hin. Mittlerweile
war es dunkel geworden, und die Straßenbahn fuhr knarrend durch den
Nebel der Abenddämmerung und schaukelte dabei wie ein alter Kahn.[91]
Die Leute saßen auf zwei langen Bänken, dicht nebeneinander, aber jeder
saß doch ganz für sich allein da. Sie schwiegen. Nur der Schaffner[92]
zählte halblaut, mehr für sich, das Kleingeld, das er ihnen herausgab.
So wie sie[93] alle in abgetragenen Kleidern und blassen Gesichtern, Zeitung
lesend oder besorgt vor sich hinstarrend, gleichgültig und fremd mir
gegenüber oder in zwei Reihen links und rechts von mir saßen, schienen sie
jener Gruppe von Menschen anzugehören, die ein Komplott[94] gegen mich
organisiert hatte, das Komplott des Schweigens. Auch das etwas üppige,[95]
aber noch junge Frauenzimmer, das, lässig ein Bein über das andere
geschlagen,[96] gerade mir gegenübersaß und mich herausfordernd anlächelte,
gehörte zu ihnen. Sie war ein Lockvogel, dessen Aufgabe es war, mich
auszufragen. Ich entschloß mich zu schweigen, was immer mich jemand
von ihnen fragen mochte.

Als ich ausstieg und die Straße von Tante Barbara und Onkel Freddie

---

[87] **gedrungen**   thick-set
[88] **der Pflaumenkuchen, -**   plum cake
[89] **traktieren**   treat, offer
[90] **die Schnapsidee**   ridiculous idea
[91] **der Kahn, ⸚e**   (row)boat
[92] **der Schaffner, —**   conductor
[93] **so wie sie**   the way they
[94] **das Komplott, –e**   plot, conspiracy
[95] **üppig**   voluptuous
[96] **geschlagen**   *here:* crossed

fand, konnte ich sie kaum erkennen. Sie war viel kleiner und schäbiger als ich sie in Erinnerung behalten hatte. Auf den Balkonen hing Wäsche zum Trocknen, auf dem Gehsteig standen ungeleerte Mülltonnen,[97] und die Luft roch nach Moder,[98] Schweiß und billigem Speisefett. Wieso war mir das damals nicht aufgefallen? Während ich auf der linken Seite ging und die Nummer 33 suchte, mußte ich gegen die aufsteigende Übelkeit ankämpfen. So bemerkte ich gar nicht, daß ich an der Nummer 33 vorbeigegangen war, ich war schon bei der Nummer 41 angelangt. Ich ging zurück und stellte zu meiner Verwunderung fest, daß es Nummer 33 überhaupt nicht gab. Auf die Nummer 35 folgte die Nummer 31. Die Stelle, auf der das Haus Nummer 33 stehen sollte, war leer. Zwischen den Häusern Nummer 31 und Nummer 35 war ein kahler Platz, auf dem nur ein Haufen Gerümpel[99] und ein Autowrack[100] standen.

Im zerbeulten Führerhaus des Lastwagens saß ein etwa zehnjähriger Knabe. Er sah mit todernster Miene durch das Loch, in dem einmal eine Glasscheibe gewesen war, drückte auf die Knöpfe des Armaturenbretts,[101] trat auf die Pedale und drehte das Lenkrad hin und her. Als er mich kommen sah, trat er schnell auf das Bremspedal, als wolle er den fahrenden Wagen zum Stehen bringen; seine Bewegung blieb aber auf halbem Wege stecken und der Knabe blickte verlegen auf seine Hände, als schäme er sich seines Spiels. Auch ich war verlegen, weil ich ihn dabei gestört hatte.

„Wo ist das Haus Nummer 33, das einmal hier gestanden ist?" fragte ich sinnlos und zeigte auf das Gerümpel, das hinter dem Wrack lag.

Der Knabe sah mich verwundert an, als hätte ich ihn in einer fremden Sprache angesprochen. Dann sagte er:

„Hier hat es nie ein Haus gegeben."

Er konnte es natürlich nicht wissen, für ihn hatte es seit immer nur diesen leeren Platz gegeben, diesen Haufen Gerümpel und dieses Autowrack, in dem er spielen konnte. Ich mußte jemanden anderen um Auskunft bitten. Aber weit und breit gab es keine lebende Seele.[102] Ein Mann, dem ich nachgelaufen war, trat raschen Schritts in ein Haustor und klappte dort mit einer wichtigen Miene seinen Schirm zusammen, ohne mich zu beachten. Dann drehte er mir den Rücken zu und ging die Treppe hinauf.

Erst jetzt bemerkte ich, daß es regnete. Es war ein feiner Regen, wie Wasserstaub, ich hatte ihn vorhin für Nebel gehalten. Ich kehrte auf den Platz zurück und setzte mich dort auf ein umgeworfenes, verrostetes Blechfaß. Der Knabe manipulierte noch immer an dem Armaturenbrett des Autowracks. Der Regen schien ihn nicht zu stören. Ich wischte mir

---

[97] **die Mülltonne, —e** garbage can
[98] **der Moder** decay
[99] **das Gerümpel** junk
[100] **das Wrack, —s** wreck
[101] **das Armaturenbrett, —er** instrument panel
[102] **die Seele, —n** soul

mit den Handflächen mein nasses Gesicht ab und begann zu frösteln.[103] Ich schlug meinen Rockkragen hoch, es wurde mir aber nicht wärmer.

Der Platz stand leer und der Regen fiel geräuschlos auf das Gerümpel, die ungeleerten Mülltonnen und auf die Wäsche, die auf den Fenstern und den Balkonen zum Trocknen aufgehängt worden war und die niemand weggeräumt hatte. Sogar der Knabe drehte lautlos das verbogene Lenkrad. Alles war still. Man hatte mich in die Zone des Schweigens gedrängt und niemand war da, der mir erklären konnte, was eigentlich mit mir geschehen war. Ich wußte nicht, ob ich träumte oder wach war, ich wußte nicht, ob ich noch lebte oder schon tot war. Vielleicht war ich schon vergessen, ehe ich angefangen hatte, mich bemerkbar zu machen.

Tot zu sein wäre natürlich viel besser gewesen; das hätte mir diesen Zustand erspart. Aber ich war nicht tot. Und ich war auch nicht vergessen. Alle kannten jetzt meinen Namen. Sie durften ihn nur nicht aussprechen. Er war mit dem Siegel[104] des Schweigens versehen. Ich hatte es von allem Anfang an gewußt, ich wollte es nur nicht wahrhaben. Ich wollte nicht wissen, daß gegen mich ein Boykott organisiert worden war, diese wirksamste Maßnahme, die eine Gemeinschaft gegen zersetzende Elemente, wie ich eines war, ergreifen konnte.

Soweit ich mich erinnern kann, war ich als Kind sehr brav und fügsam.[105] Das mag daran gelegen sein,[106] daß mein Vater nie grob[107] zu mir gewesen war; er hatte mich nie geschlagen. Er war vital und hatte ein heiteres Wesen, so daß ich ihm immer gern und freiwillig folgte. Er stellte es auch immer so an, mir die Entscheidungen zu überlassen und gewährte mir auf diese Weise das Gefühl, frei und unabhängig zu sein. Auch die Sache mit Tante Barbara hatte er mit mir wie mit einem Erwachsenen, der ihm gleichgestellt war, besprochen. Wir hatten uns geeinigt, meine Mutter nicht mehr zu kränken. Auch bei diesem Entschluß hatte mein Vater keinen Druck auf mich ausgeübt, er hatte mir nur auseinandergesetzt, daß es nicht dafürstehe, meiner Mutter mit meinen Besuchen im Wettbüro Kummer zu bereiten. Es war ein freiwilliger Verzicht, denn ich wuchs ohne Zwang auf.

Erst nach der großen Erhebung,[108] die mein ganzes Volk, auf der einen oder auf der anderen Seite, in einer Art Blutrausch[109] mitgemacht hatte, begann ich renitent[110] zu werden. Ich hatte auf der Seite der Sieger gekämpft und hatte allen Grund, zufrieden zu sein. Statt dessen aber empfand ich zuerst eine Art Katzenjammer, der sich bald zu einer beinahe

---

[103] **frösteln**   shiver
[104] **das Siegel, –**   seal
[105] **fügsam**   docile
[106] **das mag daran gelegen sein**   the reason may have been
[107] **grob**   rude
[108] **die große Erhebung**   the great uprising—ironic use of the Nazi phrase referring to their revolution of January 30, 1933
[109] **der Blutrausch, ⸚e**   frenzy (*i.e.*, craving for blood)
[110] **renitent**   refractory

allergischen Abneigung gegen die herrschende Gesellschaft entwickelte, die meiner Meinung nach die Ziele unserer Revolution verraten hatte. Ich war damals noch jung, und es störte mich ungemein, die schmalen blassen Gesichter der Revolutionäre, die mit ihrem feurigen Blick an die Gesichter der byzantinischen Racheengel erinnerten, sich so rasch in fette, selbstzufriedene Gesichter verwandeln zu sehen, Gesichter, die ihrer Macht vollkommen bewußt waren. Das hochmütige Gehaben dieser Menschen, die vorgaben, im Besitz der alleinseligmachenden[111] Wahrheit zu sein, in deren Namen sie alle Andersdenkenden an die Wand stellen[112] konnten, machte mich einfach krank.

Mich stellten sie nicht an die Wand, obwohl ich in meinem ersten Buch mit Kritik nicht gespart hatte. Da ich irgendwie zu ihnen gehörte, wurde ich nur freundschaftlich zurechtgewiesen. Nach meinem zweiten Buch weigerte sich der Verlag, noch etwas von mir zu bringen, wenn ich mein Thema nicht ändere. Andere Verlage, zu denen ich ging, waren derselben Meinung. Die guten Leute empfahlen mir, ein bißchen herumzureisen, mir das Leben anzusehen und dann ein positives Thema anzupacken, ein Thema, das sie gern und ruhigen Gewissens bringen könnten. Das waren ihre Worte. Ich versuchte ihren gutgemeinten Rat zu befolgen, aber ohne Erfolg. Wahrscheinlich war ich schon so tief gesunken, daß ich das Positive und das Negative nicht mehr voneinander unterscheiden konnte. So landete ich beim *Stadtanzeiger*.

Dort mußte ich keine Verantwortung übernehmen, außer die der sprachlichen Gestaltung von Nachrichten, die wir von der einzigen, staatlich gelenkten Agentur[113] bekamen und die in einem schrecklichen Kauderwelsch[114] abgefaßt waren. Der *Stadtanzeiger* gehörte zu den ältesten Zeitungen unseres Landes und legte großen Wert auf die Sprache; auch Lügen mußten korrekt und verständlich ausgedrückt werden.

Eine der häufigsten Lügen, die auf meinen Schreibtisch flatterten, war die Lüge von der feindlichen Umzingelung unseres Landes. Unsere Machthaber gefielen sich in der Pose der einzig Gerechten, die von lauter Feinden umgeben waren, und erfanden immer wieder, unermüdlich und beharrlich,[115] Überfälle feindlicher Soldaten oder bewaffneter Banden auf unsere Grenzgegenden, Verletzungen unseres Hoheitsgebiets[116] durch feindliche Flugzeuge und Mißhandlungen unserer friedlichen Staatsbürger, die in fremden Städten weilten. Ich weiß nicht, was sie damit bezwecken wollten, aber es lag ihnen anscheinend sehr daran, die eigene Bevölkerung in einem dauernden Zustand der nationalen Erregung zu halten. Vielleicht waren manche dieser Berichte wahr, aber ihre Häufung und ihre

---

[111] **alleinseligmachend**   one and only (*lit.:* the only one to guarantee salvation)
[112] **an die Wand stellen**   execute
[113] **die Agentur, –en**   agency
[114] **das Kauderwelsch**   gibberish
[115] **beharrlich**   persistently
[116] **das Hoheitsgebiet, –e**   *here:* air space

Regelmäßigkeit waren offensichtlich mit einem bestimmten Zweck
verbunden. Das ging mich eigentlich nichts an, und ich kann es heute
noch nicht verstehen, was vor einigen Wochen, es war gerade der erste
April gewesen, in mich gefahren war,[117] eine dieser Meldungen auf den
Kopf zu stellen[118] und aus ihr einen Witz zu machen.

Die staatliche Agentur hatte wieder gemeldet, ein Trupp feindlicher
Soldaten habe unsere Grenze überschritten und völlig grundlos unsere
Wachposten beschossen; eine Abteilung unserer wackeren[119] Grenzsoldaten habe jedoch ihr Feurer auf das heftigste erwidert und sie in die
Flucht geschlagen. Ich schrieb beinahe automatisch und mit einem die-
bischen Vergnügen: ,,Nach einer Meldung der Stanag (eine Abkürzung
für die staatliche Nachrichtenagentur) habe am vergangenen Morgen
ein Trupp freundlicher Soldaten unsere Grenze überschritten und völlig
grundlos unsere Wachposten mit Blumen beworfen; eine Abteilung
unserer Grenzsoldaten habe diese Begrüßung auf das heftigste erwidert
und die Freunde von drüben in die Arme geschlossen." Ich freute mich
besonders, daß ich die Redewendungen ,,völlig grundlos" und ,,auf
das heftigste" in meinen neuen Text hinübergerettet hatte.

Da die Frau des politischen Redakteurs gerade an diesem Tag einem
Mädchen das Leben geschenkt und er sich aus Freude darüber graßlich[120]
betrunken hatte, war es mir gelungen, diese meine erste vollkommen
selbständige Arbeit beim *Stadtanzeiger* anstandslos[121] drucken zu lassen.
Ich hatte schnell und impulsiv gehandelt, ohne an die Folgen zu denken.

Angst bekam ich erst an nächsten Tag, als ich das Gedruckte las.
Ich traute mich nicht, mein Zimmer in der Redaktion zu verlassen und
erwartete jeden Augenblick, daß die Tür aufgehen und der Chefredak-
teur mich anschreien würde. Ich sah im Geiste, wie hinter ihm zwei
Polizisten erschienen und mich abführten. Doch nichts geschah. Einige
Tage lang mußte ich Schlafpulver einnehmen, weil ich nachts wach lag
und kein Auge zumachen konnte. Aber alles blieb beim alten. Ich
redigierte eingelangte Nachrichten, besuchte Charlotte und spielte im
Kaffee an der Ecke Karten mit den Herren Baumann, Nortinger und
Schwarz. Niemand schien meinen makabren Scherz bemerkt zu haben.
Alles war wie immer. Bis zu diesem Dienstag. Jetzt weiß ich, daß sie
Zeit gebraucht hatten, um alles richtig vorbereiten zu können. Ein
Boykott mußte lückenlos[122] durchgeführt werden, sonst hatte er keinen
Sinn. Er mußte auch überraschend, mit einem Schlag, erfolgen, um den
Verurteilten um so stärker zu treffen, wie ein Beil.[123]

---

117 **in mich gefahren war**   got into me
118 **auf den Kopf stellen**   turn upside down
119 **wacker**   worthy, brave
120 **gräßlich**   horribly
121 **anstandslos**   without any objection
122 **lückenlos**   *here:* without flaw; completely
123 **das Beil, –e**   axe

Nun war es soweit.[124] Ich hatte schon einige Stationen hinter mit und war hier unter den regennassen Mülltonnen, dem Autowrack und dem fremden sommersprossigen Knaben gelandet. Ich konnte noch weiter versuchen, die Mauer des Schweigens, die mich umgab, zu durchbrechen, aber nichts würde sich ändern. Ich war verbannt, für alle Ewigkeit.

Ich konnte noch hoffen, daß unsere Machthaber den Kurs ihrer Außenpolitik plötzlich ändern und mir recht geben würden; sie würden mir aber nie verzeihen, daß ich sie verspottet hatte. Sie hatten keinen Humor.

Ich dachte an Budek.[125] Er hatte einst die offizielle Gechichte der nationalen Erhebung geschrieben und war danach der bekannteste und bestbezahlte Journalist des Landes gewesen. Er fühlte sich zu dieser Zeit so sicher, daß er einen Artikel veröffentlichte, in dem er das exklusive Leben der neuen Oligarchie scharf kritisierte. Zu Anfang geschah gar nichts, so daß manche Leute schon dachten, eine neue Ära der freien Meinungsäußerung sei in unserem Land ausgebrochen. Aber dann kam der Schlag. Budek konnte nichts mehr veröffentlichen, und seine alte Geschichte der Revolution erschien in einer neuen Ausgabe, aber ohne seinen Namen. Er war der erste gewesen, an dem man die neue Methode des totalen Boykotts angewendet hatte. Das System war zu Anfang noch nicht perfektioniert, so daß Budek bei einer Provinzzeitung die Stelle eines Korrektors fand, und als er dort entlassen wurde, bei einem Verlag als Übersetzer untertauchte. Nach einem halben Jahr jedoch war der Ring um ihn vollständig geschlossen. Ich erinnere mich noch, wie er zu dieser Zeit an einem Abend in das Restaurant des Schriftstellerklubs hereinplatzte.[126] Er stand, groß und schwankend in der Tür und spähte in den großen Raum, in dem Leute saßen, die einige Monate zuvor ihm wie Hunde nachgelaufen waren, um ein Wort der Anerkennung von ihm zu erhaschen. Jetzt drehten sie sich nicht einmal um. Sie taten so, als sei er gar nicht da. Er blieb aber lange in der Tür stehen und sah langsam von einem zum anderen, als erwarte er, daß einer von ihnen ihn begrüßen oder ihm wenigstens verstohlen zuzwinkern würde.[127] Doch keiner rührte sich. Ich hatte das Gefühl, als stünde auf der Schwelle ein Toter, zu dem niemand sich bekennen wollte. Als habe er endlich das gefunden, was er seit langem gesucht hatte, grinste[128] Budek einfältig-betrunken vor sich hin und ging fort.

Von da an zeigte er sich nicht mehr. Er trieb sich mit Säufern,[129] Dieben und anderem deklassiertem Gelichter[130] herum. Ein gefallener Engel gehörte in die Unterwelt. Eine Zeitlang hielt ihn eine mitleidige

---

[124] **Nun war es soweit.**   Now the moment had come.
[125] **Budek**   a Czech name, derived from **bude** ''will be''
[126] **herein-platzen (ist)**   burst in
[127] **verstohlen zuzwinkern würde**   would wink at him furtively
[128] **grinsen**   grin
[129] **der Säufer, –**   drunk
[130] **das deklassierte Gelichter**   low riffraff

Prostituierte aus und eine kurze Zeit schleppte er am Bahnhof die Koffer[131] der Reisenden, um sich einen Schnaps zu verdienen. Das mußte er aber bald aufgeben, weil die organisierten Gepäckträger ihn in ihrer Mitte nicht duldeten und ihn sogar mehrere Male wegen Schmutzkonkurrenz[132] verprügelten. Ich sah ihn einmal im Hof eines Restaurants, als ich auf die Toilette ging, neben einer Mülltonne stehen und darin herumwühlen. Zerlumpt, unrasiert, aufgedunsen[133] und mit stark geröteten, geschwollenen Augenlidern, die ihm das Aussehen einer Ratte verliehen, schmatzte[134] er gierig an einem Knochen, den er gerade aus dem Abfall herausgefischt hatte, und kümmerte sich gar nicht um vorübergehende Gäste.

Ich hatte es gesehen, und was ich nicht gesehen hatte, wurde mir im Lauf der Zeit erzählt. Und trotzdem hatte ich den gleichen Fehler begangen wie mein Vorgänger und Leidensgenosse[135] Budek, mit dem ich, hier auf dem verlassenen Platz — der sommersprossige Knabe war von seiner Mutter gerufen worden — in diesem Augenblick der Erkenntnis brüderliches Mitleid empfand. Ich konnte gleich zu den Mülltonnen, die im Regen matt glänzten, gehen und in ihnen nach einem fetten Knochen wühlen, um mich mit Budek endgültig zu verbrüdern.

Statt dessen aber ging ich in die nächste Kneipe und begann, mich mit einem billigen übelriechenden Schnaps zu betrinken; ich mußte mich an mein neues Leben gewöhnen. Während ich so inmitten des betrunknen Lärms ziemlich schnell einen Schnaps nach dem anderen trank, betrachtete ich durch den Tabakdunst ein Bild auf der Wand gegenüber. Er war ein Druck in verblichenen Farben, der ,,Das Stufenalter des Mannes‘‘[136] betitelt war. Auf den zehn Stufen, die zuerst hinauf- und dann hinunterfürten, standen zehn Figuren, die den Mann in verschiedenem Alter darstellten. Die erste Figur war ein Knabe, der mit einem Rad spielte, dann kam ein Jüngling und nach ihm ein dreißigjähriger Mann, der seine Frau und sein Kind umarmte. Ganz oben auf dem Gipfel[137] stand ein würdiger Herr im Gehrock[138] und auf den abwärts führenden Stufen immer ältere Herren mit grauen Haaren und Stöcken, auf die sie sich stützten. Auf der letzten Stufe saß ein Greis[139] in einem Altvaterstuhl.[140] Unter dieser Stufenbrücke war das Paradies mit Adam und

---

[131] **der Koffer, –**   suitcase
[132] **die Schmutzkonkurrenz**   dirty competition
[133] **aufgedunsen**   bloated
[134] **schmatzen**   eat noisily
[135] **Vorgänger und Leidensgenosse**   predecessor and companion in misery
[136] **Das Stufenalter des Mannes**   The Ages of Man
[137] **der Gipfel, –**   pinnacle
[138] **der Gehrock, ⁀e**   frock coat
[139] **der Greis, –e**   old man
[140] **der Altvaterstuhl, ⁀e**   grandfather chair

Eva, dem Baum der Erkenntnis und der Schlange abgebildet, und unter
der jeweiligen Figur waren Verse angebracht, wie:

> 10 Jahre alt, die schönste Zeit,
> Ein Knab — voll Glück und Seligkeit.[141]

oder:

> Dann, wenn 100 Jahre vorbei,
> Bet er, daß Gott ihm gnädig sei.[142]

Es war eine lächerliche Zeichnung mit läppischen[143] Versen, ich
mußte aber immer wieder auf sie schauen. Dieser Tag hatte mit einem
abgedroschenen[144] Lied angefangen und mußte wohl mit dem Blick auf
diese Zeichnung in dieser elenden[145] Kneipe enden . . . . Ich wußte, daß
sie beide entsetzlich banal waren, ich wurde aber doch traurig. Ich würde
nie in einem Altvaterstuhl sitzen und würde nie wieder kommen, wenn
die Kornblumen blühten. Ich begann, mich tief zu bedauern.

Plötzlich begann ich, genau so automatisch, wie ich damals die un-
glückselige Nachricht umgeschrieben hatte, einen Brief zu schreiben.
Es war eigentlich kein Brief, sondern nur eine anonyme Mitteilung, die
ich in Blockbuchstaben auf einen Zettel schrieb.

GEBEN SIE ACHT AUF NAVRATIL.[146] DER VERTIPPT SICH OFT AUF SEINER
SETZMASCHINE.[147] NICHT UNABSICHTLICH. SO KOMMEN SELTSAME BLÜTEN
HERAUS, WIE ZUM BEISPIEL IN DER NUMMER VOM 2. APRIL DIESES JAHRES.
EINER, DER ES GUT MIT IHNEN MEINT.

Ich bezahlte meine Schnäpse, verließ das stinkende Lokal[148] und ging
zum Bahnpostamt, wo ich den Zettel in einen Umschlag steckte und ihn
an den *Stadtanzeiger*, zu Händen Chefredakteur Titinger, abschickte.
Ich empfand keine Reue. Navratil war schon ein alter Mann, er gehörte
in den Altvaterstuhl oder noch tiefer, in das langweilige Paradies mit
Adam und Eva, während ich mich erst dem Gipfel näherte. Ich war nicht
so dumm wie Budek.

Drei Tage lang trieb ich mich im Hafenviertel, in den Bahnhofswar-
tesälen und in unzähligen Kneipen herum. Am vierten Morgen ging
ich in eine öffentliche Badeanstalt, ließ dort, während ich badete, meinen
Anzug putzen und bügeln, ging dann zu einem Friseur und ließ mir die
Haare schneiden und mich rasieren. Unterwegs zur Redaktion fand ich

---

[141] **die Seligkeit** bliss
[142] **ihm gnädig sei** have mercy on him
[143] **läppisch** childish, silly
[144] **abgedroschen** hackneyed
[145] **elend** miserable
[146] **Navratil** common Czech name, similar to Smith or Jones
[147] **die Setzmaschine, –n** type-setting machine; **die Setzerei, –en** compositor's
room
[148] **das Lokal, –e** pub

einen kleinen Schuhputzer, einen schwarzäugigen Knaben von etwa sieben Jahren, der meine schmutzigen Schuhe in einigen Minuten wieder auf Hochglanz brachte. Während er sehr flink mit der Bürste und der Schuhcreme hantierte, überlegte ich, ob ich nicht, wenn mein anonymer Brief sein Ziel verfehlte, den Beruf eines Schuhputzers ergreifen sollte, aber dann erinnerte ich mich, daß man, um ihn auszuüben, sicherlich eine staatliche Genehmigung[149] brauchte.

Als ich die Stufen zu unserem Redaktionsgebäude hinaufstieg, war ich seltsam ruhig; mir war alles gleichgültig. Ich war aber überrascht, als ich sah, daß die Annullierung des Boykotts viel schneller vor sich gegangen war als dessen Organisierung. Der Portier begrüßte mich freundlich, und Fräulein Deubler tat so, als hätte sie mich am Vorabend zuletzt gesehen. Mein Zimmer war leer. Ich setzte mich an den Schreibtisch und begann zu arbeiten. Während des Mittagessens in der Kantine kam Titinger an meinen Tisch und setzte sich zu mir. Während er hastig seine Tomatensuppe aß, sagte er unvermittelt:[150]

,,Sagen Sie, warum schreiben Sie nicht einmal eine Geschichte oder ein Feuilleton[151] für unsere Zeitung? Oder haben Sie das Schreiben ganz aufgegeben? Das wäre schade. Ich kenne wenig Leute, die so talentiert sind wie Sie.``

Aha, dachte ich erschrocken, jetzt kommt die Bewährung. Man hatte mich zwar in Gnaden[152] wieder aufgenommen, aber ich mußte beweisen, daß ich des Vertrauens würdig war. Ich durfte nicht irgend etwas Unverbindliches schreiben, sondern etwas, was meine staatsbürgerliche Loyalität entschieden bestätigen würde.

Ich sagte ihm, ich werde mir seinen Vorschlag, der mich sehr ehre, durch den Kopf gehen lassen.

,,Keine Ausflüchte!``[153] rief er und wischte sich mit einem großen weißen Taschentuch zuerst den Mund und dann die Nase ab. ,,Ich erwarte von Ihnen einen Beitrag für die große Nummer, die wir zum zehnten Jahrestag der Revolution herausbringen. Sie waren doch dabei. Also schreiben Sie etwas darüber. Es gibt nur wenige, die es besser tun können als Sie.`` Darauf ging er energisch auf den etwas zähen Rindsbraten[154] los.

Ich war festgenagelt.[155] Aber das machte mir merkwürdigerweise nichts mehr aus. Am Nachmittag holte ich mir einen Vorschuß auf

---

[149] **die Genehmigung, –en**   license, permission
[150] **unvermittelt**   suddenly
[151] **das Feuilleton, –s**   feuilleton—newspaper column devoted to light fiction, criticism of the arts, etc.
[152] **in Gnaden**   graciously
[153] **Keine Ausflüchte!**   No excuses!
[154] **der Rindsbraten, –**   roast beef
[155] **festgenagelt**   stuck

mein Gehalt[156] und ging nach Redaktionsschluß[157] zu Charlotte. Unterwegs traf ich Herrn Nortinger und verabredete mit ihm für Samstag eine Kartenpartie; er übernahm es, die zwei anderen Partner zu verständigen. Charlotte hatte eine neue Frisur, und auf dem Tisch in ihrem Wohnzimmer standen frische Blumen. Es waren Pfingstrosen.[158] Wir gingen essen und sprachen über alles mögliche, nur nicht über mein Fernbleiben. Spät abends, als ich neben ihr lag, und schon im Einschlafen war, drängte sie sich an mich und sagte:

,,Ich weiß nicht, was ich getan hätte, wenn dir etwas passiert wäre. Ich könnte ohne dich nicht leben.''

Am nächsten Tag holte ich meine Sachen aus der Pension ,,Gruber'' und übersiedelte zu ihr. Frau Gruber bedauerte sehr, einen alten, treuen Mieter zu verlieren, zeigte aber volles Verständnis für meinen Entschluß, Charlotte zu heiraten, und wünschte mir viel Glück.

Einige Tage lang vermied ich sorgfältig, in die Setzerei zu gehen. Dann hielt ich es nicht mehr aus und ging doch hinunter in den großen Raum, in dem es nach Schmieröl und Blei[159] roch und der wie unter der Wirkung eines fernen Vulkans ständig bebte.[160] Navratil war nicht mehr da. Auf seinem Platz vor der Setzmaschine saß der große, rothaarige Kerl, den ich damals in meinem Büro und an meiner Schreibmaschine erwischt hatte. Ich muß ihn sehr erstaunt angestarrt haben, denn plötzlich fühlte ich eine Hand an meinem Arm. Es war Herr Sandmann, einer unserer Korrektoren, der von allen ,,Sandmännchen'' genannt wurde. Er war einmal ein erfolgreicher Journalist gewesen und war dann, als er angefangen hatte, sich mit einer beharrlichen Konsequenz[161] zu Tode zu trinken, hier als Korrektor gelandet. Er genoß eine Art Narrenfreiheit, die in unserem Land nur Kindern und Betrunkenen gewährt wird.

,,Sie suchen den Navratil, wie ich sehe'', sagte er. Sein Atem roch stark nach Rum, den er in einer flachen Flasche immer bei sich trug. Der kleine Mann war sehr abgemagert; die gelbliche Haut war über die Backenknochen[162] seines Vogelgesichts so straff gespannt, daß er aussah wie eine Mumie. ,,Mir fehlt er auch. Sehr. Haben Sie nicht gewußt, daß er gestorben ist? Herzschlag.[163] Hier, über seiner Setzmaschine. Gerade als zwei Geheimpolizisten eine Auskunft bei ihm einholen wollten. Jetzt müssen wir uns mit dem da herumschlagen.''[164]

---

[156] **der** or **das Gehalt, ∵er**   salary
[157] **ging nach Redaktionsschluß**   after the paper had gone to press
[158] **die Pfingstrose, –n**   peony
[159] **das Blei**   lead
[160] **beben**   shake, tremble
[161] **mit einer beharrlichen Konsequenz**   with a stubborn determination
[162] **der Backenknochen, –**   cheek bone
[163] **der Herzschlag**   *here:* heart attack
[164] **sich herum-schlagen, u, a**   put up, struggle (with)

Er zeigte auf den breiten Rücken des rothaarigen Burschen. ,,Fehler über Fehler. Kann nicht eine einzige Zeile ordentlich setzen. Wenn der alte Navratil einen Fehler machte, dann machte er ihn absichtlich, nicht wahr?`` Sandmann beugte sich zu mir und sah mich mit seinen glasigen Augen starr an. ,,Solche Fehler hatte man nicht zu korrigieren?`` schrie er. ,,Man hatte sie zu respektieren. Jawohl!``

Ich lief hinaus und überließ ihn seiner Rumflasche, die er nach seinen letzten Worten aus der Tasche herausgezogen hatte. Was hatte er damit sagen wollen? Und warum hatte er es gerade mir erzählt? Wollte er mich trösten und mir erklären, daß Navratil sein Schicksal selbst verschuldet habe? Wenn ich mir das Ganze noch einmal richtig überlege, muß ich zu dem Schluß gelangen, daß Navratil genau so schuldig gewesen war wie ich; er hatte meinen Text gesetzt. Er hätte zu mir kommen und mich auf den vermeintlichen Unsinn aufmerksam machen können. Er hatte es also absichtlich getan. Und Sandmann hatte einen von Navratil absichtlich begangenen Fehler nicht korrigiert. Er hatte ihn respektiert. Dann hatte er sich mitschuldig gemacht. Vielleicht hatte aber Sandmanns betrunkenes Hirn[165] das alles erfunden. Er liebte das Dramatische. Vielleicht war Navratil an jenem Tag einfach übermüdet gewesen und hatte den Fehler gar nicht bemerkt? Und Sandmann war so betrunken gewesen, daß er nichts korrigiert hatte, was von Navratil gekommen war.

Einige Tage später hielt mich Sandmann im Korridor an. Er war so betrunken, daß er sich an der Wand stützen mußte.

,,Habe ich Ihnen schon von seinem Hund erzählt?`` lallte[166] er. ,,Er hat einen Hund gehabt. Es war ein häßlicher Hund, so eine Straßenmischung,[167] aber er hat ihn sehr gern gehabt. Er ist mit ihm immer lange spazierengegangen, spätnachts, wenn er von der Arbeit nach Hause gekommen ist. Dann ist er nicht mehr gekommen. Aber der Hund hat auf ihn gewartet. Er wollte mit niemandem anderen spazierengehen, er wollte auch nichts essen. Er ist nur dagesessen und hat gewartet, drei Tage lang, eine Woche, zehn Tage. Man hat ihn vertilgen müssen. Und da sagt man, daß wir Menschen eine Seele haben und die Hunde keine.`` Darauf schwankte Sandmann würdevoll davon.

Der Name Navratil ist von einem Zeitwort abgeleitet und bezeichnet einen, der ein- oder zurückkehrt. Ich bin nicht abergläubisch,[168] ich muß aber immer wieder an die Bedeutung dieses Namens denken, wenn der alte Setzer mir im Traum erscheint. Sein Gesicht kann ich gar nicht oder nur sehr verschwommen sehen, ich sehe nur seine alten, verrunzelten[169] Hände, die auf der Setzmaschine tippen. Neben ihnen steht eine halbleere Milchflasche. Sie greifen von Zeit zu Zeit danach und stellen sie wieder

---

[165] **das (Ge-)Hirn**   brain
[166] **lallen**   babble
[167] **die Straßenmischung, –en**   "street mixture", *i.e.*, mongrel
[168] **abergläubisch**   superstitious
[169] **verrunzelt**   wrinkled

zurück. Dann tippen sie weiter, langsam und bedächtig, wie die Hände eines Pianisten, der eine Sonate spielt. Ich weiß, daß er eine Rechtfertigung oder eine Anklage schreibt, aus der Setzmaschine kommt aber nichts anderes heraus als ein riesiger Bogen[170] unbeschriebenen, schneeweißen Papiers.

FRAGEN UND THEMEN

1. Erkären Sie den Titel der Novelle im Lichte ihres Inhalts.

2. Welche Einzelheiten weisen darauf hin, daß die Erzählung hinter dem „eisernen Vorhang" spielt?

3. Wie erklärt sich der Schriftsteller die Behandlung, die ihm in der Redaktion zuteil wird (*is given*), und wie reagiert er darauf?

4. Warum ist seine Freude über seine „Freiheit" so kurz?

5. Beschreiben Sie seine Haltung zur Politik und die Gründe dafür.

6. Beschreiben Sie die Ziele und Mittel des Regimes, unter dem er lebt.

7. Einige Personen in der Erzählung dienen, durch Kontrast oder Einfluß (*influence*), der Beschreibung des Erzählers und seiner Entwicklung. Analysieren Sie von diesem Gesichtspunkt aus die folgenden Episoden:
   (a) Der Besuch bei der Braut des Amerikaners. Inwiefern ist die Episode bezeichnend und vielleicht sogar entscheidend für die Zukunft des Erzählers? Welche Rolle spielt hier das Lied?
   (b) Seine Beziehung zu Martha und Charlotte. Was zeigt uns die sich ändernde Einstellung des Erzählers zur Ehe über seine Lebensphilosophie?
   (c) Sein Vater und Onkel Freddie als Symbole der Freiheit.
   (d) Budek als Parallele und Kontrast zum Erzähler.
   (e) Sandmann als Versuch, Identität zu bewahren.

8. Das eigentliche Dilemma des Erzählers, der Wunsch nach Freiheit und Geborgenheit, führt zu seiner Flucht in die Anonymität. Analysieren Sie die Versuche des Schriftstellers, seine Identität wiederzugewinnen.

9. Analysieren Sie den „Aprilscherz" und den anonymen Brief als Symbole des Sieges und der Niederlage (*defeat*).

10. Ist der Erzähler schuldlos an den Ereignissen? Versuchen Sie eine detaillierte Charakteranalyse.

11. Das Hauptthema der bisher gelesenen Geschichten ist das Problem des Einzelnen, sich allgemein gültige (*valid*) Werte innerhalb des chaotischen oder korrupten Nachkriegsdeutschlands zu bewahren. Vergleichen Sie die Geschichten und die Gesichtspunkte ihrer Autoren von diesem Thema aus.

---

[170] **der Bogen,** ∴ sheet

7 PETER BICHSEL

Stockwerke

Behelfsmäßig¹ kann man sich ein Haus vorstellen, ein Haus mit vier
Stockwerken, mit einer Treppe, die sie verbindet und trennt, mit einem
Ziegeldach; ein Haus an einer Straße, auf teurem Boden hineingezwängt
zwischen andere, die Fenster gegen die Straße gerichtet, den Eingang im
Hinterhof.

Im Parterre² würde niemand wohnen. Man hat noch nie jemanden
gesehen im Parterre. Im Parterre ist dieselbe braune Tür, gesprungener
Lack, Milchglasscheiben, blaugestreifte Vorhänge. Im Parterre wohnt
vielleicht niemand.

Erster Stock: Braune Tür, gesprungener Lack, Milchglasscheibe.
Hier wohnt jemand.

Zweiter Stock: Hier wohnt auch jemand.

Und im dritten Stock wohnt jemand.

Wenn jemand auszieht, zieht jemand ein. Am ersten Tag riecht man
es, riecht man die Vorliebe für Knoblauch³ oder den Ölgeruch des
Mechanikers oder das Sägemehl des Schreiners,⁴ später vielleicht
noch den Windelgeruch⁵ der Kleinen, aber dann, am dritten Tag
schon, gehört der Geruch dem Haus, ist es wieder das Haus mit den vier
Stockwerken.

Im zweiten Stock wohnt wieder jemand.

Die Türschildchen werden gewechselt.

Ein Telefonmonteur öffnet das Kästchen unten im Gang, ändert den
Anschluß und flucht und ändert ihn noch einmal und geht.

Vielleicht wohnt im Parterre doch jemand.

Im Frühling, am 4. April zum Beispiel, wirft die Sonne eine Zeichnung

---

¹ **behelfsmäßig** *here:* tentatively
² **das Parterre** ground floor (frequently followed by **Mezzanin** or **Zwischenstock**
and only then **erster Stock,** which thus may equal our third floor)
³ **der Knoblauch** garlic
⁴ **der Schreiner, –** carpenter
⁵ **der Windelgeruch, ⁝e** diaper smell

auf die Treppe zwischen dem zweiten und dritten Stockwerk, es ist dieselbe wie letztes Jahr.

Das Mädchen vom dritten Stock klopft im zweiten Stock und bittet die Frau höflich und schüchtern, ob es den Ball haben dürfe, der ihm vom dritten Stock auf den Balkon des zweiten Stocks gefallen sei.

Der Dachboden ist mit Latten[6] unterteilt, jedes Stockwerk hat ein Abteil, jedes Abteil ist mit einem Vorhängeschloß gesichert, sicher werden hier auch alte Matratzen[7] aufbewahrt, Fotoalben[8] und Tagebücher, Spiegel.

Jemand kehrt den Dachboden alle zwei Wochen.

Hausierer pflegen zuerst im obersten Stock zu läuten. Nachdem sie gefragt haben, ob weiter oben noch jemand wohne, gehen sie hinunter, läuten im zweiten Stock, dann im ersten, dann im Parterre. Die Hoffnung macht das Treppensteigen leichter und enttäuscht kann man nur hinuntergehen. Hausierer haben mit Häusern zu tun.

Förster haben mit dem Wald zu tun. Frauen haben mit dem Warten zu tun.

Häuser sind Häuser.

---

[6] die **Latte,** –n   board
[7] die **Matratze,** –n   mattress
[8] das **Fotoalbum,** –alben   photoalbum

8 PETER BICHSEL

Der Milchmann

Der Milchmann schrieb auf einen Zettel: ,,Heute keine Butter mehr, leider.'' Frau Blum las den Zettel und rechnete zusammen, schüttelte den Kopf und rechnete noch einmal, dann schrieb sie: ,,Zwei Liter, 100 Gramm Butter, Sie hatten gestern keine Butter und berechneten sie mir gleichwohl.''

Am andern Tag schrieb der Milchmann: ,,Entschuldigung.'' Der Milchmann kommt morgens um vier, Frau Blum kennt ihn nicht, man sollte ihn kennen, denkt sie oft, man sollte einmal um vier aufstehen, um ihn kennenzulernen.

Frau Blum fürchtet, der Milchmann könnte ihr böse sein, der Milchmann könnte schlecht denken von ihr, ihr Topf[1] ist verbeult. Der Milchmann kennt den verbeulten Topf, es ist der von Frau Blum, sie nimmt meistens 2 Liter und 100 Gramm Butter. Der Milchmann kennt Frau Blum. Würde man ihn nach ihr fragen, würde er sagen: ,,Frau Blum nimmt 2 Liter und 100 Gramm, sie hat einen verbeulten Topf und eine gut lesbare Schrift.'' Der Milchmann macht sich keine Gedanken, Frau Blum macht keine Schulden. Und wenn es vorkommt — es kann ja vorkommen — daß 10 Rappen[2] zu wenig daliegen, dann schreibt er auf einen Zettel: ,,10 Rappen zu wenig.'' Am andern Tag hat er die 10 Rappen anstandslos und auf dem Zettel steht: ,,Entschuldigung.'' ,Nicht der Rede wert' oder ,keine Ursache', denkt dann der Milchmann und würde er es auf den Zettel schreiben, dann wäre das schon ein Briefwechsel. Er schreibt es nicht. Den Milchmann interessiert es nicht, in welchem Stock Frau Blum wohnt, der Topf steht unten an der Treppe. Er macht sich keine Gedanken, wenn er nicht dort steht. In der ersten Mannschaft spielte einmal ein Blum, den kannte der Milchmann, und der hatte abstehende Ohren. Vielleicht hat Frau Blum abstehende Ohren, Milchmänner

---

[1] der Topf, ∸e   pot
[2] **Rappen**   one Swiss franc (about 25 cents) has 100 centimes (*French*) or **Rappen** (*Swiss-German*)

haben unappetitlich saubere Hände, rosig, plump und verwaschen.[3]
Frau Blum denkt daran, wenn sie seine Zettel sieht. Hoffentlich hat er
die 10 Rappen gefunden. Frau Blum möchte nicht, daß der Milchmann
schlecht von ihr denkt, auch möchte sie nicht, daß er mit der Nachbarin
ins Gespräch käme. Aber niemand kennt den Milchmann, in unserm
Quartier[4] niemand. Bei uns[5] kommt er morgens um vier. Der Milchmann
ist einer von denen, die ihre Pflicht[6] tun. Wer morgens um vier die Milch
bringt, tut seine Pflicht, täglich, sonntags und werktags. Wahrscheinlich
sind Milchmänner nicht gut bezahlt und wahrscheinlich fehlt ihnen oft
Geld bei der Abrechnung. Die Milchmänner haben keine Schuld daran,
daß die Milch teuer wird.

Und eigentlich möchte Frau Blum den Milchmann gern kennenlernen.
Der Milchmann kennt Frau Blum, sie nimmt 2 Liter und 100 Gramm und
hat einen verbeulten Topf.

---

[3] **verwaschen**   washed out, *i.e.*, characterless
[4] **das Quartier, –e**   block, quarters
[5] **bei uns**   *d.h.*, **in unserem Quartier**
[6] **die Pflicht, –en**   duty

9 PETER BICHSEL

Holzwolle

Nun zeigte er also seine Lichtbilder. Die Gäste schienen damit einverstanden.

Seine Frau sagte, daß sie farbig und immer eine schöne Erinnerung seien. Während die Polstergruppe umgeordnet wurde, erklärte er den Herren die Vorzüge seiner Kamera und sie schwärmte vom Meer. Dann holte er die Leinwand, drückte auf einen Knopf, und sie rollte hoch aus dem schwarzen Kasten. Dann schob er sie zurück, um den Mechanismus mit der Feder noch einmal vorführen zu können. Mit aufgestapelten[1] Büchern brachte er den Projektor in die richtige Lage. Ein Verlängerungskabel[2] war notwendig und lange nicht zu finden, dann suchte man nach einem Dreifachstecker.[3]

Dann drehte man das Licht aus.

Dann sind es immer dieselben Bilder. Sehr blauer Himmel, Wolken wie Wattebäusche[4] und hier noch einige Aufnahmen[5] mit Madelaine. Madelaine lacht und behauptet, sie sehe schrecklich aus auf den Bildern. Dann stellt man fest, daß die da[6] romanisch und die vordere gotisch sei. Und alle Lichtbilder sehen aus wie Lichtbilder von griechischen Tempeln. Nach der Vorführung wird einen das Licht blenden.

Madelaine sieht wirklich schrecklich aus.

Man kann jetzt ohne weiteres die Augen schließen und an irgend etwas, an einen Teddybären, denken.

Als man ihm den Bauch aufgeschnitten hatte, sagte die Mutter: „Jetzt ist er kaputt."

„Es ist etwas drin."

„Das ist nur Holzwolle."

---

[1] **auf-stapeln** stack (up)
[2] **das Verlängerungskabel, ∴** extension cord
[3] **der Dreifachstecker, –** three-pronged plug
[4] **der Wattebausch, ∴e** cotton wad
[5] **die (Foto-) Aufnahme, –n** photograph, picture
[6] **die da** *d.h.,* **die Kathedrale**

Holzwolle entsteht in den Bären, in geschlachtete Bären verpackt man Glaswaren.

Erst Jahre später, heute vielleicht, und oft in Glaswarenhandlungen, bereut man den Mord.

Heute sind die Teddybären viel kleiner. Sie waren groß und gelb, und sie hatten etwas, das man in der Holzwolle suchte.

Jetzt ist er kaputt.

In Schneemännern muß es auch etwas haben. Man wird es nie finden.

Sobald man es sucht, ist der Schneemann keiner mehr.

So wie der Teddybär keiner mehr war.

In Glaswarenhandlungen fühlt man die Sehnsucht nach ihm.

Teddybären haben viel treuere Augen als Hunde.

,,Jetzt ist er kaputt,'' hatte die Mutter gesagt.

Heute machen sie Teddybären ohne Holzwolle. Bald werden die Glaswaren in Besseres verpackt.

Niemand wird dann Teddybären sezieren,[7] in der Holzwolle wühlen und die Finger in ihre Wärme tauchen, niemand.

Und jetzt noch einige Bilder von Madelaine.

FRAGEN UND THEMEN

1. Versuchen Sie, die charakteristischen Stilelemente in Bichsels drei Skizzen (*sketches*) zu bestimmen.

2. Was für eine Welt oder Gesellschaft spiegelt sich in ihnen?

3. Die erste Skizze gibt uns die Atmosphäre eines Dinges; die zweite deutet eine kaum bestehende Verbindung zwischen zwei Menschen an; die dritte differenziert zwischen leblosen und belebten oder beseelten Dingen und Menschen. Versuchen Sie, auf Grund dieser drei Skizzen Peter Bichsels Weltanschauung zu bestimmen.

---

[7] **sezieren** dissect

10 WALTER JENS

Bericht über Hattington

„Bericht über Hattington" is part of Walter Jens' novel, Herr Meister. Dialog über einen Roman. The book presents the correspondence between a writer and his friend, a literary historian. The writer outlines his plan for a novel, which is set in a university town. The time is Spring, 1933, the days when "terror determined the value of man." He illustrates the basic idea of his project by means of the following parable.

Der Winter kam in diesem Jahr sehr früh; schon Mitte November hatten wir 15 Grad Kälte,[1] und in der ersten Dezemberwoche schneite es sechs Tage lang hintereinander; am fünften, einem Mittwoch, brach Hattington aus. Er hatte offenbar damit gerechnet, daß der Schnee seine Spuren verschluckte — und diese Rechnung ging auf.[2] Die Hunde verloren die Witterung, und die Gendarmen[3] kehrten noch im Laufe der Nacht nach Colville zurück.

Am Morgen darauf wurde unser Polizeiposten verstärkt, und Sergeant Smith bekam zwei neue Kollegen: man vermutete nämlich, daß Hattington versuchen würde, auf dem schnellsten Wege zu uns nach Knox zu gelangen; denn hier hatte man ihn, einen seit langem gesuchten Verbrecher,[4] im Mai auf offener Straße verhaftet — wahrscheinlich auf eine Anzeige hin, die von der Kellnerin Hope und dem Tankstellenwart Madison kam, bei denen Hattington in Kreide stand.[5] Die Annahme lag also nahe, daß der Zuchthäusler, um Rache zu nehmen, zuerst nach Knox kommen würde.

Von nun an wohnte die Angst in unserer Stadt. Martha Hope verreiste für einige Wochen, Madison hatte den Revolver entsichert neben dem Bett. Aber auch wir anderen waren in Sorge: nach 10 Uhr abends verließ niemand sein Haus, die Kinder wurden von den Eltern zur Schule gebracht. Die Polizei durchkämmte jeden Winkel: kein Keller und kein Speicher, kein Schuppen und keine Baracke,[6] die man nicht mehrfach durchsuchte; sogar die Kanalisationsschächte[7] wurden geprüft.

Doch obwohl sich nirgendwo auch nur die schwächste Fährte[8] fand (kein

---

[1] 15° centigrade = 5° Fahrenheit
[2] **ging auf** was precise
[3] **der Gendarm, –en, –en** trooper, deputy
[4] **der Verbrecher, –** criminal
[5] **in Kreide stand** was in debt (*lit.:* entered on the blackboard); **die Kreide** chalk
[6] **die Baracke, –n** shack
[7] **der Kanalisationsschacht, ∴e** sewer shaft
[8] **die Fährte, –n** clue, track

Anzeichen einer Vermutung, geschweige denn[9] eine handfeste Spur), wollte das Gerücht nicht verstummen, einer[10] unter uns habe den Entkommenen, der nur auf seine Stunde warte, versteckt: einmal sollte es der Schankwirt Ellington, ein andermal der Zeitungshändler Bore, das dritte Mal ein zugewanderter[11] Hausierer sein, der seine Waren zwischen Colville und Baxton verkaufte. Das Mißtrauen beherrschte die Stadt; anonyme Briefe wurden geschrieben; im „Colville-Star" fand man geheimnisvolle Annoncen:[12] ACHTET AUF BORE oder JUDAS ELLINGTON, WO WARST DU AM 4. DEZEMBER? Erst als Weihnachten und Neujahr vorbeigingen, ohne daß das Geringste geschah, begannen wir wieder Hoffnung zu schöpfen, zumal es jetzt hieß,[13] ein reisender Weinhändler habe Hattington in einer kanadischen Kleinstadt, nahe der Grenze, gesehen. Martha Hope kehrte zurück; Madison verkaufte den Wachhund, in den Wirtschaften war wieder Hochbetrieb,[14] und es hatte den Anschein, als ob unsere Bürger das wochenlang Versäumte in ein paar Tagen nachholen wollten. Die Fenster wurden entriegelt,[15] Sicherheitsschlösser geöffnet, man hörte Lärm und Musik auf den Straßen, und die Maskerade im *Saloon*, ein Fest wie seit Jahren nicht mehr,[16] dauerte bis gegen sechs Uhr früh.

Aber dann fand man plötzlich, am 11. Januar, unten am Fluß die Leiche[17] von Emily Sawdy, und zwei Tage später wurde Helen Fletcher, ein vierzehnjähriges Mädchen, auf dem Schulweg von einem Maskierten in einen Hausflur gezerrt und in grausamer[18] Weise mißhandelt. Hattington, daran (so glaubte man) gab es nun nichts mehr zu deuteln,[19] war also doch in der Stadt .... Wer aber hatte ihn versteckt? Madison vielleicht, um sich freizukaufen? Oder Martha Hope, weil sie erpreßt[20] worden war? Schwarze Listen machten die Runde; Häuserwände und Gehsteige waren mit Verleumdungen[21] bedeckt; und als am 1. Februar das Drei-Männer-Tribunal beauftragt wurde, das Leben jeden Bürgers genau zu durchforschen, begann eine Hexenjagd,[22] die an die schlimmsten Zeiten denken ließ. Bald gab es kein Geheimnis mehr, das, von Schnüfflern[23] entdeckt, nicht ans Tageslicht kam: Ehemänner, die einmal gefehlt hatten, sahen

---

[9] **geschweige denn**   much less, let alone, to say nothing of
[10] **einer = daß einer**
[11] **zugewandert**   transient
[12] **die Annonce, –n**   advertisement
[13] **zumal es jetzt hieß**   all the more since rumor now had it
[14] **in den Wirtschaften war wieder Hochbetrieb**   business was again in full swing
[15] **entriegeln**   unlatch
[16] *d.h.,* **gewesen war**
[17] **die Leiche, –n**   corpse
[18] **grausam**   cruel
[19] **deuteln**   argue, question
[20] **erpressen**   blackmail
[21] **die Verleumdung, –en**   slander
[22] **die Hexenjagd, –en**   witch hunt
[23] **der Schnüffler, –**   busybody, snoop

sich wie Verbrecher behandelt, harmlose Trinker wurden des Mordes
verdächtigt; der Frauenverein ließ vor den Kino-Vorstellungen Zettel
verteilen, auf denen sich die Bürger ermahnt sahen, den Umgang mit
gewissen Leuten, wenn ihnen das Leben lieb sei,[24] zu meiden. Auf der
anderen Seite mehrten sich gerade in diesen Tagen unter den jungen
Leuten Unordnung und Zuchtlosigkeit.[25] Während die Älteren ihre
Häuser nach Möglichkeit nur noch zur Arbeit oder zum Kirchgang
verließen, versammelten sich die Jüngeren abends im Wirtshaus, tranken
und johlten,[26] pöbelten die Erwachsenen an[27] und errichteten[28] am Ende
ein solches Schreckensregiment, daß wir ihrer nur mit Hilfe einer Art
von Zivilpolizei, der Bürgerwehr, Herr werden konnten. Schließlich
blieb kein anderer Ausweg, als die Rädelsführer[29] kurzweg zu verhaften[30]
—und dabei kam dann heraus, daß auch die schlimmsten Radaubrüder[31]
sich eher aus Furcht, eines Tages Hattingtons Opfer zu werden, denn aus
Übermut zusammenrotteten.[32] Das hat mir wieder einmal gezeigt, wie
schnell die allgemeine Raserei im Schatten der Angst und des Schreckens
gedeiht.[33] Doch im Übrigen standen die Eltern, was den Verfall der
Sitten betrifft, ihren Kindern nicht nach. Ich selbst habe Nächte erlebt,
in denen man mich mehr als ein dutzendmal anrief, um mich mit verstell-
ter Stimme zum Boykott angeblich[34] verdächtiger Bürger zu zwingen.

Und dann kam jener 17. März, an dem man Madison erwürgt in seinem
Zimmer fand: der Mörder hatte ihm ein Kainsmal[35] auf die Schläfe
gebrannt. Von diesem Tag an war es auch den Vernünftigen unter uns
nicht mehr möglich, Geduld zu bewahren. Wer jetzt noch zur Besonnen-
heit mahnte und dem hysterischen Taumel zu begegnen versuchte, sah
sich kurzerhand[36] auf die Verdächtigen-Liste gesetzt — und das hieß:
eingeworfene Scheiben, zerschlagener Hausrat, Drohungen, Anzeigen,
Prügel und Feme.[37] Nur ein paar Wochen noch, und es kam zu Tätlich-
keiten unter den Bürgern. Schon Anfang April hatten Fanatiker eine
Negerpuppe[38] gelyncht, einige Tage später die Praxis des jüdischen[39]
Doktors zerschlagen. Nun ging man einen Schritt weiter: im Zeichen

---

[24] **wenn ihnen . . . lieb sei**   if they valued
[25] **die Zuchtlosigkeit**   lack of restraint, excess
[26] **johlen**   hoot
[27] **an-pöbeln**   molest
[28] **errichten**   raise, bring about
[29] **der Rädelsführer, –**   ringleader
[30] **verhaften**   arrest
[31] **der Radaubruder, ·:**   rowdy
[32] **sich zusammen-rotten**   gang up
[33] **gedeihen, ie, ie (ist)**   thrive
[34] **angeblich**   allegedly
[35] **das Kainsmal, –e**   "mark of Cain"
[36] **kurzerhand**   simply
[37] **die Feme, –n**   secret trial
[38] **die Negerpuppe, –n**   negro effigy
[39] **jüdisch**   Jewish

Hattingtons wurden alte, längst verjährte Rechnungen beglichen;[40] Revolver, Messer und Knute[41] regierten,[42] und wer sich widersetzte,[43] dem wurde zum Lohn mit Kreide ein H auf die Haustür gemalt: er ist ein Hattington-Freund; ihr könnt mit ihm tun, was ihr wollt; niemand wird ihm beistehen wollen.

Im April hat dann sogar Reverend Snyder, einer der letzten besonnenen Männer kapituliert: von der Kanzel aus befahl er uns, den Mörder und seine Helfershelfer zu jagen. Das war am Sonntag vor Ostern, am Tag darauf war die Macht des Winters gebrochen, und die große Schmelze[44] begann. Die Sonne brachte alles an den Tag: am Karfreitag[45] fand man Hattingtons Leiche, hundert Meter vom Zuchthaus entfernt. Weiter war er nicht gekommen, bei seinem Ausbruchsversuch im November. Der Schnee hatte die Spuren verschluckt, der Eissarg seinen Körper geschützt.

Von diesem Tage an begann es still zu werden, hier bei uns in Knox. Wer es irgend ermöglichen konnte, zog weg. Emily Sawdys und Madisons Mörder aber wurde niemals gefunden, das Vergehn[46] an Helen Fletcher nicht gesühnt.[47] Nur ich habe einen bestimmten Verdacht, doch ich schweige, und sonst weiß niemand, wer der Täter war. Eines aber ist sicher: es gibt nicht viele Leute in unserer Stadt, die frei sind von Schuld.

FRAGEN UND THEMEN

1. Besprechen Sie die Zusammenhänge zwischen Angst, Unsicherheit und Moral in Walter Jens' Parabel.

2. Welche Merkmale (*characteristics*) zeichnen Walter Jens' Stil aus?

3. Die beschriebene Episode findet zwischen Weihnachten und Ostern statt. Inwiefern könnte diese Datierung eine tiefere Bedeutung haben?

4. In einem anderen Kapitel des Buches nennt sich der Schriftsteller einen ,,Emigranten''. Könnte es noch andere Gründe dafür geben, daß er die Handlung der Parabel nach Amerika verlegt?

5. Was für eine Ansicht über die menschliche Natur wird hier ausgesprochen, und scheint sie Ihnen gerechtfertigt?

---

[40] **wurden längst verjährte Rechnungen beglichen** long outdated grievances were settled
[41] **die Knute, –n** knout
[42] **regieren** rule
[43] **sich widersetzen** resist
[44] **die Schmelze, –n** thaw
[45] **der Karfreitag** Good Friday
[46] **das Vergeh(e)n, –** crime, offense
[47] **sühnen** atone

Der Spiegel

Es war Frühling im Wald, und der alte Drache war in die Jungfrau verliebt, der er längst den besten Platz in seiner Höhle überlassen hatte. Jeden Morgen mußten ihm die Waldvögel draußen auf der Lichtung die Reste seiner Opfer sorgfältig zwischen den Zähnen herauspicken,[1] und dann badete er prustend[2] im wohlriechenden Teich, in den die Lindenblüten fielen. In Gras und Blumen wälzte er sich trocken und duftig.

Nur an seinem fürchterlichen Aussehen konnte er nichts ändern. Die Jungfrau hatte zwar die besten Absichten, ihn nicht zu verletzen, aber wenn der Drache ernstlich Miene machte,[3] sich ihr zu nähern, verfiel sie immer in Schreikrämpfe.[4] Sie konnte sich nicht helfen.

Schließlich hatte der Drache eine glänzende Idee. Er schnaufte den Schildknappen eines kürzlich verzehrten Ritters[5] herbei,[6] der nach dem Tod seines Herrn in die Dienste des Siegers getreten war, und befahl ihm, von dem Drachenschatz zu nehmen, soviel er tragen könne und damit in der Hauptstadt den besten Spiegelmacher zu dingen.[7] Falls aber der Knappe mit den Kostbarkeiten entwischen[8] wolle — hier begann dieser[9] einen heiligen Eid zu schwören,[10] aber der Drache winkte ab,[11] der Knappe möge lieber[12] einen Blick auf die Knochenreste seines Herrn drüben in Winkel werfen und bedenken, daß Drachenflügel weit tragen — falls er also mit dem Schatz entwischen wolle, rate ihm der Drache in

---

[1] **heraus-picken**   peck out
[2] **prustend**   puffing
[3] **ernstlich Miene machte**   showed a serious intention
[4] **der Schreikrampf, ⸫e**   screaming fit
[5] **eines kürzlich verzehrten Ritters**   of a recently consumed knight
[6] **herbei-schnaufen**   summon by snorting
[7] **dingen**   (obs.) hire
[8] **entwischen (ist)**   slip away
[9] **dieser**   the latter
[10] **einen heiligen Eid schwören**   swear a solemn oath
[11] **ab-winken**   make a negative gesture, ward off
[12] **möge lieber**   had better

Anbetracht[13] seines ausgezeichneten Spürsinns davon dringend ab.
Schon nach wenigen Tagen kehrte der Schildknappe mit dem Spiegel-
macher zurück. Dem Meister erklärte der in der Weisheit der Alten wohl-
bewanderte[14] Drache seinen Plan: Die Jungfrau solle ihren schönen
Kopf zur Seite neigen und ihren Drachenliebsten nur im Spiegel erblicken.
Dieser Spiegel aber müsse eine Art Zerrspiegel sein, nur umgekehrt: Er
solle die ungefügen[15] Formen und Auswüchse[16] des Drachenleibes in
schönes Ebenmaß verwandeln. Die Kosten seien Nebensache, meinte der
Drache. Er scharrte[17] beim Zischen dieser Worte in einem Haufen
Edelsteine[18] hin und her.

Der Spiegelmacher fand das technische Problem geradezu bestrickend.[19]
Einen ganzen Tag lang mußte der Drache stillhalten, und der Meister
nahm Messungen vor, visierte ihn an,[20] rechnete und überlegte. Schließlich zog er seines Weges, stellte sich aber schon nach Monatsfrist, getreu
der Abmachung, mit zwei kräftigen jungen Trägern wieder auf der
Lichtung ein. Die Träger trugen keuchend den großen Spiegel, der
sorgfältig verhüllt war, wie der Drache es angeordnet hatte.

Die Jungfrau mußte in der Höhle bleiben, denn der Drache wollte
sie angenehm überraschen. Er selbst aber ließ sich den Spiegel gleich
auf der Lichtung vorführen und fand seine kühnsten[21] Erwartungen
übertroffen. So kunstreich war das vielfach gebogene Glas gearbeitet,
daß der Drache, wie immer[22] er sich wenden mochte, schlank und gewandt[23]
erschien, von wahrhaft eidechsenhafter[24] Anmut, während die genau
vorausberechneten Lichtbrechungseffekte seine scheußlichen[25] Farben zu
einem gefälligen Braun wandelten, nicht unähnlich der Bronzefärbung
eines sonnenverbrannten jungen Mannes.

Der Drache war hocherfreut. Den beiden Trägern, die mittlerweile
wieder zu Atem gekommen waren und im Frühlingslicht der Drachenwiese
wie Milch und Blut aussahen, biß er mit einem einzigen leutseligen[26]
Zuschnappen die Köpfe ab, sprach ihnen mit gutem Appetit zu[27] und ließ
nicht viel von ihnen übrig. Den Spiegelmacher beruhigte er mit der
Erklärung, dadurch werde sein eigener Anteil an der Belohnung nur

---

[13] **in Anbetracht**   in view of
[14] **wohlbewandert**   well-versed
[15] **ungefüge**   awkward
[16] **der Auswuchs, ⁻e**   protuberance
[17] **scharren**   paw
[18] **der Edelstein, −e**   precious stone
[19] **geradezu bestrickend**   positively fascinating
[20] **an-visieren**   gauge
[21] **kühnst-**   highest
[22] **wie immer**   whichever way
[23] **gewandt**   nimble
[24] **eidechsenhaft**   lizard-like
[25] **scheußlich**   hideous
[26] **leutselig**   affable
[27] **sprach ihnen mit gutem Appetit zu**   helped himself with great relish

desto größer. Er entließ ihn denn auch alsbald reichbeschenkt. Den
Spiegel hatte der Meister, unterstützt vom Schildknappen, wieder verhüllt
und in der Höhle neben das Lager des Drachen gestellt.

Abends machte sich die Jungfrau zur Drachenhochzeit bereit, und
der Drache gab dem Knappen und den Waldvögeln, den Kröten[28] und
allen anderen neugierigen Kreaturen frei und schickte sie fort. Sie warteten
in einigem Abstand[29] unter den ersten Bäumen jenseits der Lichtung.
Aber schon nach wenigen Minuten erschollen abermals die gewohnten,
schuppen- und panzerdurchdringenden[30] Klagelaute. Die Jungfrau war
wieder in ihre Schreikrämpfe verfallen, die diesmal sogar besonders
heftig waren.

Der zerknirschte[31] Drache brachte die Jungfrau am nächsten Morgen
wohlbehalten auf die Burg zurück, aus der er sie geraubt hatte. Aber
noch lange, wenn er sich einsam im Spiegel beschaute, schüttelte er den
Kopf über seinen Denkfehler: Die kunstreiche Konstruktion, die eigens[32]
für den Drachenkörper berechnet war, hatte zwar ihn selbst zu schönem
Ebenmaß zurechtgespiegelt, gleichzeitig aber selbstverständlich das
Spiegelbild des von Natur aus ebenmäßig gebauten Mädchens bis zur
Unkenntlichkeit[33] verzerrt, so daß die Jungfrau in Form und Farbe einem
scheußlichen Ungeheuer zu gleichen schien. Kein Wunder, daß ihre
Schreikrämpfe noch heftiger und anhaltender gewesen waren als selbst
am allerersten Tag ihrer Gefangenschaft.

FRAGEN UND THEMEN

1. Was macht die Beziehung zwischen Jungfrau und Drachen ungewöhnlich?

2. Zeigen Sie durch Beispiele, inwiefern der Drache einerseits ein echter
Drachen ist, andrerseits aber auch rein menschliche Züge hat, gute
wie auch schlechte.

3. Wie spiegelt diese moderne Drachenparabel die Werte und Methoden
unserer Gesellschaft wieder?

4. Auch stilistisch ist die Parabel der idiomatischen und prosaischen
Sprache unserer Zeit angepaßt (*attuned*). Versuchen Sie von diesem
Gesichtspunkt aus eine Stilanalyse.

---

[28] **die Kröte, –n** toad
[29] **der Abstand, ⸚e** distance
[30] **schuppen- und panzerdurchdringend** penetrating scales and armor plate
[31] **zerknirscht** crestfallen
[32] **eigens** expressly
[33] **bis zur Unkenntlichkeit** beyond recognition

12 ERICH·FRIED

Hausreise

Da muß man tiefer hinunterfahren, nicht mit dem Aufzug, sondern
mit dem Abzug,[1] der einem alle Häute abzieht.[2] Heute, Gestern, Vorgestern, Vorvorgestern, Vorvorvorgestern[3] . . . . Wenn es Heute[4] regnen
würde, möchte das Leder billiger werden, hat mir die Anna[5] gesagt.
Ich hab es erst nicht verstanden, aber da hat sie gelacht und gesagt:
„Wie dumm du bist." Also muß das so ein Spielwort[6] sein, da gibt
es ja viele. Und dann hat sie gesagt: „Es kommt von Haut."[7] Aber
ich hab sie gefragt, wie es von Haut kommt und wann es von Haut
gekommen ist, gestern oder heute, und da hat sie nicht gewußt, was
sie sagen soll und hat gesagt „Frag nicht so dumm". Sie hat mich gar
nicht mehr fragen lassen, wieso das Leder etwas möchten kann.[8]

Aber je tiefer man hinunterfährt, desto tiefer unten ist man dann.
Ganz tief unten, und die Großen[9] sind viel zu groß. Und zuletzt
bleibt der Abzug stehen, und man steigt aus und geht weiter durch das
Kinderzimmer und durch das Speisezimmer, da ist man schon so klein,
daß man sich nicht mehr bücken muß, wenn man unter dem Tisch durch
geht, nur das Tischtuch hängt herunter, da muß man die Fransen[10]

---

[1] **der Abzug, ⸚e**   withdrawal, stripping off; *here* a made-up word in contrast to
Aufzug (elevator): perhaps "descender" *or* 'up-pull', 'down-pull'.

[2] **der einem alle Häute abzieht**   which strips off all one's skins: An association based
on the second meaning of **Abzug**. The entire story is written around sound and
word associations and puns, as a child uses them. (See also p.79, note 25)

[3] The "descender" descends in time rather than space.

[4] The child confuses **Häute** (skins) and **heute** (today).

[5] The definite article before a proper name usually indicates a condescending or
pejorative tone. Here, however, it is a child's customary way of referring to the
maid.

[6] **Spielwort**   the child means **Wortspiel** (*pun*).

[7] **Es kommt von Haut.**   It comes from (is derived from) "skin."

[8] **wieso das Leder etwas möchten kann**   how come the leather can want something
(**möchten** = the child's invented infinitive, formed by analogy to **möchte**)

[9] **die Großen**   the adults, *i.e.* the "big ones"

[10] **die Franse, –n**   fringe

auseinanderschieben wie den Vorhang beim Friseur, der nichts ist als lauter Fransen mit lauter Perlen.[11]

Und vom Tischtuch bis zur Wand kann man gar nicht leicht gehen, denn das ist der Parkettfußboden,[12] und die Anna hat ihn glattgebürstet. Über den einen Schuh hat sie das Band von der Bürste gehabt[13] und ist langsam hin und her gegangen, und die Bürste hat gebrummt oder vielleicht geschnarcht,[14] aber nur leise, wie der Hund brummt, wenn der schnarcht.

Die Anna ist nicht umgeflogen,[15] aber ich muß achtgeben, sonst flieg ich um auf dem glatten Parkettfußboden. Und dann schlag ich mir wieder die Lippe blutig und es ist wieder ein Theater.[16] Im Theater sitzen sie immer im Parkett,[17] hat die Großmama gesagt. Und ich hab sie gefragt, wieso im Parkett und nicht auf dem Parkett und sie hat gesagt: ,,Frag nicht soviel. Wer soviel fragt, der fragt blöd.''

Auf dem Weg vom Tischtuch zur Wand kann ich mich nicht anhalten und eigentlich kann ich mich auch nicht am Tischtuch anhalten, sonst zieh ich das ganze Tischtuch auf mich herunter, und dann muß ich ersticken, hat die Anna gesagt. Aber man kann doch tun, als ob man sich anhielte, dann glaubt der Parkettboden, daß ich mich anhalte, und dann läßt er mich in Ruh, und dann fall ich nicht um.

Aber manchmal ist der Parkettboden stärker, und dann fall ich lieber von selber[18] um, da kann ich wenigstens vorsichtig sein und kriech bis zur Wand, auf dem Boden, wie ein kleines Kind. Ich bin aber gar nicht mehr so ein kleines Kind, nur der Boden ist so glatt wie ein Wasserspiegel, in den man schaut, wenn man schwimmt. Spiegelglatt, oder wenigstens sieht es so aus, aber trotzdem kann man sich auf dem Parkettboden einen Schiefer einziehen. Der heißt aber nur Schiefer, in Wirklichkeit ist er nicht schief und nicht gerade und auch keine Schiefertafel, sondern ein Span,[19] den man mit einer Nadel wieder herausnimmt, aber das tut weh. Anders weh, als wenn man auf den Parkettboden fällt; da ist man ganz geschlagen; aber der Span brennt nur und ist eigentlich ganz interessant.

Aber an der Wand am anderen Ufer, wenn man über den Parkettboden weggeschwommen ist, kann man sich wieder anhalten, und da kann man aufstehen. Nicht auf einmal, sondern schön langsam. Erst liegen, und dann knien und dann stehen. Denn wenn man es auf einmal versucht, dann liegt man gleich wieder da. Aber das muß man ja nicht, es geht ja

---

[11] **Perlen**   the typical barbershop curtain
[12] **der Parkettfußboden, ⸚**   inlaid (hardwood) floor
[13] *i.e.*, she slid her foot through the loop of the floor polishing brush
[14] **schnarchen**   snore
[15] **um-fliegen (ist)**   topple over (child's language)
[16] **ein Theater**   *i.e.*, a scene
[17] **das Parkett**   orchestra section in a theater; *cf.* **Parkettfußboden**, the only meaning the child knows.
[18] **von selber**   voluntarily
[19] **der Span, ⸚e**   splinter (Austrian)

auch in drei Gliedern,[20] wie in dem großen Soldatenbild höher oben an der Wand. Das erste Glied liegt auf dem Bauch, und das zweite Glied kniet und das dritte Glied steht stramm,[21] und alle haben sie Schießgewehre, wie der Jäger, der den Fuchs holen kommt, der die Gans gestohlen hat.[22]

Man muß aber brav[23] sein und sich zuerst die Hände vom Parkettboden hinten an der Hose abwischen, wo man es ohnehin nicht sehen kann, denn sonst macht man die Wand ganz schmutzig und dann wird man wieder angeschrien.

Jetzt kann man sich an der Wand anhalten. Die Wand gibt einem nicht die Hand, aber sie gibt der Hand doch die Wand, und da kommt man ganz leicht bis zum Messingknopf.[24]

Zum Messingknopf muß man kommen, wenn man kleiner werden will. Denn der ist immer schön geputzt. Und er ist auch ein Spiegel, und das ist eigentlich komisch, denn der Schrank, zu dem er gehört, ist selber auch ein Spiegel, vorne sogar ein ganz großer. Aber der nützt einem gar nichts, nur der Messingknopf: wenn man sich in den hineinschaut, dann wird man ganz klein. Das heißt, man wird nicht erst klein, man ist sofort ganz klein, kleiner als das kleinste Baby. Und das muß wahr sein, denn man kann die Probe machen: Wenn man ihn anhaucht, dann ist man ganz weg, nur der Hauch ist auf dem Messingknopf.

Da muß man warten, und dann geht der Hauch wieder weg, erst am Rand, dann wird er immer kleiner, so wie man selbst im Abzug immer kleiner geworden ist; denn der Knopf ist auch eine Art Abzug, aber nicht wie die Abziehbilder,[25] und zuletzt ist der Hauch ganz weg und man ist wieder da, genauso wie vorher, nur noch viel kleiner als das erste Mal, weil man ja jetzt auch den Hauch nicht mehr in sich hat, der einen vorher aufgeblasen hat wie einen Ball. Nur wenn man mit der Nase ganz nahe an den Messingknopf kommt, bis man ankommt,[26] dann wird die Nase ganz groß, daß man aussieht wie der Zwerg Nase.[27] Der ist auch ein ganz winzigkleiner Zwerg; also sieht man wieder, daß es wahr sein muß, daß einen der Messingknopf kleiner macht.

Das darf man aber nicht zu oft versuchen, denn wenn man Zwerg Nase spielt, dann bleibt man vielleicht so. So wie wenn man im anderen, großen Spiegel Gesichter schneidet, denn das ist auch gefährlich, sagt die Großmama. Und auch wenn man zu stark haucht, ist es nicht gut, denn

---

[20] **das Glied, –er**   limb, link, (*milit.*) formation
[21] **stramm**   at attention
[22] **der Fuchs, ¨e**   fox; reference to the children's song: „**Fuchs, du hast die Gans gestohlen, / Gib sie wieder her, / Sonst wird dich der Jäger holen, / Mit dem Schießgewehr.**"
[23] **brav**   good, obedient
[24] **der Messingknopf, ¨e**   brass (door) knob
[25] **das Abziehbild, –er**   transfer picture; **Abziehbilder werden abgezogen** (are pulled off), *d.h.*, **es wird ein Abzug gemacht.**
[26] **an-kommen, a, o (ist)**   *here*: touch
[27] **der Zwerg Nase**   Dwarf Longnose, from Hauff's fairy tale of the same name.

dann geht der Hauch nicht mehr weg, sondern es sind Tropfen, und dann sieht man gar nichts.

Wenn man sich im Messingknopf winkt, dann winkt man sich aber ganz klein aus dem Messingknopf zurück, und da kann man sehen, daß man ganz freundlich zu sich ist, wenn man klein ist. Man muß jetzt nur noch herausfinden, wie man in den Messingknopf hineinkann. Wenn man sich die Hand geben könnte, dann könnte man sich hineinziehen lassen, aber wenn man mit der Hand zu nahe kommt, dann wird wieder ein Finger der Zwerg Nase. Nur wenn man die Augen zumacht und den Knopf fest in die Hand nimmt, dann geht es manchmal. Dann wird er erst langsam warm von der Hand und ist dann genauso warm wie die Hand, daß man ihn gar nicht mehr warm oder kalt spüren kann. Und wenn man die Augen nicht aufmacht, dann macht sich der Knopf auf und man ist drinnen im Spiegel bei seinem eigenen Bild und ist wirklich ganz klein. Und das ist auch sicher das, was die Großen meinen, wenn sie fragen, ob einem nicht endlich der Knopf aufgeht.[28]

FRAGEN UND THEMEN

1. Was für eine Reise ist „die Hausreise"?

2. Mit welchen stilistischen Mitteln wird sie beschrieben?

3. Analysieren Sie die Mentalität des Kindes im Gegensatz (*contrast*) zu der der Erwachsenen.

4. Besprechen Sie die Eigenheiten (*peculiarities*) der deutschen Sprache im Licht dieser Geschichte.

---

[28] **ein Knopf geht mir auf** (*idiom.*) I am beginning to understand; it dawns on me

13 ILSE AICHINGER

Der Gefesselte

Er erwachte in der Sonne. Ihr Licht fiel auf sein Gesicht, so daß er die
Augen wieder schließen mußte; es strömte ungehindert die Böschung
hinab, sammelte sich zu Bächen und riß Schwärme von Mücken[1] mit, die
tief über seine Stirne hinwegflogen, kreisten, zu landen suchten und von
neuen Schwärmen überholt wurden. Als er sie verscheuchen[2] wollte,
bemerkte er, daß er gefesselt war. Eine dünne gedrehte Schnur schnitt in
seine Arme. Er ließ sie zurückfallen, öffnete wieder die Augen und sah an
sich hinab. Seine Beine waren bis zu den Schenkeln hinauf gebunden, die
gleiche Schnur schlang sich um seine Knöchel, lief mehrfach überkreuzt
aufwärts, umwand seine Hüften, seine Brust und seine Arme. Wo ihre
Enden verknotet waren, sah er nicht, und er glaubte so lange, daß die
Fesselung fehlerlos war, ohne das geringste Zeichen von Angst oder Hast,
bis er entdeckte, daß sie zwischen seinen Beinen Raum frei ließ und fast
lose um seinen Körper lief. Auch seinen Armen, die man ihm nicht an den
Leib, sondern nur aneinander gebunden hatte, war Spielraum gegeben.
Das ließ ihn lächeln und brachte ihn im Augenblick auf den Gedanken,
daß Kinder ihren Scherz mit ihm getrieben hätten.

Er griff nach seinem Messer, aber wieder schnitt die Schnur sanft in sein
Fleisch.[3] Er bemühte sich mit größerer Vorsicht noch einmal, in seine
Tasche zu greifen, sie war leer. Es fehlte außer dem Messer auch noch das
wenige Geld, das er bei sich gehabt hatte, und sein Rock. Die Schuhe
hatte man ihm von den Füßen gezogen. Er befeuchtete seine Lippen und
schmeckte Blut, das von den Schläfen abwärts über Wangen, Kinn und
Hals bis unter sein Hemd geronnen war. Seine Augen schmerzten; wenn er
sie längere Zeit offen ließ, spiegelte der Himmel rötliche Streifen wieder.

Er beschloß aufzustehen. Er zog die Knie an, soweit es möglich war,
berührte mit den Händen das frische Gras und schnellte sich hoch. Ein

---

[1] **die Mücke, –n** gnat
[2] **verscheuchen** chase away
[3] **das Fleisch** flesh

blühender Holunderzweig streifte seine Wangen, die Sonne blendete ihn, und die Fessel preßte sich in sein Fleisch. Halb besinnungslos vor Schmerz ließ er sich zurückfallen und versuchte es noch einmal. Das trieb er so lange, bis ihm das Blut aus den verdeckten Striemen[4] trat. Dann lag er wieder lange Zeit still und ließ Sonne und Mücken gewähren.

Als er zum zweitenmal erwachte, warf der Holunderstrauch seinen Schatten schon über ihn und ließ die gespeicherte Kühle zwischen den Zweigen hervorströmen. Er mußte einen Schlag auf den Kopf bekommen haben. Dann hatten sie ihn hierher gelegt, wie Mütter ihre Säuglinge sorglich unter die Büsche legen, wenn sie aufs Feld gehen. Ihr Hohn sollte nicht verschwendet sein.[5]

Alle Möglichkeiten lagen in dem Spielraum der Fesselung. Er stützte die Ellbogen auf die Erde und beobachtete das Spielen der Schnur. Sobald sie spannte, gab er nach und versuchte es mit größerer Vorsicht wieder. Wenn er die Zweige über seinem Kopf erreicht hätte, würde er sich an ihnen hochgezogen haben, aber er erreichte sie nicht. Er legte den Kopf auf den Rasen[6] zurück, rollte sich herum und kam auf die Knie. Er tastete mit den Fußspitzen den Boden ab und stand plötzlich fast ohne Mühe auf.

Wenige Schritte vor ihm lief der Weg die Hochfläche dahin, Steinnelken und blühende Disteln[7] wuchsen zwischen den Gräsern. Er hob den Fuß, um sie nicht niederzutreten, wurde aber durch die Schnur gehindert, die seine Knöchel hielt. Er sah an sich hinab.

Die Schnur war an den Gelenken festgeknotet, lief aber in einer Art von spielerischem Muster von einem zum anderen. Er bückte sich behutsam und griff danach, aber sie ließ sich, so locker sie auch schien, doch nicht weiter lockern. Um nicht mit bloßen Füßen in die Disteln zu treten, stieß er sich leicht vom Boden ab und hüpfte wie ein Vogel über sie hinweg.

Beim Krachen eines Zweiges hielt er inne. Irgend jemand in diesem Umkreis hielt nur mit Mühe sein Gelächter zurück. Der Gedanke, daß er nicht in der Lage wäre, sich — wie immer — zu verteidigen, erschreckte ihn. Er hüpfte weiter, bis er auf dem Weg stand. Tief unten zogen helle Felder hin. Von dem nächsten Ort sah er nichts, und es würde Nacht werden, ehe er ihn erreichte, wenn es ihm nicht gelang, sich schneller zu bewegen.

Er versuchte zu gehen und bemerkte, daß die Schnur ihm erlaubte, einen Fuß vor den anderen zu setzen, wenn er jeden Fuß immer nur um ein bestimmtes Maß vom Boden hob und ihn, bevor die ganze Spannweite ausgemessen war, wieder senkte. In demselben Maß ließ sie auch seine Arme schwingen.

---

[4] die Strieme, –n   welt
[5] Ihr Hohn sollte nicht verschwendet sein.   Their mockery was not to be wasted.
[6] der Rasen, –   grass, lawn
[7] die Distel, –n   thistle

Schon nach den ersten Schritten fiel er. Er lag quer über dem Weg und sah den Staub hochfliegen. Er erwartete, das lange unterdrückte Gelächter jetzt hervorbrechen zu hören, aber alles blieb still. Er war allein. Als der Staub sich senkte, kam er hoch und ging. Er sah zu Boden und beobachtete das Pendeln[8] der Schnur, wie sie nachschleifte, sich leicht über die Erde spannte und wieder sank.

Als die ersten Leuchtkäfer[9] aufflogen, gelang es ihm, den Blick vom Boden loszureißen. Er fühlte sich wieder in seiner Macht, und seine Ungeduld, den nächsten Ort zu erreichen, ließ nach.

Der Hunger machte ihn leicht, und es schien ihm auch, als hätte er eine Geschwindigkeit erreicht, die kein Motorrad überholen konnte. Oder er stand auf dem Fleck, und das Land kam ihm schnell entgegen wie der reißende Strom einem, der stromaufwärts schwimmt. Der Strom trug Sträucher, die der Nordwind nach Süden gebogen hatte, junge verkrüppelte[10] Bäume und Rasenstücke mit hellen langstengeligen[11] Blumen. Zuletzt überflutete er auch Sträucher und junge Bäume und ließ nur den Himmel über sich und dem Mann. Der Mond war aufgegangen und beleuchtete die gewölbte freie Mitte der Hochfläche, den von niedrigem Gras überwachsenen Weg, den Gefesselten, der mit schnellen, gemessenen Schritten auf ihm dahinging, und zwei Feldhasen, die knapp vor ihm den Hügel überquerten und sich über den Abhang[12] verloren. Obwohl die Nächte um diese Zeit noch kalt waren, legte sich der Gefesselte vor Mitternacht wieder an den Rand der Böschung und schlief.

Im Morgenlicht beobachtete der Tierbändiger, der mit seinem Zirkus auf der Wiese vor dem Dorf lagerte, den Gefesselten, wie er, nachdenklich den Blick zu Boden gekehrt, den Weg daherkam. Er sah, wie er stehenblieb und nach etwas griff. Er bog die Knie ab, hielt den Arm ausgestreckt, um sich im Gleichgewicht zu erhalten, hob mit dem anderen eine leere Weinflasche vom Boden, richtete sich auf und schwang sie hoch. Er bewegte sich langsam, um nicht wieder von der Schnur geschnitten zu werden, aber dem Zirkusbesitzer schien es wie die freiwillige Beschränkung einer großen Geschwindigkeit. Die unbegreifliche Anmut der Bewegung entzückte[13] ihn, und während der Gefesselte noch nach einem Stein Ausschau hielt, an dem er die Flasche zerschellen[14] wollte, um mit dem abgesplitterten[15] Hals die Schnur zu durchtrennen,[16] kam der Tierbändiger über die Wiese auf ihn zu. Auch nicht die Sprünge der jüngsten Panther hatten ihn je in ein solches Entzücken versetzt.

---

[8] **pendeln (hat** *or* **ist)**   swing
[9] **der Leuchtkäfer, –**   firefly
[10] **verkrüppelt**   misshapen
[11] **langstengelig**   long-stemmed
[12] **über den Abhang**   beyond the ridge
[13] **entzücken**   delight
[14] **zerschellen (ist)**   shatter
[15] **abgesplittert**   splintered
[16] **durchtrennen**   sever

„Sie sehen den Gefesselten!" Schon seine ersten Bewegungen lösten
einen Jubel aus, der dem Tierbändiger am Rand der Arena vor Erregung
das Blut in die Wangen trieb. Der Gefesselte richtete sich auf. Seine
eigene Überraschung war immer wieder die eines Vierfüßigen, der sich
erhebt. Er kniete, stand, sprang und schlug Räder. Das Staunen der
Zuschauer galt einem Vogel, der freiwillig auf der Erde bleibt und sich im
Ansatz beschränkt.[17] Wer kam, kam wegen des Gefesselten — seine
Schuljungenübungen, seine lächerlichen Schritte und Sprünge machten
die Seiltänzer unnötig. Sein Ruhm wuchs von Ort zu Ort, aber seine
Bewegungen blieben immer die gleichen, wenige und im Grunde gewöhnliche Bewegungen, die er untertags in dem halbdunklen Zelt[18] immer wieder
und wieder üben mußte, um die Leichtigkeit in der Fessel zu behalten.
Indem er ganz in ihr blieb, wurde er ihrer auch ledig,[19] und weil sie ihn
nicht einschloß, beflügelte sie ihn und gab seinen Sprüngen Richtung. Wie
sie auch die Flügelschläge der Zugvögel haben,[20] wenn sie in der Sommer-
wärme aufbrechen und noch zögernd kleine Kreise am Himmel beschreiben.

Die Kinder in der Gegend spielten nur mehr „Der Gefesselte". Sie
banden sich gegenseitig, und einmal fanden die Zirkusleute in einem
Graben ein kleines Mädchen, das bis zum Halse abgeschnürt war und keine
Luft bekam. Sie befreiten es, und an diesem Abend sprach der Gefesselte
nach der Vorstellung zu den Zuschauern. Er erklärte kurz, daß eine Fessel,
die keine Sprünge erlaube, sinnlos sei. Von da an gab er auch den Spaßmacher.

Gras und Sonne, Zeltpflöcke,[18] die in den Boden geschlagen und wieder
herausgezogen wurden, nahe Dörfer. „Sie sehen den Gefesselten!" Der
Sommer wuchs sich entgegen.[21] Er neigte sein Gesicht tiefer über die
Fischteiche in den Mulden und entzückte sich in dem dunklen Spiegel, er
flog dicht über die Flußläufe hinweg und machte die Ebene zu dem, was
sie war. Wer laufen konnte, lief dem Gefesselten nach.

Viele wollten die Fessel aus der Nähe sehen. Der Zirkusbesitzer erklärte
deshalb jeden Abend nach der Vorstellung, wer sich jetzt überzeugen
wolle, daß die Knoten nicht Schlingen und die Schnur kein Gummiband[22]
sei, könne es ruhig tun. Der Gefesselte erwartete die Leute gewöhnlich
auf dem Platz vor dem Zelt, er lachte oder blieb ernst und streckte ihnen
die Arme hin. Manche benützten die Gelegenheit, um ihm ins Gesicht zu
schauen, andere griffen ernsthaft die Schnur ab, prüften die Knoten an den
Gelenken und wollten genau wissen, wie die Längen sich zu den Längen
der Glieder verhielten. Sie fragten den Gefesselten, wie alles gekommen
sei, und er antwortete ihnen geduldig immer das gleiche: Ja, er wäre

---

[17] **sich im Ansatz beschränkt**   limits himself to take-off maneuvers.
[18] **das Zelt, –e**   tent;   **der Zeltpflock, ⸚e**   tent peg
[19] **wurde er ihrer ledig**   he rid himself of it
[20] **Wie sie auch . . . haben**   just as is the case
[21] **Der Sommer wuchs sich entgegen.**   (*poet.*) The summer overwhelmed itself.
[22] **das Gummiband, ⸚er**   rubber band

gefesselt worden, und als er erwachte, hätte er sich auch bestohlen gefunden. Wahrscheinlich hätten sie nicht mehr Zeit gehabt, die Fessel richtig zu binden, denn für einen, der sich nicht rühren sollte, wäre sie jedenfalls etwas zu locker, und für einen, der sich rühren sollte, wäre sie etwas zu fest. Aber er bewege sich ja doch,[23] erwiderten die Leute darauf. Ja, sagte er, was bliebe ihm anderes übrig?

Ehe er sich niederlegte, blieb der Gefesselte immer noch eine Weile am Feuer. Wenn der Zirkusbesitzer ihn dann fragte, weshalb er keine besseren Geschichten erfände, erwiderte der Gefesselte, er hätte auch diese nicht erfunden. Und dabei stieg ihm das Blut ins Gesicht. Er blieb lieber im Schatten.

Es unterschied ihn von den anderen, daß er die Fessel auch nach der Vorstellung nicht abnahm. Deshalb blieb jede Bewegung immer noch wert, gesehen zu werden, und die Leute aus den Dörfern schlichen lange um die Lagerplätze, nur um zu betrachten, wie er vielleicht nach Stunden vom Feuer aufstand und sich in seine Decke rollte. Und er sah ihre Schatten sich entfernen, wenn der Himmel schon wieder hell wurde.

Der Zirkusbesitzer sprach oft davon, wie man die Fessel nach der Abendvorstellung lösen und am nächsten Tag wieder binden könne. Er beriet sich mit den Seiltänzern, die doch auch nicht die Nacht über auf dem Seil blieben — aber niemand meinte es ernst.

Der Ruhm des Gefesselten rührte ja daher, daß er die Fessel nie abnahm, daß er, wenn er sich selbst waschen wollte, immer zugleich auch seine Kleider waschen mußte und, wenn er seine Kleider waschen wollte, immer zugleich auch sich selbst, daß er nicht anders konnte, als täglich, wie er war, in den Fluß zu springen, sobald die Sonne hervorkam. Und daß er sich nicht zu weit hinauswagen durfte, um nicht mitgerissen zu werden.

Der Zirkusbesitzer wußte, daß die Hilflosigkeit des Gefesselten ihn zur Not vor dem Neid[24] seiner Leute bewahrte. Vielleicht ließ er ihnen absichtlich das Vergnügen, ihn in Kleidern, die von Nässe am Leib klebten, vorsichtig von Stein zu Stein ans Ufer tasten zu sehen. Wenn seine Frau dann sagte, daß auch die besten Kleider eine solche Wäsche auf die Dauer nicht ertrügen (und die Kleider des Gefesselten wären gar nicht die besten), erwiderte er kurz, daß es nicht für immer sei. Und damit beruhigte er alle Einwände:[25] es war nur für den Sommer gedacht. Aber es ging ihm[26] wie einem Spieler, es war ihm auch damit nicht ernst. Eigentlich war er bereit, Löwen[27] und Seiltänzer für den Gefesselten hinzugeben.

Das bewies er auch in der Nacht, während der sie über das Feuer sprangen. Er war später überzeugt davon, daß nicht die längeren und die

---

[23] **ja doch** at that
[24] **der Neid** envy
[25] **der Einwand, ⸚e** objection
[26] **es ging ihm** he was like
[27] **der Löwe, –n, –n** lion

kürzeren Tage den Anlaß dazu gegeben hatten, der Anlaß war der Gefesselte, der wie immer nahe der Glut lag und ihnen zusah. Mit diesem Lächeln, von dem man nie wußte, ob es nicht das Feuer allein auf sein Gesicht warf. Wie man ja überhaupt nichts von ihm wußte, weil seine Erzählungen immer nur bis zu dem Augenblick reichten, in dem er aus dem Wald trat.

Aber an diesem Abend packten ihn zwei von den Zirkusleuten plötzlich an Armen und Beinen und kamen mit ihm ganz nahe ans Feuer, sie schwenkten ihn hin und her, während drüben zwei andere wie zum Scherz die Arme ausbreiteten. Dann warfen sie ihn hinüber, aber sie warfen zu kurz. Die beiden anderen wichen zurück — wie sie später sagten, um den Anprall besser zu ertragen. Der Gefesselte kam an den Rand der Glut zu liegen und wäre in Brand geraten, wenn ihn nicht der Zirkusbesitzer auf seine Arme genommen und aus dem Feuer getragen hätte, um die Fessel zu retten, die zuerst von der Glut durchsengt[28] worden wäre. Wie er auch sicher war, daß der Anschlag[29] der Fessel gegolten hatte. Alle Beteiligten entließ er sofort.

Wenige Tage später erwachte die Frau des Zirkusbesitzers durch das Tappen[30] von Schritten im Gras und kam gerade noch zurecht ins Freie, um den Clown an seinem letzten Scherz zu hindern. Er hatte nichts als eine Schere bei sich. Als man ihn verhörte, wiederholte er immer wieder, daß er dem Gefesselten nicht nach dem Leben getrachtet[31] hätte. Er wollte nur die Fessel durchschneiden. Er sprach von Mitleid, aber auch er wurde entlassen.

Den Gefesselten erheiterten diese Versuche, er konnte sich ja[32] selbst befreien, wann immer er Lust hatte, aber vielleicht wollte er noch einige neue Sprünge lernen. ,,Wir ziehen mit dem Zirkus, wir ziehen mit dem Zirkus!'' Diese Kinderreime fielen ihm manchmal ein, wenn er nachts wach lag. Vom gegenüberliegenden Ufer hörte er noch lange die Stimmen der Zuschauer, die die Strömung bei der Heimfahrt zu weit hinuntergetrieben hatte. Er sah den Fluß glänzen und unter dem Mond die jungen Zweige, die aus den dicken Köpfen der Weiden wuchsen, und dachte noch nicht an den Herbst.

Der Zirkusbesitzer fürchtete die Gefahr, die der Schlaf für den Gefesselten bedeutete. Nicht so sehr deshalb, weil es immer wieder solche gab, die danach trachteten, ihn zu befreien — entlassene Seiltänzer oder Kinder, die angestiftet[33] waren — dagegen konnte er Maßnahmen treffen. Die größere Gefahr war der Gefesselte selbst, der im Traum die Fessel vergaß und an den finsteren Morgen von ihr überrascht wurde. Zornig wollte er

---

[28] **durch(–)sengen** scorch
[29] **der Anschlag, ¨e** plot
[30] **tappen** grope
[31] **nach dem Leben trachten** seek someone's life
[32] **ja** after all
[33] **an-stiften** instigate

sich aufrichten, warf sich hoch und fiel wieder zurück. Der Jubel vom vorherigen Abend war abgestanden, der Schlaf noch zu nahe, Hals und Kopf zu frei. Er war das Gegenteil eines Gehenkten,[34] er hatte den Strick überall, nur nicht um den Hals. Man mußte dafür sorgen, daß er in solchen Augenblicken kein Messer bei sich hatte. Der Zirkusbesitzer schickte seine Frau manchmal gegen Morgen zu ihm. Wenn sie ihn schlafend fand, beugte sie sich über ihn und griff die Fessel ab. Die Schnur war von Staub und Nässe hart geworden. Sie maß die Zwischenräume und berührte seine wunden[35] Gelenke.

Es bildeten sich bald die verschiedensten Gerüchte um den Gefesselten. Die einen sagten, er hätte sich selbst gebunden und dann die Geschichte mit den Dieben erfunden, und diese Meinung überwog gegen Ende des Sommers. Andere milderten es dahin, daß sie erklärten, er hätte sich auf seinen eigenen Wunsch fesseln lassen, es konnte sein, daß alles auf einer Übereinkunft mit dem Zirkusbesitzer beruhte. Die stockenden[36] Erzählungen des Gefesselten, seine Art, abzubrechen, wenn die Rede auf den Überfall kam, trugen viel zu diesen Gerüchten bei. Wer noch an die Diebsgeschichte glaubte, wurde ausgelacht. Niemand wußte, wie schwer es dem Zirkusbesitzer wurde, den Gefesselten zu halten, wie oft der Gefesselte erklärte, er hätte jetzt genug, er wolle gehen, es sei schon zu viel von dem Sommer vertan.

Später sprach er nicht mehr davon. Wenn die Frau ihm das Essen an den Fluß brachte und ihn fragte, wie lange er noch mit ihnen ziehen wolle, gab er keine Antwort. Sie glaubte, daß er sich zwar nicht an die Fessel gewöhnt hätte, aber daran, sie keinen Augenblick zu vergessen — die einzige Gewöhnung, die die Fessel zuließ. Sie fragte ihn, ob es ihm nicht lächerlich scheine, gefesselt zu bleiben, aber er erwiderte, nein, lächerlich scheine es ihm nicht. Es zögen so viele mit dem Zirkus, Elefanten, Tiger und Spaßmacher, weshalb sollte nicht auch ein Gefesselter mitziehen? Er erzählte ihr auch von seinen Übungen, von neuen Bewegungen, die er erlernt hatte, von einem Griff, der ihm klar wurde,[37] als er den Tieren die Fliegen von den Augen scheuchte.[2] Er beschrieb ihr, wie er der Fessel jedesmal zuvorkam, wie er um ein Geringstes an sich hielt,[38] um sie nicht zu spannen, und sie wußte, daß er Tage hatte, an denen er sie kaum streifte, wenn er morgens vom Wagen sprang und die Flanken der Pferde klopfte, als rührte er sich im Traum. Sie sah, wie er sich über die Stangen[39] schwang, wie flüchtig er das Holz hielt, und sie sah die Sonne auf seinem Gesicht. Manches Mal, sagte er ihr, fühle er sich, als wäre er nicht gefesselt.

---

[34] **der Gehenkte, –n, –n** hanged man
[35] **wund** sore
[36] **stockend** halting
[37] **der ihm klar wurde** which had come to him
[38] **wie er um ein Geringstes an sich hielt** how he restrained himself at the last possible moment
[39] **die Stange, –n** shaft

Sie antwortete, daß er sich nie gefesselt fühlen müsse, wenn er nur bereit wäre, die Schnur abzunehmen. Er sagte darauf, das stünde ihm immer frei.

Zuletzt wußte sie nicht mehr, wem ihre Sorge galt, der Fessel oder dem Gefesselten. Obwohl sie es ihm versicherte, glaubte sie doch nicht daran, daß er auch ohne Fessel mit ihnen weiterziehen würde. Denn was bedeuteten seine Sprünge ohne die Fessel, was bedeutete er selbst ohne sie? Er würde gehen, wenn sie abgenommen war, aller Jubel wäre plötzlich zu Ende. Sie würde nie mehr, ohne bei den anderen Verdacht zu erwecken, neben ihm auf den Steinen am Fluß sitzen können, sie wußte, daß seine Nähe von der Fessel abhing, die hellen Abende und die Gespräche, denn diese Gespräche kreisten nur darum. Sooft sie die Vorteile der Fessel einsah,[40] begann er von ihrer Last zu reden, und wenn er von ihrer Freude sprach, drängte sie ihn, die Fessel abzunehmen. Das schien oft ohne Ende wie der Sommer selbst.

Zu anderen Zeiten beunruhigte es sie, daß sie mit ihren Reden dieses Ende beschleunigen half. Es kam vor, daß sie nachts aufsprang und über den Rasen zu dem Platz lief, auf dem der Gefesselte schlief. Sie wollte ihn wach rütteln, sie wollte ihn bitten, die Fessel zu behalten, aber dann sah sie ihn darin liegen wie einen Toten, die Decke abgeworfen, die Beine von sich gestreckt[41] und die Arme nur wenig auseinandergebreitet. Seine Kleider hatten von Hitze und Wasser Schaden gelitten, aber die Schnur war um nichts dünner geworden. Es schien ihr wieder sicher, daß er mit dem Zirkus ziehen würde, bis ihm die Haut vom Fleisch fiel und seine Gelenke offen lagen. Am nächsten Morgen bat sie ihn noch dringender, die Fessel abzunehmen.

Ihre Hoffnung war die zunehmende Kühle. Der Herbst kam, lange konnte er nicht mehr mit den Kleidern in den Fluß springen. Aber wenn er früher gleichmütig geblieben war, so stürzte ihn gegen Ende des Sommers der Gedanke, die Fessel zu verlieren, in Trauer. Die Lieder der Erntearbeiter[42] flößten ihm Angst ein:[43] ,,Der Sommer, der Sommer ist hin —." Aber er sah ein, daß er seine Kleider wechseln mußte. Daran, daß einer die Fessel, sobald sie einmal gelöst war, wieder so binden könne, glaubte er nicht. Um diese Zeit begann der Zirkusbesitzer davon zu reden, daß er heuer[44] nach dem Süden ziehen wolle.

Die Hitze wechselte ohne Übergang in eine stille, trockene Kälte, die Feuer wurden den Tag über brennend gehalten. Der Gefesselte spürte, sobald er den Wagen verließ, das kalte Gras unter seinen Sohlen. Die Spitzen der Halme waren von Reif überzogen.[45] Die Pferde träumten im

---

[40] **ein-sehen, a, e** accept, agree
[41] **gestreckt** stretched out
[42] **der Erntearbeiter, –** harvester
[43] **ein-flößen** instil
[44] **heuer** = **dieses Jahr** (*Austrian*)
[45] **überziehen, o, o** coat

Stehen, und die Raubtiere schienen, noch im Schlaf zum Sprung geduckt, die Traurigkeit unter den Fellen zum Ausbruch zu sammeln.

An einem dieser Tage entkam dem Zirkusbesitzer ein junger Wolf. Er verschwieg es, um niemanden zu erschrecken, aber der Wolf begann bald in die Viehweiden[46] der umliegenden Orte einzubrechen. Obwohl man zuerst dachte, daß ihn die Witterung eines strengen Winters von sehr weit her getrieben hätte, wurde doch auch der Verdacht gegen den Zirkus wach. Der Zirkusbesitzer hatte seine Leute einweihen müssen, und es konnte nicht mehr lange[47] geheim bleiben, woher der Wolf kam. Die Zirkusleute boten den Bürgermeistern der nahen Orte ihre Hilfe bei der Jagd an, aber alle Jagden blieben vergeblich. Zuletzt begann man den Zirkus ganz offen des Schadens und der Gefahr zu beschuldigen, die Zuschauer blieben aus.

Die Bewegungen des Gefesselten hatten auch vor den halbleeren Tribünen[48] nichts von ihrer bestürzenden Leichtigkeit verloren. Den Tag über trieb er sich unter dem dünngehämmerten Silber des herbstlichen Himmels auf den umliegenden Höhenzügen herum und lag, sooft er konnte, wo die Sonne am längsten hinschien. Er fand auch bald einen Platz, auf den die Dämmerung zuletzt kam, und stand nur unwillig aus dem dürren Gras auf, wenn sie ihn endlich erreichte. Er mußte, wenn er die Höhe verließ, das Wäldchen am Südhang passieren, und an einem dieser Abende sah er zwei grüne Lichter, die ihm von unten entgegenglommen. Er wußte, daß es keine Kirchenfenster waren, und er täuschte sich keinen Augenblick. Er blieb stehen. Das Tier kam durch das gelichtete Laub[49] auf ihn zu. Er konnte jetzt seine Umrisse unterscheiden, den Hals, der schräg abfiel, den Schweif,[50] der den Boden peitschte, und den gesenkten Schädel. Wäre er nicht gefesselt gewesen, so hätte er vielleicht zu fliehen versucht, aber so empfand er nicht einmal Angst. Er stand ruhig mit hängenden Armen und sah auf das gesträubte[51] Fell nieder, unter dem die Muskeln spielten wie seine Glieder in der Fessel. Er glaubte noch den Abendwind zwischen sich und dem Wolf, als das Tier ihn schon ansprang. Der Mann bemühte sich, seiner Fessel zu gehorchen.

Mit der Vorsicht, die er lange erprobt hatte, griff er dem Wolf an die Kehle. Zärtlichkeit für den Ebenbürtigen[52] stieg in ihm auf, für den Aufrechten in dem Geduckten. In einer Bewegung, die dem Sturz eines großen Vogels glich — und er wußte jetzt sicher, daß Fliegen nur in einer ganz bestimmten Art der Fesselung möglich war — warf er sich auf ihn und brachte ihn zum Fallen. Wie in einem leichten Rausch fühlte er, daß

---

[46] **die Viehweide, –n** (cattle) pasture
[47] **nicht mehr lange** not much longer
[48] **die Tribüne, –n** viewing stand
[49] **das Laub** foliage
[50] **der Schweif, –e** tail
[51] **gesträubt** bristling
[52] **der Ebenbürtige, –n, –n** peer, equal

er die tödliche Überlegenheit der freien Glieder verloren hatte, die Menschen unterliegen läßt.

Seine Freiheit in diesem Kampf war, jede Beugung seiner Glieder der Fessel anzugleichen, die Freiheit[53] der Panther, der Wölfe und der wilden Blüten, die im Abendwind schwanken. Er kam mit dem Kopf schräg nach abwärts zu liegen, umklammerte mit seinen bloßen Füßen die Läufe des Tieres, und mit den Händen seinen Schädel.

Er fühlte, wie die Sanftmut des welken Laubes seine Handrücken streichelte, wie seine Griffe fast ohne Anstrengung die äußerste Kraft erreichten, wie die Fessel ihn nirgends hinderte.

Als er aus dem Wald trat, begann ein leichter Regen vor der Sonne niederzuströmen. Der Gefesselte blieb eine Weile am Rand unter den Bäumen. Er sah hinter den leichten Schleiern, die nur Windstöße von Augenblick zu Augenblick verdichteten, tiefer unten den Lagerplatz und den Fluß, Viehweiden und Auen[54] und die Plätze, an denen sie gekreuzt hatten. Es kam ihm der Gedanke, doch mit nach dem Süden zu ziehen. Er lachte leise. Es war gegen alle Vernunft. Lange würden seine Kleider das Schaben der Fessel nicht mehr ertragen, wenn er es seinen Gelenken auch zutraute, von Krusten überzogen zu bleiben, die bei gewissen Bewegungen aufbrachen und bluteten.

Die Frau riet dem Zirkusbesitzer, die Nachricht vom Tod des Tieres verkünden zu lassen, ohne den Gefesselten zu nennen. Sie hätten ihm nicht einmal zu Zeit des größten Jubels eine solche Tat geglaubt, und sie würden sie ihm jetzt in ihrer Erbitterung,[55] zu einer Zeit, in der die Nächte schon kühl wurden, noch viel weniger glauben. Sie würden zuletzt nicht nur daran zweifeln, daß er den Wolf erschlagen habe, sie würden vielmehr zweifeln, daß der Wolf, der noch am selben Tag eine Gruppe spielender Kinder angefallen hatte, überhaupt erschlagen sei. Der Zirkusbesitzer, der mehrere Wölfe besaß, konnte leicht ein Fell an das Geländer hängen und freien Eintritt geben. Aber er ließ sich nicht abhalten. Er wiederum dachte, daß gerade die Verkündung einer solchen Tat den Glanz des Sommers noch einmal wiederbringen könne.

Der Gefesselte bewegte sich an diesem Abend unsicher, er strauchelte bei einem seiner Sprünge und stürzte. Noch während er sich aufzurichten versuchte, hörte er Pfiffe und leise Spottrufe über seinem Kopf, die den Rufen der Vögel in der Morgendämmerung ähnlich waren. Und wie manches Mal im Erwachen während des vergangenen Sommers wollte er rasch aufspringen, spannte aber die Fessel zu stark und fiel zurück. Er lag still, um seine Ruhe wiederzugewinnen, und hörte den Lärm anschwellen. „Wie hast du den Wolf erschlagen, Gefesselter?" „Bist du derselbe?"

---

[53] *d.h.*, **es war die Freiheit**
[54] **die Aue, –n**   meadow
[55] **die Erbitterung**   resentment; **erbittert**   resentful

Wäre er einer von ihnen, er würde es selbst nicht glauben. Er dachte, daß sie das Recht hätten, erbittert[55] zu sein: ein Zirkus um diese Zeit, ein Gefesselter, ein entkommener Wolf und jetzt dieses Ende. Es gab Gruppen, die sich gegeneinander wandten, aber die meisten Zuschauer dachten doch, daß hier ein schlechter Scherz getrieben würde. Als der Gefesselte wieder auf den Füßen stand, war die Unruhe so groß, daß er einzelne Worte kaum mehr unterschied.

Er sah sie ringsumher aufspringen, wie welkes Laub von Wirbelstürmen aus den Wäldern rund um einen Talkessel geweht, in dessen Mitte es noch still war. Er dachte an die goldenen Dämmerungen der letzten Tage, und es ergriff ihn Erbitterung gegen dieses Friedhofslicht über allem, das in so vielen Nächten ins Kraut geschossen war, gegen den goldenen Schmuck, den die Frommen[56] auf alte dunkle Bilder hingen, gegen diesen Abfall.[57]

Sie verlangten, daß er den Wolfskampf wiederhole. Der Gefesselte erklärte, daß ein solcher Kampf nicht die Sache einer Zirkusvorstellung sei, und der Zirkusbesitzer rief, er hielte seine Tiere nicht, um sie vor den Augen der Zuschauer erschlagen zu lassen. Aber sie hatten schon die Umfassung gestürmt und drängten gegen die Käfige.[58] Die Frau lief zwischen den Tribünen an den Zeltausgang, und es gelang ihr, sie von der anderen Seite zu erreichen. Sie stieß den Wärter weg, den sie zu öffnen gezwungen hatten, aber die Zuschauer rissen sie zurück, so daß sie das Gitter nicht mehr zuschlagen konnte.

„Bist du nicht die, die mit ihm den Sommer über am Fluß gelegen ist?" „Wie nimmt er dich in die Arme?" Sie rief, sie sollten ihm nicht glauben, wenn sie ihm nicht glauben wollten, sie hätten den Gefesselten nie verdient und bemalte Spaßmacher wären immer noch gerade recht[59] für sie.

Dem Gefesselten war es, als hätte er das ausbrechende Gelächter schon seit dem frühen Mai erwartet; was den Sommer über so süß gerochen hatte, schmeckte faul. Aber wenn sie es verlangten, würde er es noch diese Nacht mit allen Zirkustieren aufnehmen. Er hatte sich noch nie so einig mit der Fessel gefühlt.

Er schob die Frau, die ihm den Weg verstellte, sanft zur Seite. Lieber Himmel, vielleicht würde er doch mit nach dem Süden ziehen. Er stand in der offenen Tür und sah das Tier sich aufrichten, ein junges starkes Tier, und er hörte hinter sich den Zirkusbesitzer noch einmal um die verlorenen Wölfe klagen. Er klatschte in die Hände, um das Tier anzulocken, und als es nahe genug war, wandte er sich zurück, um die Gittertür zu schließen. Er sah der Frau ins Gesicht. Plötzlich erinnerte er sich der Warnung des Zirkusbesitzers, jeden, den er mit einem scharfen Gegenstand in der Nähe des Gefesselten fand, der Mordabsicht zu beschuldigen.

---

[56] **der Fromme, –n, –n**   believer
[57] **der Abfall, ∵e**   defection
[58] **der Käfig, –e**   cage
[59] **noch gerade recht**   good enough

Zugleich fühlte er die Klinge[60] an seinem Handgelenk, kühl wie das Flußwasser im Herbst, dem er während der letzten Wochen kaum mehr standgehalten hatte. Die Schnur fiel auf der einen Seite an ihm herab und verwirrte sich,[61] als er versuchte, sie auf der anderen von sich zu reißen. Er stieß die Frau zurück, aber seine Bewegungen trieben schon ins Ziellose.[62] War er doch nicht genügend auf der Hut gewesen vor seinen Befreiern, vor diesem Mitleid, das ihn einwiegen wollte? War er zu lange am Fluß gelegen? Hätte[63] sie die Schnur doch lieber in jedem anderen Augenblick durchschnitten als gerade in diesem.

Er stand im Innern des Käfigs, während er die Fessel wie die Reste einer Schlangenhaut von sich riß. Es erheiterte ihn, die Zuschauer ringsumher zurückweichen zu sehen. Wußten sie, daß er keine Wahl mehr hatte? Oder hätte ein Kampf jetzt noch das Geringste bewiesen? Zugleich schien ihm alles Blut nach unten zu strömen. Er fühlte plötzliche Schwäche.

Den Wolf erbitterte die Fessel, die ihm wie ein Fallstrick vor die Füße fiel, mehr als das Eindringen des Fremden in seinen Käfig. Er setzte zum Sprung an. Der Mann taumelte und griff nach der Waffe, die an der Wand des Käfigs hing. Dann schoß er, ehe ihn jemand hindern konnte, den Wolf zwischen die Augen. Das Tier bäumte sich[64] und berührte ihn im Fallen.

Auf dem Wege zum Fluß hörte er die Schritte der Nacheilenden hinter sich, der Zuschauer, der Seiltänzer, des Zirkusbesitzers und am längsten die der Frau. Er verbarg sich hinter einer Gruppe von Sträuchern und sah sie an sich vorbeilaufen und nach einer Weile langsam gegen das Lager zurückgehen. Der Mond schien auf die Wiese, sie hatte in diesem Licht zugleich die Farbe des Wachstums und des Todes.

Als er an den Fluß kam, beruhigte sich sein Zorn. In der Morgendämmerung schien es ihm, als trüge das Wasser Eisschollen, als wäre drüben in den Auen schon Schnee gefallen, der die Erinnerung nimmt.

FRAGEN UND THEMEN

1. Was ist das Ungewöhnliche an der Fesselung und was lehrt sie den Gefesselten?

2. Wie ändert sich die Haltung des Gefesselten zur Fessel?

3. Beschreiben Sie den Kampf mit dem Wolf und erklären Sie seine Bedeutung.

4. Besprechen Sie die Rolle des Tierbändigers in der Geschichte.

5. Besprechen Sie die Rolle der Frau.

---

[60] **die Klinge, —n** blade
[61] **verwirrte sich** got tangled
[62] **trieben schon ins Ziellose** were aimless by now
[63] **hätte** if only
[64] **sich bäumen** rear up

6. Warum erwartet der Gefesselte seit Mai Gelächter, und was bedeutet es wohl?

7. Wogegen richtet sich am Ende sein Zorn?

8. Welche Eigenschaften hat der Gefesselte mit einem Tier gemeinsam, welche mit einem Künstler?

9. Wodurch unterscheidet er sich von den Zirkusleuten?

10. Analysieren Sie den Gefesselten als Symbol.

14 ILSE AICHINGER

Mein grüner Esel

Ich sehe täglich einen grünen Esel über die Eisenbahnbrücke gehen, seine Hufe[1] klappern auf den Bohlen, sein Kopf ragt[2] über das Geländer. Ich weiß nicht, woher er kommt, ich konnte es noch[3] nie beobachten. Ich vermute aber, aus dem aufgelassenen Elektrizitätswerk[4] jenseits der Brücke, von wo die Straße pfeilgerade nach Nordwesten geht (einer Weltrichtung, mit der ich ohnehin nie etwas anfangen konnte) und in dessen verfallener Einfahrt abends manchmal Soldaten stehen, um ihre Mädchen zu umarmen, sobald es finster geworden ist und nur mehr ein schwacher Fetzen[5] Licht über dem rostigen Dach liegt. Aber mein Esel kommt früher. Nicht daß er schon zu Mittag käme oder kurz danach, wenn die Sonne noch grell in jeden einzelnen der verlassenen Höfe drüben sticht und zwischen die Ritzen der vernagelten Fenster. Nein, er kommt mit dem ersten unmerklichen Nachlassen des Lichtes, da sehe ich ihn, meistens schon oben auf dem Steg oder während er die Stegtreppen hinaufsteigt. Nur ein einziges Mal sah ich ihn schon auf der andern Bahnseite über das Pflaster klappern, aber er sah eilig aus, als hätte er sich verspätet. Damals schien es mir übrigens, als käme er geradewegs aus dem halboffenen und in der Hitze stillstehenden Tor des alten Elektrizitätswerks.

Um Bahnbedienstete oder sonst Leute, die die Brücke passieren, kümmert er sich nicht, er weicht ihnen höflich aus, und auch das Stampfen und Pfeifen der Züge, die zuweilen,[6] während er darüber geht, unter der Brücke durchfahren, läßt ihn gleichgültig. Oft wendet er den Kopf seitwärts und schaut hinunter, auch zumeist dann, wenn kein Zug kommt, und nie für sehr lange. Mir scheint es, als wechselte er dann einige Worte

---

[1] der Huf, –e   hoof
[2] ragen   rise
[3] noch   so far
[4] das Elektrizitätswerk, –e   power plant
[5] der Fetzen, –   shred
[6] zuweilen   occasionally

mit den Geleisen, aber das ist wohl nicht möglich. Und zu welchem Zweck auch? Ist er jenseits der Mitte der Brücke angelangt, so verschwindet er nach einigem Zögern, ohne umzukehren. Darüber, nämlich über die Art seines Verschwindens, täusche ich mich nicht. Ich verstehe das auch ganz gut, weshalb sollte er sich die Mühe nehmen und umkehren, da er den Weg doch kennt?

Aber wie kommt er, von wo kommt er, wo entsteht er? Hat er eine Mutter oder ein Lager von Heu in einem der stillen Höfe da drüben? Oder bewohnt er eines der ehemaligen Büros und hat darin eine Ecke, die ihm vertraut ist, ein Stück Wand? Oder entsteht er, wie Blitze entstehen, zwischen den ehemaligen Hochspannungsmasten und den herabhängenden Leitungen? Ich weiß freilich nicht genau, wie Blitze entstehen, ich will es auch nicht wissen, außer mein Esel entstünde wie sie. Mein Esel? Das ist ein großes Wort. Aber ich möchte es nicht zurücknehmen. Sicher ist es möglich, daß auch andere ihn sehen, aber ich werde sie nicht fragen. Mein Esel, den ich nicht füttere,[7] nicht tränke,[8] dessen Fell ich nicht glatt reibe und den ich nicht tröste. Dessen Umrisse sich aber gegen die fernen Gebirge so unzweifelhaft abheben wie die Gebirge selbst gegen den Nachmittag. Für meine Augen, mein Esel also. Weshalb soll ich nicht bekennen, daß ich von dem Augenblick lebe, in dem er kommt? Daß seine Erscheinung mir die Luft zum Atem schafft, gerade er, sein Umriß, die Schattierung seines Grüns und seine Art, den Kopf zu senken und auf die Geleise hinunterzuschauen? Ich dachte schon, daß er vielleicht hungrig wäre und nach den Gräsern und spärlichen Kräutern ausschaute, die zwischen den Bahnschwellen wachsen. Aber man soll sein Mitleid bezähmen.[9] Ich bin alt genug dazu, ich werde ihm kein Bündel Heu auf die Brücke legen. Er sieht auch nicht schlecht aus, nicht verhungert und nicht gepeinigt — auch nicht besonders gut. Aber es gibt sicher wenige Esel, die besonders gut aussehen. Ich möchte nicht in die alten Fehler verfallen, ich möchte nicht zuviel von ihm verlangen. Ich will mich damit begnügen, ihn zu erwarten, oder vielmehr: ihn nicht zu erwarten. Denn er kommt nicht regelmäßig. Vergaß ich es zu sagen? Er blieb schon zweimal aus. Ich schreibe es zögernd nieder, denn vielleicht ist das sein Rhythmus, vielleicht gibt es so etwas wie zweimal für ihn gar nicht, und er kam immer, er kam regelmäßig und wäre verwundert über diese Klage. Wie er auch sonst über vieles verwundert zu sein scheint. Verwunderung, ja, das ist es, was ihn am besten bezeichnet, was ihn auszeichnet, glaube ich. Ich will lernen, mich auf Vermutungen zu beschränken, was[10] ihn betrifft, später auch auf weniger. Aber bis dahin gibt es noch vieles, was mich beunruhigt. Mehr als sein möglicher Hunger zum Beispiel, daß ich den

---

[7] **füttern**   feed
[8] **tränken**   water
[9] **bezähmen**   curb
[10] **was**   as far as

Ort seines Schlafes nicht kenne, seiner Ruhe und damit vielleicht seiner Geburt. Denn er benötigt die Ruhe. Es könnte sogar sein, daß er jedesmal den Tod benötigt, ich weiß es nicht. Ich halte es für anstrengend, jeden Abend so grün wie er über die Brücke zu gehen, so zu schauen wie er und im rechten Moment zu verschwinden.

Ein solcher Esel braucht Ruhe, viel Ruhe. Und ob ein altes Elektrizitätswerk dazu der richtige Ort ist, ob es genügt? Ob die herabhängenden Leitungsdrähte ihn sanft genug streicheln, sobald er nicht da ist, während seiner Nacht? Denn seine Nacht ist länger als die unsere. Und ob die Umrisse der Berge ihm ihre Freundschaft genügend bezeigen[11] während seines Tages? Denn sein Tag ist kürzer. Wie immer, ich weiß es nicht. Ich werde es auch nicht erfahren, denn mein Ziel kann nur sein, immer weniger von ihm zu wissen, so viel habe ich während des halben Jahres, das er nun kommt, schon gelernt. Von ihm gelernt. Und so werde ich es vielleicht auch ertragen lernen, wenn er eines Tages nicht mehr kommt, denn das befürchte ich. Er könnte vielleicht mit der Kälte ausbleiben, und das könnte ebenso zu seinem Kommen gehören wie sein Kommen selbst. Bis dahin will ich es lernen, so wenig von ihm zu wissen, daß ich auch sein Ausbleiben ertrage, daß ich dann meine Augen nicht mehr auf die Brücke richte.

Aber bis ich soweit bin, träume ich manchmal davon, daß er einen grünen Vater und eine grüne Mutter haben könnte, ein Bündel Heu in einem der Höfe da drüben und in den Ohren das Gelächter der jungen Leute, die sich in die Einfahrt drücken. Daß er manchmal schläft, anstatt zu sterben.

FRAGEN UND THEMEN

1. Charakterisieren Sie (a) die Erzählerin, (b) den grünen Esel.

2. Versuchen Sie, die verschiedenen Elemente von Dichtung (*fiction*) und Wahrheit zu isolieren, und ihren Zusammenhang zu bestimmen.

3. Inwiefern sind die Versuche der Erzählerin, sich dem Esel zu nähern und dennoch Distanz zu wahren (*preserve*), allgemein-menschliche Eigenschaften dem Irrationellen gegenüber?

4. Was scheint uns die Geschichte sagen zu wollen?

---

[11] **bezeigen**   demonstrate

15 WOLFGANG HILDESHEIMER

Der Urlaub

Seit einiger Zeit erwachte Adrian bei Morgengrauen. Wie ein abziehender Nebel verließ ihn der Schlaf, sanft aber unerbittlich, und hier war er nun, ins Zwielicht der Wirklichkeit versetzt. Wie sehr er auch versuchen mochte, in diesen Schlaf zurückzufliehen, hinaufzuschweben, um einen Zipfel[1] der Nebelwolke noch zu erhaschen, es gelang ihm nicht. Wachheit kroch ihm die Beine empor und spannte seinen Körper. So lag er dann, während sich in seinem Bewußtsein die Fäden der Wirklichkeit wieder verknüpften,[2] die das Gestern mit dem Heute verbanden und eine Flucht nunmehr unmöglich machten. Er gab auf. Das zunehmende Tageslicht brachte die Routine täglicher Verrichtungen näher, in welcher man — wie es ihm schien — so oft zu versinken drohte.

Diese Gedanken beschäftigten ihn auch jetzt, am Morgen eines Tages, der im Zeichen wichtiger Verabredungen stand. Aus ihnen wurde er durch das Läuten des Telephons gerissen. Gleichzeitig klopfte es an der Haustür. Was zuerst? Der Tag fing also schon mit einem Dilemma an, dachte Adrian und wollte die Tür öffnen und den Klopfenden bitten, zu warten, bis er das Telephon beantwortet habe, aber seine mangelhafte[3] Bekleidung fiel ihm ein. Er verschloß seine Ohren dem Klopfenden und ging zum Telephon.

Es war Mariella, die aus der Stadt anrief, um ihn zu einem Abendessen einzuladen. Adrian dankte und sagte, er werde sehr gern kommen. Dann erklärte er ihr, warum es ihm unmöglich sei, wie üblich, ein längeres Gespräch zu führen, er habe verschlafen, zudem[4] klopfe es an der Haustür, und hängte ab. Aber das Klopfen hatte aufgehört. Er ging zur Tür und sah, daß es nur der Briefträger gewesen war. Er mußte also wohl später aufgestanden sein, als er es gewöhnlich zu tun pflegte. Seine Uhr war stehengeblieben. Er hatte — wie so oft in diesen Tagen — vergessen, sie

---

[1] **der Zipfel, –** end
[2] **verknüpfen** join together, knot
[3] **mangelhaft** scanty
[4] **zudem** besides

aufzuziehen. Er nahm die Post aus dem Kasten.[5] Sie bestand aus einer vierseitigen Drucksache, die ihn zum Kauf irgendwelcher im Preis stark ermäßigter Gegenstände aufforderte, und einem Paket, wahrscheinlich einem Buch zur Besprechung. Adrian hatte einige dringende Briefe erwartet, aber so war es auch gut. Er warf die Aufforderung in den Papierkorb und steckte das Buch in die Tasche seines Mantels, um es in der Eisenbahn zu lesen. Dann ging er zum Schrank, um sich mit Sorgfalt anzukleiden.

Um in die Stadt zu gelangen, die Adrian einmal in der Woche zu besuchen pflegte, mußte er die fünf Kilometer bis zum nächsten Marktflecken[6] zu Fuß oder mit dem Fahrrad zurücklegen und von dort eine Stunde mit der Eisenbahn fahren. Es war ein besonders warmer Novembermorgen. In der Frühe hatte noch Rauhreif gelegen, aber die Luft war voll spätsommerlicher Würze, und so war es Adrians Absicht gewesen, die fünf Kilometer zu laufen. Nun jedoch, da er sich verspätet hatte, fuhr er mit dem Rad. Als er aber an der Dorfkirche vorbeikam, sah er auf der Turmuhr, daß es nicht später war als gewöhnlich, er also hätte zu Fuß gehen können. Deshalb fuhr er langsam; es galt, die letzte Wärme zu genießen, die das fallende Jahr noch zu bieten hatte. Erst als er am Bahnhof anlangte und erfuhr, daß er den Zug versäumt hatte, erinnerte er sich, daß die Turmuhr bereits vor geraumer Zeit[7] stehengeblieben war, wahrscheinlich sogar seit einigen Monaten kein Werk mehr hatte.

Auf der Auskunftstafel las er, daß der nächste Zug in einer Stunde fahre. Er brachte sein Rad zum Aufbewahrungsschuppen und ging in das gegenüberliegende Gasthaus.

Während er hier in der leeren Schankstube saß, den Rücken gegen den Kachelofen ausgestreckt, und von dem Enzian[8] trank, den er sich bestellt hatte, überkam ihn ein Gefühl der Ruhe, wie er es seit Tagen — ja, es schienen Monate — nicht mehr erfahren hatte. Er räkelte sich in körperlichem Wohlsein wie in einem warmen Bad und sah hinaus in die Novembersonne, die durch die Baumskelette in die Stube schien. Plötzlich tauchte ein unwillkommener Gedanke auf. Er suchte ihn zu erhaschen — was war es noch? — und nach wenigen Minuten gelang es ihm: Mariella. Er hatte Datum und Zeit ihrer Abendgesellschaft vergessen, oder vielmehr, er hatte wieder einmal nicht recht zugehört. Er würde sie noch einmal anrufen müssen; nur nicht gerade jetzt. Er wollte das Wohlsein nicht unterbrechen, diesen unerwarteten Urlaub. Aber er war aufgestört; die wirkliche Ruhe kehrte nicht wieder.

Als es ihm an der Zeit schien, stand er auf und ging zum Bahnhof. Weder Reisende noch Bahnbeamte waren zu sehen. Außerhalb des

---

[5] *d.h.*, **aus dem Briefkasten**
[6] **der Marktflecken, –**   small market town (**Flecken** is actually a hamlet or village)
[7] **vor geraumer Zeit**   considerable time ago
[8] **der Enzian**   gentian (*here:* a liqueur)

Bahnhofs liefen zwei Jungen auf den Schienen und versuchten einen Drachen steigen zu lassen. Sonst war alles still. Auf dem Rangiergeleis[9] standen zwei Güterwagen. Sie hatten schon immer da gestanden. ,,Heimatbahnhof Kassel'' stand auf ihnen geschrieben. Wie mochten sie hierhergekommen sein, dachte Adrian.

Er wartete einige Minuten, ging dann zum Schalter[10] und fragte dort, ob der Zug um zehn Uhr einundvierzig nicht mehr verkehre. Der Beamte sah ihn einen Augenblick schweigend an und sagte dann — seine Stimme klang traurig aber streng, und ein wenig befriedigt, eine ungünstige Auskunft erteilen zu können — daß dieser Zug niemals wochentags verkehrt habe, sondern nur sonntags. Heute indessen sei Dienstag. Dazu käme,[11] daß er nur im Sommer verkehre, denn es handle sich um einen Aussichtstriebwagen.[12] All das sei, wenn der Herr zu lesen verstehe, aus der Tafel ersichtlich.

,,So so, ein Aussichtstriebwagen'', sagte Adrian, und da er sich plötzlich, wie oft in Situationen kleiner Verzweiflung, zum Scherzen aufgelegt fühlte, sagte er, daß bei ihm der Aussichtstrieb nicht stark entwickelt sei. Aber der Mann hatte sein Fenster zugeklappt. Der Kontakt mit der Beamtenwelt war wieder abgebrochen.

Adrian ging zur Auskunftstafel, um nunmehr einen Zug ausfindig zu machen, der auch im Winter verkehre, und fand einen. Die gekreuzten Hämmer hinter der Abfahrtszeit, siebzehn Uhr siebenundfünfzig, wiesen darauf hin, daß er auch wochentags fahre. Soviel immerhin wußte er.

Nun ging er zurück ins Gasthaus, zwar mit einem Gefühl der Unruhe — denn jetzt waren alle Verabredungen hinfällig[13] geworden — aber doch auch leichten Herzens, denn er gedachte, sich wieder in den Urlaubszustand hineinzusteigen, ihn künstlich fortzusetzen. Erklärungen und Entschuldigungen — das käme später. Falls Mariellas Gesellschaft schon heute abend stattfände, was natürlich möglich war, würde er noch zur rechten Zeit kommen. Denn diese durfte er nicht versäumen. Sie war wichtiger als alles andere. Er würde Mariella anrufen. Aber nicht jetzt, nicht gerade jetzt.

In der Schankstube setzte er sich wieder auf denselben Platz und bestellte bei der Wirtin Mittagessen. Sie war froh, ihn wieder zu sehen, denn er hatte vergessen, den Enzian zu bezahlen. Auf die Frage, was er essen wolle, antwortete er vergnügt, er sei so hungrig, er könne ein ganzes Pferd verschlingen.[14] Die Wirtin sagte, das gäbe es nicht.[15] Dann, sagte

---

[9] **das Rangiergeleis (e), e(–)** siding
[10] **der (Fahrkarten =) Schalter, –** ticket window
[11] **dazu käme** besides
[12] **der Aussichtstriebwagen, (¨)** sightseeing coach, observation car; **der Aussichtstrieb, –e** urge for sightseeing; here, pun on **Treibwagen** (electrically driven coach, traction car) and **Treib** (drive, instinct)
[13] **hinfällig** void
[14] **verschlingen, a, u** devour
[15] **das gäbe es nicht** that was not available

Adrian, wolle er sich innerhalb der Grenzen des Gebotenen halten. Das Gebotene war Schnitzel.

Während Adrian auf das Essen wartete, fiel ihm das Buch in seiner Manteltasche ein. Er packte es aus. Es hieß *Auf Pfaden der Sonne*. Er öffnete es mißmutig. Auf dem Schutzumschlag stand: ,,Diese Sammlung echter Naturlyrik wird allen, denen die Hetze[16] des Alltags. . . .'' Er legte das Buch aus der Hand.

Als die Wirtin das Mittagessen brachte, fragte er sie, ob es ein Telephon im Hause gäbe. Es gab keines. Er atmete auf, war sich des Aufatmens jedoch nicht bewußt.

Der späte Nachmittag fand Adrian noch im Gasthaus. Der Himmel hatte sich verhängt,[17] und in der Richtung des Gebirges deutete die Wolkenlage auf Schneefall hin. Die Bergspitzen waren verhüllt. Adrian hatte in der leeren Schankstube gesessen und, um sein wachsendes Unbehagen zu stillen, mehrere Gläser Enzian getrunken. Diese hatten ihn müde gemacht. Zu dem Entschluß, noch in der späten Dämmerung eine Stunde in der Eisenbahn zu sitzen, hatte er sich nicht durchringen können. Er hatte es einen Augenblick mit den *Pfaden der Sonne* versucht, aber der darin zutage tretende Reichtum an Gemüt hatte ihn in dumpfe Unlust versetzt. So hatte er die Wirtin gebeten, ihm ein Zimmer anzuweisen, und als der Nachmittagszug den Bahnhof verließ, lag Adrian in tiefem Schlaf.

Als er am nächsten Tage erwachte, lag hoher Schnee. Um ihn war alles weiß, milde und still. Seine Ruhe war zurückgekehrt. Er kleidete sich an und ging hinunter. Dort teilte ihm die Wirtin mit, während sie das Frühstück auf den Tisch stellte, daß wegen des plötzlichen, unerwarteten Schneefalls die Bahn den Verkehr in dieser Gegend habe einstellen müssen. Adrian nahm diese Nachricht mit Ruhe auf und bat sie, sein Zimmer zu heizen.

Am Nachmittag dachte er daran, vom Bahnhof in die Stadt zu telephonieren, um seinen Bekannten, und vor allem Mariella, die Lage zu erklären, aber nach einiger Überlegung sah er von diesem Plan ab. Das hätte er gestern tun müssen, als unmittelbare und — wie er sich jetzt eingestand — eigentlich selbstverständliche Reaktion auf dieses ungewöhnliche Zusammentreffen von Zufall und Nachlässigkeit.[18] Nun waren die Verabredungen ohnehin längst hinfällig, die Abendgesellschaft vielleicht vorbei. Bei dem Gedanken an die Sorgen, die man sich seinethalben machen mochte, wurde er beinahe vergnügt. Für die nächste Zeit hierbleiben — dazu bedurfte es keines Entschlusses. Wenn die Eisenbahn nicht verkehrte, waren die Straßen erst recht nicht befahrbar.[19]

Aber am nächsten Tage setzte sich der Gedanke an Mariella fest und

---

[16] **die Hetze, –n** rat-race, chase
[17] **sich verhängen** cloud over
[18] **die Nachlässigkeit, –en** negligence
[19] **erst recht nicht befahrbar** even less passable

ließ sich nicht verdrängen. Er beschloß, sie anzurufen und watete durch den Schnee zum Bahnhof. Hier waren einige Arbeiter dabei, die Eisengitter, die den Bahnsteig von der Landstraße trennten, zu entfernen. Im tiefen Schnee ging ihre Arbeit lautlos von der Hand, ihr Atem dampfte. Die Telephonzelle,[20] ehemals in das Gitter eingelassen, war verschwunden. Nachdenklich kehrte Adrian ins Gasthaus zurück. Er beschloß, über diesen Umstand keine Erkundigungen anzustellen.[21]

Zwei Tage später ging Adrian durch das verschneite Städtchen, um einiges einzukaufen. Dabei fiel ihm ein Mangel[22] an Geschäftigkeit auf. Es waren wenig Leute auf den Straßen zu sehen. Er erklärte sich dies mit dem hohen Schnee. Als er aber später seine Beobachtung der Wirtin mitteilte, sagte sie, das Städtchen habe innerhalb der letzten Monate an Bevölkerung verloren, da die Erwerbsmöglichkeiten immer geringer würden. Auch sie werde bald weggehen.

Wie wäre es, dachte Adrian, in einem ausgestorbenen Marktflecken zu leben? Der Gedanke an solch seltsame, freiwillige Vereinsamung gab zu der Art phantastischer Vorstellungen Anlaß, bei denen er oft und gern verweilte. Dennoch beschloß er — ganz unverbindlich — sich einmal wieder die Auskunftstafel zu besehen. Den Entschluß zu reisen werde er sich vorbehalten. Und eines Tages — es war wieder wärmer und es hatte getaut — ging er hinüber zum Bahnhof. Die Auskunftstafel war verschwunden. Er klopfte an den Schalter. Niemand öffnete. Beunruhigt ging er durch die offene Sperre[23] auf den Bahnsteig. Hier waren einige Arbeiter dabei, die Schienen abzumontieren.

„Was machen Sie denn da?" rief er, als gelte es,[24] jemanden von einer unüberlegten Tat abzuhalten. Nun erfuhr Adrian, daß, infolge mangelnder[22] Benützung der Bahnlinie, das Netz verlegt werde. Das Städtchen läge also in Zukunft nicht mehr an der Eisenbahn. Und in der Tat, das Bahnhofsgelände war bereits verödet, ein Teil des Gebäudes abgetragen, das Glas aus den Fenstern entfernt, die, nun schwarze Löcher, ihm das Aussehn einer Ruine gaben. Die Plakate[25] waren abgerissen, die mannigfachen Verbotstafeln entfernt. Auch die beiden Güterwagen waren verschwunden. Sie waren wohl in ihre Heimat zurückgekehrt, nach Kassel.

Nun packte ihn Angst. Er eilte zum Aufbewahrungsschuppen, um sein Fahrrad zu holen. Es stand noch da, naß und verdreckt. Er riß es an sich und fuhr davon, ohne sich umzusehen; zuerst einige beschwerliche Kilometer auf schlammigen[26] Feldwegen, dann bog er jenseits der

---

[20] **die Telephonzelle, –n** telephone booth
[21] **Erkundigungen an-stellen** make inquiries
[22] **der Mangel, ∹** absence, lack; **mangelnd** insufficient
[23] **die Sperre, –n** gate, barrier
[24] **als gelte es** as if he had to
[25] **das Plakat, –e** poster
[26] **schlammig** muddy

ehemaligen Unterführung[27] — hier waren die Geleise schon entfernt — in die Landstraße ein, in der Richtung auf die Stadt zu, wo er nach mehreren Stunden anlangte. Seine Kehle war ausgetrocknet, der Schweiß lief ihm von den Schläfen. Wie ein Nachtwandler[28] fuhr er, weder auf Verkehrslichter noch auf Passanten achtend, auf Mariellas Haus zu. Er lehnte das Fahrrad an die Wand und klingelte stürmisch an der Haustür. Nach einer Weile wurde sie geöffnet; es war Mariella selbst. ,,Mariella", rief er — aber seine Stimme war tonlos, so daß es wie ein Seufzer klang.

,,Wie immer, der Letzte", sagte sie lächelnd und küßte ihn, ,,wir warten schon alle auf dich. Übrigens[29] siehst du aus, als wolltest du dich erst einmal waschen. Aber beeile dich! Das Essen wird soeben aufgetragen."

FRAGEN UND THEMEN

1. Charakterisieren Sie Adrian.

2. Welche Einzelheiten am Anfang der Geschichte bereiten auf ihren außergewöhnlichen Fortlauf (*development*) vor?

3. In welche Verbindung läßt sich Adrians Beruf mit den Ereignissen (*events*) bringen?

4. Adrians ,,Mangel an Aussichtstrieb" ist, so scheint es, ein Mangel an Initiative. Analysieren Sie die Ereignisse von diesem Gesichtspunkt aus.

5. Welche Funktion haben Raum und Zeit in der Geschichte?

6. Was scheint die Geschichte sagen zu wollen?

7. Hildesheimers Erzählweise erinnert hier einigermaßen an die Franz Kafkas, *d.h.* sie zeigt Disproportion zwischen Ursache und Wirkung, äußere Ereignisse als Spiegelung von inneren Zuständen, Verschiebung von Raum und Zeit, Diskrepanz zwischen Ton und Inhalt, das buchstäbliche (*literal*) Verstehen oder Durchführen von bildlich (*figuratively*) gemeinten Redewendungen. Besprechen Sie diese Stilelemente und ihre Wirkung.

8. Vergleichen Sie die Geschichte stilistisch und thematisch mit Martin Walser's ,,Der Umzug".

---

[27] **die Unterführung, –en**   underpass
[28] **der Nachtwandler, –**   sleepwalker
[29] **übrigens**   by the way

16 PETER WEISS

Meine Ortschaft

Bei meinen Überlegungen, welche menschliche Siedlung oder welche Gegend einer Landschaft am besten dazu geeignet sei, umrissen zu werden, tauchten anfangs viele Möglichkeiten auf. Doch von meinem Geburtsort aus, der den Namen Nowawes trägt, und der den Informationen nach gleich neben Potsdam an der Bahnstrecke nach Berlin liegen soll, über die Städte Bremen und Berlin, in denen ich meine Kindheit verbrachte,[1] bis zu den Städten London, Prag, Zürich, Stockholm, Paris, in die ich später verschlagen wurde,[2] nehmen alle Aufenthaltsorte etwas Provisorisches an, und dabei habe ich die kürzeren Zwischenstationen gar nicht erwähnt, alle diese Flecken, heißen sie nun Warnsdorf in Böhmen, oder Montagnola im Tessin, oder Alingsas in Westschweden.

Es waren Durchgangsstellen,[3] sie boten Eindrücke, deren wesentliches Element das Unhaltbare, schnell Verschwindende war, und wenn ich untersuche, was jetzt daraus hervorgehoben und für wert befunden werden könnte, einen festen Punkt in der Topographie meines Lebens zu bilden, so gerate ich nur immer wieder an das Zurückweichende, alle diese Städte werden zu blinden Flecken, und nur eine Ortschaft, in der ich nur einen Tag lang war, bleibt bestehen.

Die Städte, in denen ich lebte, in deren Häusern ich wohnte, auf deren Straßen ich ging, mit deren Bewohnern ich sprach, haben keine bestimmten Konturen, sie fließen ineinander, sie sind Teile einer einzigen ständig veränderlichen irdischen Außenwelt,[4] weisen hier einen Hafen auf, dort einen Park, hier ein Kunstwerk, dort einen Jahrmarkt, hier ein Zimmer, dort einen Torgang, sie sind vorhanden im Grundmuster meines Umherwanderns, im Bruchteil einer Sekunde sind sie zu erreichen und wieder zu verlassen, und ihre Eigenschaften müssen jedesmal neu erfunden werden.

---

[1] **verbringen, a, a**   spend
[2] **verschlagen wurde**   drifted, driven to
[3] **die Durchgangsstelle, –n**   station in transit
[4] **die Außenwelt, –en**   external world

Nur diese eine Ortschaft, von der ich seit langem wußte, doch die ich erst spät sah, liegt gänzlich für sich. Es ist eine Ortschaft, für die ich bestimmt war und der ich entkam. Ich habe selbst nichts in dieser Ortschaft erfahren. Ich habe keine andere Beziehung zu ihr, als daß mein Name auf den Listen derer stand, die dorthin für immer übersiedelt werden sollten. Zwanzig Jahre danach habe ich diese Ortschaft gesehen. Sie ist unveränderlich. Ihre Bauwerke lassen sich mit keinen anderen Bauwerken verwechseln.

Auch sie trägt einen polnischen Namen,[5] wie meine Geburtsstadt, die man mir vielleicht einmal aus dem Fenster eines fahrenden Zuges gezeigt hatte. Sie liegt in der Gegend, in der mein Vater kurz vor meiner Geburt in einer sagenhaften[6] kaiserlich-königlichen Armee[7] kämpfte. Von den übriggebliebenen Kasernen[8] dieser Armee wird die Ortschaft beherrscht.

Zum besseren Verständnis der dort Werksamen und Ansässigen[9] wurde ihr Name verdeutscht.

Auf dem Bahnhof von Auschwitz scheppern[10] die Güterzüge. Lokomotivpfiffe und polternder Rauch. Klirrend aneinanderstoßende Puffer.[11] Die Luft voll Regendunst, die Wege aufgeweicht, die Bäume kahl und feucht. Rußgeschwärzte[12] Fabriken, umgeben von Stacheldraht und Mauerwerk. Holzkarren knirschen vorbei, von dürren Pferden gezogen, der Bauer vermummt und erdfarben. Alte Frauen auf den Wegen, in Decken gehüllt, Bündel tragend. Weiter ab in den Feldern einzelne Gehöfte,[13] Gesträuch und Pappeln.[14] Alles trübe[15] und zerschlissen. Unaufhörlich die Züge oben auf dem Bahndamm, langsam hin- und herrollend, vergitterte Luken[16] in den Waggons.[17] Abweichgeleise[18] führen weiter, zu den Kasernen, und noch weiter, über öde Felder zum Ende der Welt.

Außerhalb der Siedlungen, die nach der Räumung wieder bewohnt sind und aussehen, als sei der Krieg vor kurzem erst vorüber, erheben sich die Eisengitter vor der Anlage, die heute zu einem Museum ernannt ist. Autos und Omnibusse stehen am Parkplatz, eben tritt eine Schulklasse durch das Tor, ein Trupp Soldaten mit weinroten Mützen kehrt nach

---

[5] i.e., Oświęcim
[6] sagenhaft legendary
[7] die kaiserlich-königlich Armee imperial-royal army (i.e., the army of the Hapsburg Empire)
[8] die Kaserne, –n barracks
[9] der Ansässige, –n, –n resident
[10] scheppern rumble
[11] der Puffer, – buffer
[12] rußgeschwärzt soot-blackened
[13] das Gehöft, –e big farm
[14] die Pappel, –n poplar
[15] trübe depressing
[16] die Luke, –n hatch, opening
[17] der Waggon, –s (railroad) car
[18] das Abweichgeleise, – spur line

der Besichtigung zurück. Links eine lange Holzbaracke, hinter einer Luke Verkauf von Broschüren und Postkarten. Überheizte Wärterstuben. Gleich hinter der Baracke niedrige Betonwände, darüber eine grasbewachsene Böschung, ansteigend zum flachen Dach mit dem kurzen dicken viereckigen Schornstein. An Hand[19] der Lagerkarte stelle ich fest, daß ich schon vor dem Krematorium stehe, dem kleinen Krematorium, dem ersten Krematorium, dem Krematorium mit der begrenzten Kapazität. Die Baracke vorn, das war die Baracke der politischen Abteilung, da befand sich das sogenannte Standesamt,[20] in dem die Zugänge und Abgänge verzeichnet wurden.[21] Da saßen die Schreiberinnen, da gingen die Leute mit dem Emblem des Totenkopfs aus und ein.

Ich bin hierher gekommen aus freiem Willen. Ich bin aus keinem Zug geladen worden. Ich bin nicht mit Knüppeln[22] in dieses Gelände getrieben worden. Ich komme zwanzig Jahre zu spät hierher.

Eisengitter vor den kleinen Fenstern des Krematoriums. Seitwärts eine schwere morsche[23] Tür, schief in den Angeln[24] hängend, drinnen klamme Kälte. Zerbröckelnder Steinboden. Gleich rechts in einer Kammer ein großer eiserner Ofen. Schienen davor, darauf ein metallenes Fahrzeug in der Form eines Troges,[25] von Menschenlänge. Im Innern des Kellers zwei weitere Öfen, mit den Bahrenwagen[26] auf den Schienen, die Ofenluken weit offen, grauer Staub darin, auf einem der Wagen ein vertrockneter Blumenstrauß.

Ohne Gedanken. Ohne weitere Eindrücke, als daß ich hier allein stehe, daß es kalt ist, daß die Öfen kalt sind, daß die Wagen starr und verrostet sind. Feuchtigkeit rinnt von den schwarzen Wänden. Da ist eine Türöffnung. Sie führt zum Nebenraum. Ein langgestreckter Raum, ich messe ihn mit meinen Schritten. Zwanzig Schritte die Länge. Fünf Schritte die Breite. Die Wände weißgetüncht[27] und abgeschabt. Der Betonboden ausgetreten, voller Pfützen.[28] An der Decke, zwischen den massiven Tragbalken, vier quadratische Öffnungen, schachtartig durch den dicken Steinguß[29] verlaufend, Deckel darüber. Kalt. Hauch vor dem Mund. Weit draußen Stimmen, Schritte. Ich gehe langsam durch dieses Grab. Empfinde nichts. Sehe nur diesen Boden, diese Wände. Stelle fest: durch die Öffnungen in der Decke wurde das körnige Präparat[30] geworfen,

---

[19] **an Hand**   with the aid of
[20] **das Standesamt, ̈er**   (marriage) registry
[21] **verzeichnen**   enter, arrivals and departures (i.e. deaths)
[22] **der Knüppel, –**   cudgel
[23] **morsch**   decaying
[24] **die Angel, –n**   hinge
[25] **der Trog, ̈e**   trough
[26] **der Bahrenwagen, –**   bier car
[27] **weißgetüncht**   whitewashed
[28] **die Pfütze, –n**   puddle
[29] **der Steinguß, ̈e**   stone foundation
[30] **das körnige Präparat**   granulated mixture

das in der feuchten Luft sein Gas absonderte. Am Ende des Raumes eine eisenbeschlagene Tür mit einem Guckloch,[31] dahinter eine schmale Treppe, die ins Freie führt. Ins Freie.

Dort steht ein Galgen.[32] Ein Bretterkasten, mit nach innen herabgefallenen Luken, darüber der Pfahl mit dem Querbalken. Ein Schild teilt mit, daß hier der Kommandant des Lagers gehängt wurde. Als er auf dem Kasten stand, die Schlinge um den Hals, sah er hinter der doppelten[33] Stacheldrahtumzäunung die Hauptstraße des Lagers vor sich, mit den Pappeln zu den Seiten.

Ich steige die Böschung hinauf auf die Decke des Krematoriums. Die hölzernen, mit Teerpappe benagelten Deckel lassen sich von den Einwurfslöchern[34] heben. Darunter liegt das Verlies. Sanitäter[35] mit Gasmasken öffneten die grünen Blechbüchsen, schütteten[36] den Inhalt hinab auf die emporgestreckten Gesichter, legten schnell wieder den Deckel auf.

Weiter. Ich bin noch außerhalb des Lagers. Der Galgen steht auf den Grundmauern der Vernehmungsbaracke, in der es ein Zimmer gab mit einem Holzgestell und einem Eisenrohr darüber. An dem Eisenrohr hingen sie und wurden geschaukelt und mit dem Ochsenziemer[37] zerschlagen. Die Kasernengebäude stehen dicht aneinander, das Verwaltungsgebäude,[38] das Kommandanturgebäude, das Revier[39] der Wachleute. Hohe Fensterfronten über dem Krematoriumbunker. Überall Einsicht auf das flache Dach, auf das die Sanitäter stiegen. In unmittelbarer Nähe die Barackenfenster, durch die die Schläge und das Schreien aus der Schaukelstube[40] zu hören waren.

Alles eng, zusammengedrängt. An den Betonpfeilern vorbei, die in doppelter Reihe die Stacheldrähte tragen. Elektrische Isolatoren[41] daran. Schilder mit der Aufschrift VORSICHT HOCHSPANNUNG. Rechts Schuppen und stallähnliche[42] Bauwerke, ein paar Wachtürme, links eine Bude mit einem Kioskfenster, daran ein Brett unter dem vorspringenden Dach, zur Abstempelung von Papieren,[43] dann plötzlich das Tor, mit dem gußeisernen Textband,[44] in dem das mittlere Wort MACHT sich am

---

[31] **das Guckloch, ¨er**   peephole
[32] **der Galgen, –**   gallows
[33] **doppelt**   double
[34] **das Einwurfsloch, ¨er**   opening, chute
[35] **der Sanitäter, –**   medical corpsman
[36] **schütten**   pour
[37] **der Ochsenziemer, –**   ox-hide whip
[38] **das Verwaltungsgebäude, –**   administration building
[39] **das Revier, –e**   (police) station
[40] **die Schaukelstube, –n**   whipping room
[41] **der Isolator, –en**   insulator
[42] **stallähnlich**   stable-like
[43] **Papiere**   *here:* documents
[44] **das Textband, ¨er**   inscription

höchsten emporwölbt. Ein rot-weiß gestreifter Schlagbaum[45] ist hoch-
gestellt, ich trete ein in das Geviert,[46] das sich Stammlager[47] nennt.

Viel darüber gelesen und viel darüber gehört. Über sie, die hier frühmorgens zur Arbeit marschierten, in die Kiesgruben, zum Straßenbau,
in die Fabriken der Herren, und abends zurückkehrten, in Fünferreihen,
ihre Toten tragend, zu den Klängen eines Orchesters, das dort unter
den Bäumen spielte. Was sagt dies alles, was weiß ich davon? Jetzt weiß
ich nur, wie diese Wege aussehen, mit Pappeln bestanden,[48] schnurgerade
gezogen, mit rechtwinklig dazu verlaufenden Seitenwegen, dazwischen
die ebenmäßigen vierzig Meter langen zweistöckigen Blöcke aus rotem
Ziegel, numeriert von 1 bis 28. Eine kleine eingekerkerte[49] Stadt mit
zwangsmäßiger Ordnung, völlig verlassen. Hier und da ein Besucher im
wäßrigen Nebel, unzugehörig zu den Häusern aufblickend. Entfernt an
einer Ecke die Kinder vorbeiziehend, vom Lehrer geführt.

Hier die Küchengebäude am Hauptplatz, und davor ein holzgezim-
mertes Schilderhäuschen, mit aufgetürmtem[50] Dach und Wetterfahne,
lustig mit Steinfugen bemalt, wie aus einem Burgenbaukasten. Es ist das
Häuschen des Rapportführers,[51] von dem aus der Appell[52] überwacht
wurde. Ich wußte einmal von diesen Appellen, von diesem stundenlangen
Stehen im Regen und Schnee. Jetzt weiß ich nur von diesem leeren
lehmigen Platz, in dessen Mitte drei Balken in die Erde gerammt sind, die
eine Eisenschiene tragen. Auch davon wußte ich, wie sie hier unter der
Schiene auf Schemeln standen und wie dann die Schemel unter ihnen
weggestoßen wurden und wie die Männer mit den Totenkopfmützen sich
an ihre Beine hängten, um ihnen das Genick zu brechen. Ich hatte es
vor mir gesehen, als ich davon hörte und davon las. Jetzt sehe ich es
nicht mehr.

Vorherrschend der Eindruck, daß alles viel kleiner ist, als ich es mir
vorgestellt hatte. Von jedem Punkt aus ist die Umgrenzung zu sehen,
die hellgraue, aus Betonblöcken zusammengefügte Mauer hinter den
Stacheldrähten. An der äußeren rechten Ecke der Block Zehn und Elf,
verbunden mit Mauern, vorn in der Mitte das offene Holztor zum Hof mit
der Schwarzen Wand.

Diese Schwarze Wand, zu deren Seiten sich kurze Bohlenstücke vor-
schieben zum Kugelfang,[53] ist jetzt mit Korkplatten und Kränzen
verkleidet. Vierzig Schritte vom Tor zur Wand. Ziegelstücke in den
Sandboden gestampft. Am Saumstein des linken Gebäudes, dessen

---

[45] **der Schlagbaum,** ¨e (movable) barrier
[46] **das Geviert,** –e square, enclosure
[47] **das Stammlager,** – base camp
[48] **bestanden** *here:* bordered
[49] **eingekerkert** imprisoned (*lit.* incarcerated)
[50] **aufgetürmt** high
[51] **der Rapportführer,** – officer in charge
[52] **der Appell** –e roll call
[53] **der Kugelfang,** ¨e rifle butt

Fenster mit Brettern verschalt[54] sind, läuft die Abflußrinne, in der sich das Blut der aufgehäuften Erschossenen sammelte. Im Laufschritt, nackt, kamen sie rechts aus der Tür, die sechs Stufen hinab, je zwei, vom Bunkerkapo[55] an den Armen gehalten. Und hinter den zugenagelten Fenstern im Block gegenüber lagen die Frauen, deren Gebärmutter[56] angefüllt wurde mit einer weißen zementartigen Masse.

Hier ist der Waschraum des Block Elf. Hier legten sie, die zur Wand mußten, ihre erbärmlichen blaugestreiften Kleider ab, hier in diesem kleinen schmutzigen Raum, zur unteren Hälfte geteert, zur oberen gekalkt, voll rostiger und schwärzlicher Flecken und Spritzer, umlaufen von einem blechernen Waschtrog, durchstoßen von schwarzen Rohren, quer durchspannt von einer Duschleitung,[57] standen sie, ihre Nummern mit Tintenstift[58] auf die Rippen[59] geschrieben.

Hier der Waschraum, hier der steinerne Gang, geteilt von Eisengittern, vorn die Blockführerstube,[60] mit Schreibtisch, Feldbett und Spinden,[61] an der Wand der Wahlspruch EIN VOLK EIN REICH EIN FÜHRER, ein Gitternetz vor der Tür, ein Einblick in einen Schaukasten. Ein Panoptikum auch das Gerichtszimmer gegenüber, mit dem langen Sitzungstisch, den Protokollheften[62] auf der grauen Decke, denn hin und wieder wurden die Todesurteile auch ausgesprochen, von Männern, die heute redlich[63] leben und ihre bürgerlichen Ehren genießen.

Hier die Treppe, die hinabführt zu den Bunkern. Man hat sich die Mühe gegeben, die Wände mit einem Saum von flimmriger Marmorierung[64] zu bemalen. Der Mittelgang, und rechts und links die Seitengänge mit Zellen, etwa drei mal zweieinhalb Meter groß, mit einem Kübel in einem Holzkasten und einem winzigen Fenster. Manche auch ohne Fenster, nur mit einem Luftloch oben in der Ecke. Bis zu vierzig Mann waren sie hier, kämpften um einen Platz an der Türritze, rissen sich die Kleider ab, brachen zusammen. Es gab solche, die noch lebten nach einer Woche ohne Nahrung. Es gab solche, deren Schenkel die Spuren von Zähnen trugen, deren Finger abgebissen waren, als man sie herauszog.

Ich blicke in diese Räumlichkeiten, denen ich selbst entgangen bin, stehe still zwischen den fossilen Mauern, höre keine Stiefelschritte,[65] keine Kommandorufe, kein Stöhnen und Wimmern.

---

[54] **verschalen** board up
[55] **K.P. (Kapo)** abbreviation for **Kriminalpolizei**
[56] **die Gebärmutter, ∵** womb
[57] **die Duschleitung, –en** shower pipe; **duschen** shower
[58] **der Tintenstift, –e** indelible pencil
[59] **die Rippe, –n** rib
[60] **die Blockführerstube, –n** room of SS officer in charge of section
[61] **das** (*or* **der**) **Spind, –e** locker
[62] **das Protokollheft, –e** record book
[63] **redlich** upright, honest
[64] **die flimmrige Marmorierung** glittering marble graining
[65] **der Stiefelschritt, –e** boot step

Hier, an diesem schmalen Wohnraum, befinden sich die vier Stehzellen. Da ist die Luke an Boden, einen halben Meter hoch und breit, dahinter noch Eisenstäbe, da krochen sie hinein, und standen dort zu viert, in einem Schacht von neunzig zu neunzig Zentimetern. Oben das Luftloch, kleiner als die Fläche einer Hand. Standen dort fünf Nächte lang, zehn Nächte lang, bis zwei Wochen lang jede Nacht, nach der schweren Tagesarbeit.

An der Außenwand des Blocks sind vorgebaute Betonkästen mit einem kleinen perforierten Blechdeckel. Von hier dringt die Luft durch den langen Mauerschacht hinab in die Zellen, in denen sie standen, den Rücken, die Knie an Stein. Sie starben im Stehen, mußten morgens unten herausgekratzt werden.

Seit Stunden gehe ich jetzt im Lager umher. Ich weiß mich zu orientieren. Ich bin im Hof gestanden vor der Schwarzen Wand, ich habe die Bäume gesehen hinter der Mauer, und die Schüsse des Kleinkalibergewehres, die aus nächster Nähe in den Hinterkopf abgefeuert wurden, habe ich nicht gehört. Ich habe die Dachbalken gesehen, an denen sie an den rücklings gebundenen Händen aufgehängt wurden, einen Fußbreit[66] über dem Boden. Ich habe die Räume mit den verdeckten Fenstern gesehen, in denen den Frauen durch Röntgenstrahlen[67] die Eierstöcke[68] verbrannt wurden. Ich habe den Korridor gesehen, in dem sie alle standen, Zehntausende, und langsam vorrückten ins Arztzimmer, und hingeführt wurden einer nach dem andern, hinter den graugrünen Vorhang, wo sie auf einen Schemel gedrückt wurden und den linken Arm heben mußten und die Spritze ins Herz bekamen, und durchs Fenster sah ich den Hof draußen, auf dem die hundertneunzehn Kinder aus Zamosc warteten, und noch mit einem Ball spielten, bis sie an der Reihe waren.[69]

Ich habe die Zeichnung gesehen vom Dach des alten Küchengebäudes, auf das mit großen Buchstaben gemalt war ES GIBT EINEN WEG ZUR FREIHEIT—SEINE MEILENSTEINE HEISSEN GEHORSAM FLEISS SAUBERKEIT EHRLICHKEIT WAHRHAFTIGKEIT NÜCHTERN-HEIT[70] UND LIEBE ZUM VATERLAND. Ich habe den Berg des abgeschnittenen Haares im Schaukasten gesehen. Ich habe die Reliquien der Kinderkleider gesehen, die Schuhe, Zahnbürsten und Gebisse. Es war alles kalt und tot.

Ständig gegenwärtig ist das Klirren und Rollen der Güterzüge, das Puffen aus den Schornsteinen der Lokomotiven, das langgezogene Pfeifen. Züge rollen in Richtung Birkenau durch weite flache Landschaft. Hier wo der lehmige Weg zum Bahndamm ansteigt und ihn überquert, standen die Herren mit ausgestreckten Händen und zeigten auf die

---

[66] **der Fußbreit** a few inches (*i.e.*, a foot's width)
[67] **die Röntgenstrahlen** X rays
[68] **der Eierstock, ̈e** ovary
[69] **bis sie an der Reihe waren** till their turn came
[70] **die Nüchternheit** sobriety

offenen Felder und bestimmten die Gründung des Verbannungsortes, der jetzt wieder einsinkt in die sumpfige Erde.

Ein einzelnes Geleise zweigt ab von der Fahrtstrecke. Läuft durch das Gras, hier und da auseinandergebrochen, weit hin zu einem verblichenen langgestreckten Bau, zu einer Scheune[71] mit zerborstenem Dach, zerfallendem Turm, läuft mitten durch das gewölbte Scheunentor. So wie im andern Lager alles eng und nahe war, so ist hier alles endlos ausgebreitet, unüberblickbar.

Rechts bis zu den Waldstreifen hin die unzähligen Schornsteine der abgetragenen und verbrannten Baracken. Nur einzelne Reihen stehen noch von diesen Ställen für Hunderttausende. Links, ausgerichtet und im Dunst verschwindend, die steinernen Behausungen der gefangenen Frauen. In der Mitte, einen Kilometer lang, die Rampe. Noch im Zerfall ist das Prinzip der Ordnung und Symmetrie zu erkennen. Hinter dem Scheunentor, an der Weiche,[72] teilt sich das Gleis nach rechts und links. Gras wächst zwischen den Schwellen. Gras wächst im Schotter[73] der Rampe, die sich kaum über die Schienen erhebt. Es war hoch zu den aufgerissenen Türen der Güterwagen. Anderthalb Meter mußten sie herabspringen auf das scharfkantige Geröll, ihr Gepäck und ihre Toten hinabwerfen. Nach rechts kamen die Männer, die noch eine Weile leben durften, nach links die Frauen, die zur Arbeit fähig befunden wurden, geradeaus den Weg zogen die Alten, Kranken und Kinder, den beiden rauchenden Schloten[74] entgegen.

Die Sonne, nah[75] über dem Horizont, bricht aus dem Gewölk und spiegelt sich in den Fenstern der Wachtürme. Rechts und links am Ende der Rampe liegen Ruinenklumpen zwischen den Bäumen, die Pappeln an der rückwärtigen Umgitterung stehen reglos, weit weg in einem Gehöft schnattern[76] Gänse. Rechts, da ist das Birkenwäldchen. Ich sehe das Bild vor mir von den Frauen und Kindern die dort lagern, eine Frau trägt den Säugling an der Brust, und im Hintergrund zieht eine Gruppe zu den unterirdischen Kammern. An dem riesigen Steinhaufen, mit den verbogenen Eisenträgern[77] und herabgestürzten Betondecken, läßt sich die Architektur der Anlagen noch feststellen. Hier führt die schmale Treppe hinab in den etwa 40 Meter langen Vorraum, in dem sich Bänke befanden und numerierte Haken an den Wänden, zum Aufhängen der Schuhe und Kleidungsstücke. Hier standen sie nackt, Männer, Frauen und Kinder, und es wurde ihnen befohlen, sich ihre Nummern zu merken, so daß sie ihre Kleider wiederfänden nach dem Duschen.[56]

---

[71] **die Scheune, –n**   granary, barn
[72] **die Weiche, –n**   siding
[73] **der Schotter**   rubble
[74] **der Schlot, –e**   smokestack
[75] **nah**   *here:* low
[76] **schnattern**   cackle
[77] **der Eisenträger, –**   iron trestle

Diese langen steinernen Gruben, durch die Millionen von Menschen geschleust[78] wurden, in die rechtwinklig abzweigenden Räume mit den durchlöcherten Blechsäulen, und dann hinaufbefördert[79] wurden zu den Feueröfen, um als brauner süßlich stinkender Rauch über die Landschaft zu treiben. Diese Steingruben, zu denen Stufen hinabführen, die abgenutzt sind von Millionen Füßen, leer jetzt, sich zurückverwandelnd zu Sand und Erde, friedlich liegend unter der sinkenden Sonne.

Hier sind sie gegangen, im langsamen Zug, kommend aus allen Teilen Europas, dies ist der Horizont, den sie noch sahen, dies sind die Pappeln, dies die Wachtürme, mit den Sonnenreflexen in Fensterglas, dies ist die Tür, durch die sie gingen, in die Räume, die in grelles Licht getaucht waren und in denen es keine Duschen gab sondern nur diese viereckigen Säulen aus Blech, dies sind die Grundmauern zwischen denen sie verendeten in der plötzlichen Dunkelheit, im Gas, das aus den Löchern strömte. Und diese Worte, diese Erkenntnisse sagen nichts, erklären nichts. Nur Steinhaufen bleiben, vom Gras überwuchert.[80] Asche bleibt in der Erde, von denen, die für nichts gestorben sind, die herausgerissen wurden aus ihren Wohnungen, ihren Läden, ihren Werkstätten, weg von ihren Kindern, ihren Frauen, Männern, Geliebten, weg von allem Alltäglichen, und hineingeworfen wurden in das Unverständliche. Nichts ist übriggeblieben als die totale Sinnlosigkeit ihres Todes.

Stimmen. Ein Omnibus ist vorgefahren und Kinder steigen aus. Die Schulklasse besichtigt[81] jetzt die Ruinen. Eine Weile hören die Kinder dem Lehrer zu, dann klettern sie auf den Steinen umher, einige springen schon herab, lachen und jagen einander, ein Mädchen läuft eine lange ausgehöhlte Spur entlang, die sich neben Schienenresten über ein Betonbruchstück erstreckt. Dies war die Schleifbahn,[82] auf der die toten Leiber zu den Loren[83] rutschten. Zurückblickend auf meinem Weg zum Frauenlager sehe ich die Kinder noch zwischen den Bäumen und höre, wie der Lehrer in die Hände klatscht, um sie zu sammeln.

Im Augenblick, in dem die Sonne versinkt, steigen die Bodennebel auf und schwelen[84] um die niedrigen Baracken. Die Türen stehen offen. Irgendwo trete ich ein. Und dies ist jetzt so: hier ist das Atmen, das Flüstern und Rascheln noch nicht ganz von der Stille verdeckt, diese Pritschen,[85] in drei Stockwerken übereinander, an den Seitenwänden entlang und entlang des Mittelteils, sind noch nicht ganz verlassen, hier im Stroh, in den schweren Schatten, sind die tausend Körper noch zu

---

[78] **schleusen** haul
[79] **hinaufbefördert** dispatched upstairs
[80] **überwuchert** overgrown
[81] **besichtigen** inspect, view
[82] **die Schleifbahn, –en** slipway
[83] **die Lore, –n** truck
[84] **schwelen** writhe
[85] **die Pritsche, –n** cot

ahnen, ganz unten, in Bodenhöhe, auf dem kalten Beton, oben, unter dem schräg aufsteigenden Dach, auf den Brettern, in den Fächern, zwischen den gemauerten Tragwänden, dicht aneinander, sechs in jedem Loch, hier ist die Außenwelt noch nicht ganz eingedrungen, hier ist noch zu erwarten, daß es sich regt da drinnen, daß ein Kopf sich hebt, eine Hand sich vorstreckt.

Doch nach einer Weile tritt auch hier das Schweigen und die Erstarrung ein. Ein Lebender ist gekommen, und vor diesem Lebenden verschließt sich, was hier geschah. Der Lebende, der hier herkommt, aus einer andern Welt, besitzt nichts als seine Kenntnisse von Ziffern,[86] von niedergeschriebenen Berichten, von Zeugenaussagen, sie sind Teil seines Lebens, er trägt daran,[87] doch fassen kann er nur, was ihm selbst widerfährt.[88] Nur wenn er selbst von seinem Tisch gestoßen und gefesselt wird, wenn er getreten und gepeitscht wird, weiß er, was dies ist. Nur wenn es neben ihm geschieht, daß man sie zusammentreibt, niederschlägt, in Fuhren[89] lädt, weiß er, wie dies ist. Jetzt steht er nur in einer untergegangenen Welt. Hier kann er nichts mehr tun. Eine Weile herrscht die äußerste Stille.

Dann weiß er, es ist noch nicht zuende.

FRAGEN UND THEMEN

1. Warum wählt Peter Weiss Auschwitz zu ,,seiner'' Ortschaft?

2. Was sucht er in dieser Landschaft und was findet er?

3. Was ist Ihre eigene Einstellung zu dem Begriff ,,Auschwitz''?

---

[86] **die Ziffer, –n**   figure, number
[87] **er trägt daran**   he is weighed down by them
[88] **widerfahren, u, a (ist)**   happen (to)
[89] **die Fuhre, –n**   cart (load)

17 UWE JOHNSON

Osterwasser

„Osterwasser" is thematically linked to
Uwe Johnson's novel Mutmaßungen über
Jakob (Speculations about Jacob) *but*
was not included in the novel.

Im Frühjahr nach dem Krieg sah Creßpahls Tochter in dem mannshohen Spiegel neben der Küchentür eine dürre langbeinige Gestalt vorbeistaken. Da fiel ihr das Osterwasser ein.

Sie ging in den Spiegel hinein, bis sie den Rahmen[1] mit beiden Händen halten konnte, und näherte ihren besorgten Blick dem Sattel[2] Sommersprossen, der auf ihrer Nase den Winter überstanden hatte. Sie suchte mit dem einen Auge im andern zu lesen, ob man mit dreizehn Jahren zu erwachsen war für Osterwasser. Ihr Kopf rutschte schräg, bis sie mit langer Zungenspitze deren Bild hinter dem Glas anstoßen konnte so behutsam wie die Katze, die ihr eben durch den Sinn schlich.

Mitten im Sprung durchs Fenster kam ihr Zweifel. Osterwasser mußte man holen am ersten Feiertag vor Sonnenaufgang, aus einer Quelle, und sprechen durfte man kein Sterbenswort,[3] sonst verlor es die Wirkung. Die Wirkung versprach Schönheit für die Haut, die damit gewaschen war.

Eine Quelle bei Jerichow wußte sie aber nicht. Die schwächlichen Grabenflüsse kamen alle tief aus Mecklenburg. Sie zog ein Bein hoch und überlegte mit den Zehen, ob auch gehendes Wasser zu Ostern kräftig wurde. Zu ihrer Freundin Inge mochte sie deswegen nicht gehen, nachdem sie neulich von Inges Großmutter ein Marmeladenbrot angenommen hatte und beide ihr beim Essen so aufmerksam zusahen.[4] Wenn Gesine still saß wie jetzt auf dem Fensterbrett, und die Gedanken blieben stehen und hielten die baumelnden[5] Beine an, fühlte sie sich leer in der Mitte. Sie schluckte eben, als sie Schritte hinterm Haus kommen hörte. Sie sprang hinaus. Ihr Vater hielt mehr[6] von Türen.

---

[1] **der Rahmen, –** frame
[2] **der Sattel, ˙·** saddle
[3] **kein Sterbenswort** not a single word
[4] **d.h., sie hatten auch Hunger.**
[5] **baumelnd** dangling
[6] **hielt mehr von** was more in favor of

Aber wer heutzutage in Creßpahls Haus durch die Türen ging, konnte
nicht in Ruhe überlegen, ob vielleicht die Ostsee auch eine Quelle war.
Vor den Türen mußte heutzutage angeklopft werden, weil hinter ihnen
die Flüchtlinge kochten, wuschen, halbnackt waren, schliefen, und noch
beim Durchqueren der Küche mußte die Tochter des Hauses ein Wort
abgeben, damit die Vertriebenen sich nicht angefeindet fühlten. Sie
mochte auch nicht angeredet werden oder fremde Hände auf dem Kopf,[7]
außer von Jakobs Mutter, die das Mädchen aber nicht anrührte. Die
Tochter des Hauses lief aufwärts durch den toten Garten hinter den
Trockenschuppen der Ziegelei und kletterte nach oben auf die Stufen
der halb abgetragenen Mauer. Über den Spitzen des Holunders sah sie
den blassen Jungwuchs der Wiesen mit Altgras verfilzt. Hinter den
Koppelzäunen[8] wischte die Luft das kahle Bruch[9] in eins.[10] Fingerschmal
standen im Westen die Schloßwälder, durch die[11] Gräben gingen mit dem
Wasser von den Seen.

Am Sonnabend vor dem Fest[12] war Jakob von den Bauern zurückgekommen und packte in der Küche aus der schwarzledernen Kastentasche
langsam auf den Kacheltisch. Sie kam mit dem Holzkorb herein, warf
ihn an den Herd[13] und wartete gebückt halb umgewandten Kopfes, weil
er sechs Jahre älter war und erwachsen. Er sagte na und du. Sie packte[14]
ihre Beine auf den Schemel und schaukelte in den Knien, stützte sich zum
Tisch hinüber. Er hatte ein abgezogenes, ausgenommenes[15] Kaninchen
mitgebracht, einen Klumpen Butter, einen ungleichmäßigen Kristall
roten Viehzuckers,[16] Eier. Ein Ei rollte abseits zu ihrer Tischecke, fing
sich in ihrer rasch aufgestellten Hand, die es zurückschickte. Jakob
drehte es mit dem Finger wieder in Bewegung zu ihr und sagte: Mit Zucker,
kennst du das? Gesine setzte das Ei auf die Spitze, ließ es stehen,
polkte[17] mit fünf Fingern am oberen Schalenende und fragte Jakob, wie
sie zu Hause Osterwasser geholt hätten.

Jakob saß krumm da. Er war zwei Stunden zu Fuß gegangen. Er
hatte Staub im Gesicht. Er war so alt, daß er für seine Mutter das Essen
verdienen konnte und für ein fremdes Mädchen noch ein Ei. Mit Zucker
hatte sie noch nie eins gegessen. Sie schloß die Augen, legte den Kopf
zurück und ließ sich das Ei in den Hals laufen, während Jakob erzählte,

---

[7] *d.h.,* **auf dem Kopf fühlen**
[8] **der Koppelzaun,** ⸚e paddock fence; **das Koppelschleet,** ⸚e fence board; **der Koppelpfahl,** ⸚e fence post
[9] **das Bruch,** ⸚e marsh, bog
[10] **in eins** into an entity *or* line.
[11] *d.h.,* **durch welche**
[12] *d.h.,* **dem Osterfest**
[13] **der Herd, –e** hearth, stove
[14] **packte** *here:* put
[15] **(ein Tier) aus-nehmen** clean, draw (an animal)
[16] **Viehzucker** "cattle sugar"—a salt crystal with added flavoring
[17] **polken** scrape around

daß das Osterwasser in Pommern[18] aus einer Quelle oder fließendem Wasser geholt worden war. Man mußte es trinken oder sich damit gewaschen haben, bevor der Osten heller war. Man durfte kein Wort sprechen, und es hatte für Gesundheit und Schönheit gegolten. — Soll ich dich wecken? fragte er.

Sie hatte im vorigen Jahr verschlafen, schwenkte[19] aber leicht den Kopf, der an dem schmutzfleckigen Ei sog, und sah aus spaltoffenen[20] Augen zu ihm hin. Er hatte den Blick gar nicht gewandt. — Sprich ja nicht:[21] sagte er. Er sah etwas neben ihren Augen. Dann kam die Lehrerin aus Westpreußen in die Küche und fragte nach Creßpahl, während sie öfter zu dem blutstreifigen Kaninchenkörper und zu den Eiern hinblickte. Gesine mochte nicht zusehen wie er der Frau nichts abgab und ging mit dem leeren Korb zurück zum Holzplatz.

In der schwarzen Nacht lag sie wach und zählte die Stundenschläge aus ihres Vaters Zimmer. Vom offenen Fenster kam es kalt. Einmal fuhr sie auf, weil die Katze am Fußende des Bettes heftig den Kopf gehoben hatte. Das einjährige Russenkind[22] der Lehrerin weinte im Schlaf, und die Wände redeten unruhig. Nach Mitternacht fing der Wind an und rüttelte die Fensterhakenaugen in den Zapfen.[23] Eine Dachpfanne klirrte kurz an der Wand des Ziegeleischuppens herunter. In Pommern war Osterwasser auch für Gesundheit. Wenn der Hunger wehtat, hörte er auf gesund zu sein. Hoffentlich machte Jakobs Mutter die Eier nicht zum Verstecken, sondern briet sie richtig in der Pfanne, die so heiß und fettig war, daß der Rand die Schalen schnitt wie ein Messer. Als sie aufwachte, war es draußen grau.

Sie tat alles auf Zehenspitzen, weil Creßpahl ihr verboten hatte, in einem Kleid aus dem Haus zu gehen.[24] Sie nahm das grünsamtene,[25] mit dem ihre Tante Papenbrock vor vierzig Jahren zum Konfirmandenunterricht[26] gegangen war. Aus den Holzpantoffeln stieg sie leise wieder aus. Vor dem Spiegel griff sie sich mit beiden Händen die Haare hoch und versuchte, am Gesicht entlang sich in den Nacken[27] zu blicken. Das ins Sandgraue verschossene[28] Kleid hing in breiten Falten zu einer Glocke an ihr herunter, der Kragen flappte lumpig, und mit dem schwer verschatteten Gesicht auf dem mageren Hals kam sie sich fremd vor wie ein

---

[18] **Pommern** Pomerania, on the Baltic Sea, formerly a province of Prussia, now mostly in Poland
[19] **schwenken** shake, turn
[20] **spaltoffen** narrow
[21] **sprich ja nicht** be sure not to talk
[22] **Russenkind** *i.e.*, child fathered by a Russian
[23] **der Zapfen, –** cone; *here:* peg
[24] *d.h.*, **wegen der Russen**
[25] **grünsamten** of green velvet
[26] **der Konfirmandenunterricht** instruction before confirmation
[27] **in den Nacken** toward her neck
[28] **verschossen** faded

Gespenst. Schnell ließ sie das Haar fallen, behielt die Hände oben und gab sich mit beiden abgespreizten Daumen das Zeichen: Nicht sprechen. Keine Angst.

Als sie unbemerkt zwischen Koppelzaun und Ziegelei auf den Feldweg gekommen war, fing sie an zu laufen mit dem bauchigen Eimer[29] in der Hand. Neben der Karrenspur hatten die Kühe sich einen Steig getrampelt, der war so breit wie ihr Fuß lang, und sie konnte laufen wie die Kühe ein Bein vor das andere schwingen und die Füße setzen. Die Pfadränder waren noch nicht abgetreten, das dickbetaute Gras wischte ihr die Beine naß bis unter die Knie.

Nicht lange, und ihr Arm wurde den Eimer müde, fiel und schlug ihr die scharfe Standkante ans Bein. Sie hielt fast augenblicklich an und sah sich um. Sie war kaum vorangekommen. Die Stadt ließ sich noch nicht in einem Blick umfassen, Creßpahls Haus stand deutlich, von der Villa dahinter kam Fensterlicht. Am Ziegeleischuppen bewegte sich etwas Langes, das lebte, kroch auf den Koppelweg[8] vor, glitt weg. Sehr langsam wandte sie den Kopf wieder nach vorn. Das fahle Licht schien immer stärker, nahm den Wiesen, den Weiden, den fernen Wäldern, dem Himmel, ihren Füßen im Gras, allem die Farbe. Osten war hinter ihr.

Die Sonne lief ihr nach, sie mußte schneller sein. Eine Zeit lang war es lustig, den Eimer im vollen Lauf von einem Arm zum andern zu schwingen. Nur über die Koppelschleete[8] kam sie langsam, und erst beim letzten hatte sie begriffen daß der Eimer zum Werfen war.[30] Da war sie schon um das Bruch herum. Es gab einen Weg hindurch, aber im Bruch hatte sich eine alte Frau mit drei Kindern ertränkt,[31] als die russischen Truppen für den nächsten Tag angesagt waren. Auch Neugeborene wurden dahin gebracht. Kurz, sie hätte da jemanden treffen können, und sie durfte doch nicht sprechen.

Nach einer Stunde war sie anderthalb Stunden von Jerichow entfernt und stand mit halbnassem Kleid, sandbespritzten Beinen vor dem Eingang zum Schloßwald. Sie ging auf Zehenspitzen hinein. Die Kiefern[32] standen so starr. Die Kronen[33] verdunkelten den stillen Raum zwischen den Stämmen. Der Fußweg lag voller Nadeln, rostgelb und grün, Zapfen,[23] dünnem Astbruch, als sei da niemand gegangen. Die Schritte donnerten in ihren Ohren. Sie nahm den Eimer unter einen Arm und hielt mit der anderen Hand den Henkel[34] fest, damit er nicht mehr klapperte.

Die Schneeschmelzen und Regen aller Jahre hatten tiefe Mulden in den

---

[29] **der Eimer, –** bucket
[30] **zum Werfen war** was meant for throwing
[31] **sich ertränken** drown oneself
[32] **die Kiefer, –n** fir (*sometimes:* pine)
[33] **die Baum-Krone, –n** tree top
[34] **der Henkel, –** handle

Weg gewühlt, er ging auf und ab, Gebüsch[35] wuchs ihn zu an den Seiten, und der Stern schien ihr wieder dunkel wie die Nacht. Der Stern war eine Kreuzung von drei Fahrwegen und zwei Fußwegen. Der Försterweg stieg so steil an, daß er auf den freien Himmel führte. Sie nahm den schrägen Steig zum Wehr, überhängende Äste schlugen zu, Büsche jagten sie. Später wußte sie nicht mehr, ob sie den Rauch eher gesehen oder eher gerochen hatte. Er war so plötzlich vor ihr, als sei sie in die Russen hineingelaufen. Hohe kantige Tarnzelte standen vor ihr, verstellt durch blattloses Unterholz. Atemlos steif setzte sie einen Fuß hinter den andern rückwärts. Die Wache saß über ihr auf dem Hochstand.[36] Es war ein Soldat allein. Er legte den Karabiner quer, damit er sich vorbeugen konnte über das Mädchen mit dem riesigen Eimer, das sich jetzt langsam in den Hüften wegdrehte, das Biwak[37] im Blick hielt, die nackten Füsse mit den Zehen zuerst aufsetzte, Astzeug umtrat, endlich völlig umgewandt starrstand, Atem holte, lief. Der Soldat fingerte den Zigarettenstummel aus der hohlen Hand, führte ihn zum Mund, sog so schwer als seufzte er. Jetzt hätte man unter ihm durchgehen können, ohne daß die verkniffenen Augen unter den verkniffenen Brauen sich gerührt hätten.

Das brachte ihr den Umweg über die Försterei ein, der bog fast ganz um die Hügelkuppe, und im Tal des Gräfinnenwalds[38] zwischen den Buchen erwischte sie einen Blaubeerensteig, der am dritten Graben aufhörte. Über die ersten beiden hatte sie springen können. Hier war noch der Abdruck des Rundholzes zu erkennen, das quergelegen hatte. Das Wasser roch faulig, stand still. Sie schleuderte den Eimer in die lichteste Stelle des Gesträuchs auf der anderen Seite, lief ein paar Schritte zurück und sprang. Ein Fuß sackte ihr sehr lange weg in den morastigen[39] Grabenrand, und als sie sich hochgerobbt[40] hatte, wäre sie am liebsten so liegen geblieben. Und sie hatte so viel Zeit verloren. Sie dachte ein Schimpfwort so herzlich, daß sie einen Augenblick lang fürchtete gesprochen zu haben.

Sie saß eben halb und hatte einen Arm zum Eimer hingestreckt, als sie den Mann sah. Seine große hängende Hand zuckte. Die schweren Soldatenhosen standen dicht bei ihren Händen, an ihrer Schulter, über dem grasfleckigen Hemd sah sie harte Bartstoppeln einzeln. Das Gesicht war sanft, unbewegt, nicht einmal ihr zugeneigt. Krumm gebogene Finger strichen Haar aus der Stirn, kreideweiche Stimme sagte etwas.

Sie schüttelte nicht einmal den Kopf, wirbelte auf den Rücken, stand,

---

[35] **das Gebüsch, –e** undergrowth
[36] **der Hochstand, ⸚e** lookout (tower)
[37] **das Biwak** bivouac, encampment
[38] **Gräfinnenwald** "Countess' Wood"; the name suggests the feudal past of the province
[39] **morastig** miry
[40] **sich hochgerobbt hatte** pulled herself up [like a seal **(Robbe)**]

ging rückwärts, die Lippen fest verschlossen. Als ihre Fersen[41] den Grabenrand spürten, war sie versucht hinter sich zu sehen. Der Mann hatte seinen Stand nicht gerührt, hielt sie mit den Augen fest, sein Mund hing verzogen.[42]

Er stand im Weg. Die Wegmündung, sechs Schritt breiter Grasflecken, ließ ihr nicht Platz für einen Anlauf[43] nach drüben. Das Erlenholz[44] stand zu dicht und würde sie abprellen, wenn sie ausbrach. Sie trat einen halben Schritt seitwärts. Der Mann trat einen halben Schritt seitwärts.

Sie warf sich mit dem Rücken gegen seine Knie, als er ansetzte, aber im Fallen griff er sie, zog sie über sich, legte sich behaglich zurecht unter ihr und fing an, ihr an den Ohren entlang zu streichen, als spürte er ihre stoßenden Knie nicht. — Mädchen: sagte er, — Mädchen, wie ein Überraschter, staunend. Sie merkte Jakob schon auf der anderen Seite aus den Büschen treten, als sie den Kopf halb aus dem breithändigen Griff zwängen und zubeißen konnte. Sie kam nicht frei. Der Sprung drückte Jakob neben ihnen in die Knie, er federte hoch, stieß den Liegenden mit steifem Fuß gegen den Hals, riß sie hoch und warf sie mit einer Hand rücklings in die Erlen.

Vorgebeugt mit hängenden Armen sagte er etwas. Sie verstand nicht. Der andere lag, blickte starr, stemmte die Ellenbogen auf, stieß im Aufsprung Jakob von den Füßen,[45] bückte sich über ihn, bekam Jakobs Knie ans Kinn, riß ihn im Fallen über sich, würgte[46] Jakobs Hals, stöhnte unter ihrem Fußtritt, hatte losgelassen. Jakob stand wieder. Der andere griff sich mühsam hoch[47] an den dünnen Stämmen, richtete sich krumm auf. Diesmal schlug Jakob zuerst, gegen Kinn, Hals, Schläfe, Augen, bis die torkelnden Bewegungen des anderen zusammenfielen. Jakob zog ihm die Hände unter dem Körper hervor, band sie zusammen mit Peitschenriemen aus der Hosentasche, riß den Eimer aus dem Gebüsch und hielt eben die Fingergabel[48] vor die Lippen, als Gesine den Mund aufmachen wollte.

Er ging voran. Nach ein paar Metern wandte er den Kopf und winkte sie vorwärts um die Wegbiegung. Sie kamen an eine tote Feuerstelle, neben der eine Aktentasche lag, ein Kochgeschirr, offene Konservendosen, Decken der Luftwaffe. Jakob ging einmal um die schwarzgraue Asche herum, nahm eine Dose in die Hand, stellte sie zurück. Er atmete schwer. Dann sah er die Maschinenpistole, griff sie am zerkerbten Schaft[49] hoch, schwenkte fragend das Gesicht. Gesine fing an zu gehen.

---

[41] **die Ferse, —n**   heel
[42] **verzogen**   distorted, awry
[43] **für einen Anlauf**   for a running start
[44] **die Erle, —n, das Erlenholz, ⸚er**   alder
[45] **von den Füßen**   off his feet
[46] **würgen**   choke
[47] **sich hoch-greifen, i, i**   pull oneself up
[48] *d.h.*, **zwei Finger**
[49] **der zerkerbte Schaft**   the notched stock

Als sie anfing zu weinen, nahm er sie an der Hand und zwang sie zum Laufen. Der gleichmäßige Trab[50] brachte ihren Atem in Ordnung, im Vorholz hat sie (glaubt sie) nicht mehr geweint. Dann kamen sie auf die Schilfwiese, sahen über Knickstufen,[51] Zäune, ausgebleichte Wiesen die graue See und grau den großen Graben darauf zukriechen. Jakob blieb stehen.

Vom Wehr aus sah sie ihn auf einem Koppelpfahl[8] hocken, mit ausgestreckten Beinen, das Gesicht gekehrt gegen das Vorholz, hinter dem Jerichow war. Die Kälte des rostigen Eisenstegs brannte ihre Sohlen. Über die Wiesen kam harter Wind herangefegt. Sie zog sich das Kleid über den Kopf und hangelte sich[52] am Steggeländer in das schwarzklare Wasser bis an die Schultern. An einem Arm hängend wischte sie sich eine Handvoll Wasser ins Gesicht, stemmte sich zitternd hoch mit den Beinen, kroch keuchend zurück ins Kleid, dem rasch dunkelgrüne Flecken durchschlugen. Als sie mit dem leeren Eimer an der Hand neben Jakob ankam, wurde das verwischte Meerende haarbreit kantig, scharf, hell. Als sie um das Vorholz herumgelaufen waren, zitterte der Bischofsmützenturm[53] schon im Tageslicht.

Sie waren vor dem Frühstück am Haus. Sie lag schon im Bett, als Creßpahl durch die Tür sagte, wach, mürrisch: Zieh dir ja[54] Hosen an, du. Er ließ sie aber schlafen, bis Inge kam.

Inge kam, mit der sie vor Zeiten einmal befreundet gewesen war, und erzählte vom Kirchgang. Sie hatte auch Osterwasser holen wollen, aus dem Bruch, aber schon vor dem Haus hatte ihr Heini Lang aufgelauert und Fratzen geschnitten,[55] bis sie gelacht hatte. Lachen bedeutet ja noch nichts, aber Reden bedeutet, und sie hatte Heini Lang ja angeschrien, den.[56]

In der Woche nach Ostern wurde in die sowjetische Kommandantur gegenüber Creßpahls Haus ein deutscher Soldat gefahren, den die Russen westlich vom Gräfinnenwald aufgegriffen hatten. In der Stadt wurde erzählt, er sei aus der Gefangenschaft gelaufen. Er war so kaputt vom Krieg, daß er sich nicht in sein Dorf traute und Wochen lang im Wald davor kampiert hatte. Der war durcheinander, den haben sie weggebracht, hat wirr geredet.[57]

Den vergaß sie. Aber lange später noch trieb das Datum von Ostern, ein geöffnetes Fenster, davor rasch ins Frühjahr laufende Luft ihr Herz[58] so schnell wie das des Mädchens, das bei Creßpahl am Tisch saß, mit einer

---

[50] **der Trab**   trot
[51] **die Knickstufe, –n**   row of hedges
[52] **hangelte sich**   moved hand over hand (along . . .)
[53] **der Bischofsmützenturm**   "Mitre Tower" (*cf.* note 38)
[54] **ja**   be sure to
[55] **Fratzen schneiden, i, i**   make faces
[56] **den**   that one
[57] **wirr reden**   talk muddled, not make sense
[58] **trieb ihr Herz**   made her heart beat

Hand im wassersträhnigen Haar den Widerschein[59] des Blicks in Jakobs Gesicht las und sich gesagt sein ließ,[60] daß Weinen gegen Osterwasser nicht bedeutet, damit du schön wirst, gut zu sehen.[61] Es hatte Spiegeleier gegeben mit Speck und Bratkartoffeln. Sie war so satt,[62] die Augen fielen ihr zu.

FRAGEN UND THEMEN

1. Was ist „Osterwasser" und unter welchen Bedingungen soll es wirksam sein?

2. Was wissen wir über Gesine?

3. Beschreiben Sie die Begegnung zwischen Jakob und Gesine am Ostersamstag.

4. Besprechen Sie Gesines Beziehung zu Jakobs Mutter.

5. Besprechen Sie Inges Rolle in der Geschichte.

6. Welchen Personen begegnet Gesine auf ihrer Suche nach Osterwasser?

7. Worauf deutet deren Anwesenheit im Wald?

8. Was bedeutet Jakob für Gesine?

9. Was bleibt in Gesines Erinnerung, und wie ist das zu verstehen?

10. Wann findet die Handlung der Geschichte statt und was erfahren wir über die Lebensbedingungen zu der Zeit?

11. „Die Gedanken hielten die baumelnden Beine an" — analysieren Sie diese und ähnliche Metaphern, die charakteristisch für Johnsons Stil sind.

12. Beschreiben Sie die Stimmung während Gesines Ostergang, und versuchen Sie, die Mittel zu definieren, mit denen Johnson sie erzielt (*achieves*).

---

[59] **der Widerschein**   reflection
[60] **sich gesagt sein ließ**   liked to be told
[61] **zu sehen**   to look at
[62] **satt**   full, satiated

Peter Weiss,
Frau Weiss,
Hans Werner Richter

(Links) Richard Hey,
(rechts) Christian Ferber

Milo Dor

Walter Jens,
Hans Werner Richter

Erich Fried

(Links) Peter Weiss,
Frau Weiss

Siegfried Lenz

Tagung in Berlin

(Im Vordergrund) Wolfgang Hildesheimer, (dahinter) Günter Eich,
Günter Grass (mit erhobener Hand), Dieter Wellershoff,
(rechts) Frau Richter

Walter Höllerer, Erich Fried

Johannes Bobrowski

Roland Wiegenstein,
Ingeborg Bachmann

Hans Magnus
Enzensberger

Günter Grass

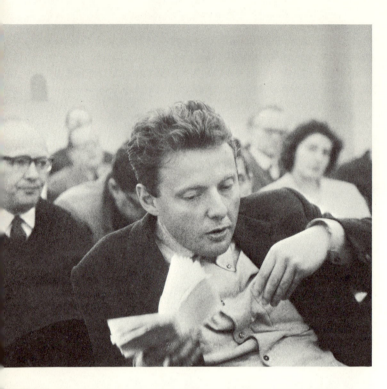

Joachim Kaiser

(Mitte)
Rudolf Hartung,
(rechts)
Klaus Wagenbach

Erich Fried, Hans Mayer

Roland Wiegenstein, Hans Mayer, Hans Werner Richter, Erich Fried

(Von links nach rechts) Fritz Raddatz, Walter Höllerer, Erich Fried,
Marcel Reich-Ranicki, Walter Mannzen, Hans Mayer, Andrzej Wirth

18 SIEGFRIED LENZ

Stimmungen der See

Zuerst war Lorenz am Treffpunkte. Er streifte den Rucksack ab und legte sich hin. Er legte sich hinter eine Strandkiefer, schob den Kopf nach vorn und blickte den zerrissenen Hang der Steilküste hinab. Der kreidige Hang mit den ausgewaschenen Rinnen war grau, die See ruhig; über dem Wasser lag ein langsam ziehender Frühnebel, und auf dem steinigen Strand unten war das Boot. Es begann, hell zu werden.

Lorenz schob sich zurück, wandte den Kopf und blickte den Pfad entlang, der neben der Steilküste hinlief, in einer Bodensenke verschwand und wieder zum Vorschein kam, dort, wo er in die lichte Schonung[1] der Strandkiefern hineinführte. Er sah aus der Schonung die massige[2] Gestalt eines Mannes mit Rucksack treten, sah den Mann stehenbleiben und zurücklauschen und wieder weitergehen, bis sein Körper in der Bodensenke verschwand und nur noch der Kopf sichtbar war. Der Mann trug einen schwarzen Schlapphut[3] und einen schwarzen Umhang. Er näherte sich sehr langsam. Als er die Bodensenke hinter sich hatte, konnte Lorenz seinen Schritt hören: es war der Professor. Sie gaben sich die Hand, Lorenz klinkte den Karabinerhaken des Rucksacks aus,[4] der Professor legte sich hin, und sie schoben sich wortlos bis zum Steilhang vor und sahen auf das Boot hinab und auf das schiefergraue Wasser, über dem in kurzer Entfernung vom Strand die Nebelwand lag.

„Ich dachte, ich komme zu spät", sagte der Professor leise, „aber Tadeusz fehlt noch."

Der Professor hatte ein schwammiges[5] Gesicht, entzündete[6] Augen, sein Haar und der drahtige Walroßbart waren grau wie der kreidige Hang der Steilküste, und sein Kinn und der schlaffe[7] Hals unrasiert.

---

[1] die Schonung, –en   copse
[2] massig   bulky
[3] der Schlapphut, ¨e   slouch hat
[4] aus-klinken   unlatch
[5] schwammig   bloated
[6] entzündet   inflamed
[7] schlaff   flabby

„Wann kommt Tadeusz?" fragte er leise.

„Er müßte schon hier sein", sagte Lorenz.

Der Professor legte sich auf die Seite, schlug den Umhang zurück und zog aus der Tasche eine zerknitterte[8] Zigarette heraus, beleckte[9] sie und zündete sie an.[10] Er verbarg die Glut der Zigarette in der hohlen Hand. Das Pochen[11] eines Fischkutter-Motors drang von der See herauf, sie blickten sich erschrocken an, doch das Geräusch des Motors setzte nicht aus, zog gleichmäßig im Nebel die Küste hinauf und entschwand.[12]

„War er das?" fragte der Professor.

„Er fährt erst los, wenn Tadeusz das Haus verläßt", sagte Lorenz. „Es war ein anderer Kutter."

Sie warteten schweigend; der Nebel über der See hob sich nicht, es kam kein Wind auf, und im Dorf hinter dem Vorsprung der Steilküste blieb es still.

„In zwei Tagen sind wir in Schweden", sagte der Professor. Lorenz nickte.

„Die Ostsee ist ein kleines Meer, sie ist verträglich im September."

„Wir sind noch nicht drüben", sagte Lorenz.

Unten am Strand schlugen klickend Steine zusammen, die Männer legten sich flach auf den Boden und lauschten, hoben nach einer Weile den Kopf und sahen den Steilhang hinunter: hinter dem Boot kauerte[13] Tadeusz. Er blickte zu ihnen empor, er winkte, und sie standen auf, nahmen die Rucksäcke und gingen zu einer ausgewaschenen Rinne im Hang, in der ein Seil hing. Sie legten die Rucksäcke um und ließen sich am Seil auf den steinigen Strand hinab. Als sie unten standen, warf Lorenz eine Bucht,[14] die Bucht lief das Seil hinauf wie eine gegen den Himmel laufende Welle,[15] bis sie das Ende erreichte und es aus der Schlaufe riß, so daß das Seil zu ihnen hinabfiel. Dann liefen sie geduckt über den Strand zum Boot, warfen die Rucksäcke und das Seil hinein und schoben das Boot ins Wasser.

„Schnell", sagte Tadeusz, „weg vom Land."

Tadeusz war ein stämmiger Mann; er trug eine Joppe mit Fischgrätenmuster, eine Ballonmütze mit versteiftem Pappschild, sein Gesicht war breitwangig, und seine Bewegungen waren ruckartig und abrupt wie die Bewegungen eines Eichhörnchens.[16] Er ergriff einen Riemen und begann zu staken. Wenn der Riemen zwischen den Steinen auf Grund stieß,

---

[8] **zerknittern** crumple (up)
[9] **belecken** lick
[10] **an-zünden** light
[11] **pochen** throb, knock
[12] **entschwinden, a, u (ist)** vanish, fade
[13] **kauern** squat
[14] **die Bucht, –en** bay; *here:* curve
[15] **die Welle, –n** wave; **der Wellenhügel, –** back of a wave; **der Wellenkamm, ˮe** wave crest
[16] **das Eichhörnchen, –** squirrel

knirschte es, und der Mann ließ seinen Blick über den Strand unter der
Steilküste wandern und hinauf zu den flach explodierenden Strandkiefern. Er stakte das Boot in tiefes Wasser. Lorenz und der Professor
saßen auf ihren Rucksäcken und hielten sich mit beiden Händen am
Dollbord[17] fest; auch sie blickten zur Küste zurück, die sich erweiterte
und ausdehnte, während Tadeusz zu rudern[18] anfing. Entschieden tauchten
die Riemen ein,[19] zogen lang durch[20] und brachen geräuschlos aus dem
Wasser. Das Boot glitt stoßweise vorwärts.

Es war ein breitbordiges Beiboot,[21] wie Küstenschiffe und Fischkutter
es an kurzer Leine hinter sich herschleppen, flach gebaut, mit verstärkten
Spanten[22] und nur eine Ducht[23] in der Mitte für den Ruderer.[18] Das
Boot lag leicht auf der See, es konnte nur mit den Riemen gesteuert
werden.

Als sie in den Nebel hinausfuhren, verloren sie das Gefühl, auf dem
Wasser zu sein; sie empfanden nur das stoßweise Vorwärtsgleiten des
Bootes und hörten das leichte Rauschen, mit dem der Bug[24] durch die
ruhige See schnitt. Tadeusz ruderte, Lorenz und der Professor setzten
sich auf die Bodenbretter und lauschten in den Nebel, der quellend an
der Bordwand[25] hochstieg, fließend über sie hinzog und sich in lautlosem
Wallen[26] hinter ihnen schloß gleich einer flüssigen Wand. Lorenz senkte
sein Gesicht, er preßte die Hand auf den Mund, sein Rücken krümmte sich,
und er begann zu husten. Sein Gesicht schwoll an, Tränen traten in seine
Augen. Der Professor klopfte mit der flachen Hand auf seinen Rücken.
Ein Riemen hob beim Ausbrechen treibenden Tang hoch, warf ihn voraus,
und der Tang[27] klatschte ins Wasser. Die Küste war nicht mehr zu sehen.

„Wie weit noch?" fragte der Professor.

Tadeusz antwortete nicht, er ruderte schärfer jetzt, legte sich weit
zurück, wenn er durchzog, ohne auf die knarrenden Geräusche zu achten,
auf das Knacken[28] der Dollen.[17] Ein saugender Luftzug, wie das scharfe
Gleiten eines riesigen Vogels, ging über sie hinweg, so daß sie die Gesichter
hoben und aufsahen, aber es war nichts über ihnen als der fließende Nebel,
der alles verdeckte.

„Wo wartet der Kutter?" fragte Lorenz, der Jüngste im Boot.

---

[17] **das Dollbord** thole board; **die Dolle, –** thole (pin on which the oar rests)
[18] **rudern** row; **der Ruderer, –** oarsman; **das Ruderblatt, ˙er** oar blade,
   die Ruderpinne, –n tiller
[19] **tauchten . . . ein** took the water
[20] **zogen lang durch** pulled long strokes
[21] **das Beiboot, –e** skiff
[22] **die Spante, –n** rib (of a boat)
[23] **die Ducht, –en** thwart (*i.e.*, seat)
[24] **der Bug** bow
[25] **die Bordwand, ˙e** side
[26] **wallen** undulate
[27] **der Tang** seaweed
[28] **knacken** creak

„Eine Meile is abgemacht", sagte Tadeusz.[29]   „Wir wern haben die Hälfte. Wenn der Kutter kommt, wern wir ihn hören, und er wird man[30] runtergehn mit der Fahrt[31] und auf uns warten. Is alles abgesprochen[32] mit meinem Schwager."

„Und der Nebel", sagte der Professor.

„Is nich abgesprochen, aber macht nix",[33] sagte Tadeusz. „Im Nebel wir könn uns Zeit lassen beim Umsteigen."

„Die Hauptsache, wir kommen nach Schweden", sagte der Professor.

„Erst müssen wir auf dem Kutter sein", sagte Lorenz. Er hatte ein schmales Gesicht, einen fast lippenlosen Mund, und sein Haar war von bläulicher Schwärze. Lorenz sah krank aus.

Ein Stoß traf das Boot, eine dumpfe Erschütterung: sie waren auf einen treibenden Balken aufgefahren, der sich unter dem Boot drehte und schwappend[34] neben der Bordwand zum Vorschein kam, an ihr entlangtrudelte[35] und achteraus[36] blieb. Vom Kutter war nichts zu hören, obwohl er jetzt ablegen mußte im Dorf. Lorenz fror; er kauerte sich im Heck[37] des Bootes zusammen und starrte vor sich hin. Der Professor rauchte, blickte über den Bug voraus in den Nebel. Das Boot hatte keine Fußleisten, und wenn Tadeusz sich beim Rudern zurücklegte, stemmte er sich gegen die Rucksäcke.

„Wir müßten doch den Kutter hören", sagte Lorenz.

„Der Kutter wird kommen", sagte Tadeusz. Er machte noch einige kräftige Schläge, zog dann die Riemen ein, und das Boot schoß jetzt lautlos dahin und glitt langsam aus. Die Männer lauschten in die Richtung, wo sie hinter dem Nebel das Dorf vermuteten, aber das Pochen des Fischkutter-Motors war nicht zu hören. Der Professor erhob sich, das Boot schwankte nach beiden Seiten und lag erst wieder ruhig, als er sich auf den Rucksack setzte und angestrengt, mit offenem Mund lauschte. Sein schwarzer Schlapphut saß tief in der Stirn, das graue Haar stand strähnig über den Kragen des Umhangs hinaus. Der Walroßbart hatte nikotingelbe Flecken.

„Is alles abgemacht mit meinem Schwager", sagte Tadeusz. „Er wird kommen mit dem Kutter und uns aufnehmen und rüberbringen nach Schweden. Die Anzahlung hat er schon bekommen. Er weiß, daß wir warten."

---

[29] **Tadeusz,** a Pole, uses partly North German dialect, partly incorrect German: **is** (ist), **wern** (werden), **nix** (nichts), **könn** (können) *etc.* His word order is often Slavic rather than German.

[30] **man** North German untranslatable interjection

[31] **er wird . . . runtergehn mit der Fahrt** he will stop the engine

[32] **abgesprochen = abgemacht**

[33] **(es) macht nichts** it doesn't matter

[34] **schwappend** splashing

[35] **(entlang-)trudeln (ist)** drift (along)

[36] **achteraus** aftward; **achter** aft

[37] **das Heck** stern

„In zwei Tagen sind wir drüben", sagte der Professor.

„Was ist mit[38] den Posten?" sagte Lorenz.

„Mit den Posten is nix", sagte Tadeusz. „Hab ich gesehn zwei Posten am Strand, waren sehr müde, gingen andere Richtung an der Küste entlang."[39]

Im Nebel entstand eine Bewegung, als ob eine unsichtbare Faust[40] hineingeschlagen hätte: wolkig quoll es empor, wälzte sich rollend zur Seite wie nach einer lautlosen Explosion. „Vielleicht frischt es auf und es kommt ein Wind", dachte Lorenz. Die Bewegung verlor sich, langsam fließend bewegte sich der Nebel wieder über der See. Das Boot drehte lautlos in der Strömung.

„In Schweden muß ich neues Rasierzeug besorgen", sagte der Professor.

„Hoffentlich bleibt der Nebel, bis der Kutter kommt", sagte Lorenz. „Jetzt ist es hell, und wenn der Nebel abzieht, können sie uns von der Küste im Fernglas sehen."

„Wenn der Nebel abzieht, is auch nicht schlimm", sagte Tadeusz. „Dann müssen wir uns lang ausstrecken im Boot und Kopf runter."

Von der See her und aus der entgegengesetzten Richtung des Dorfes ertönte jetzt das gleichmäßige, dumpfe Tuckern[41] des Fischkutters. Tadeusz ergriff die Riemen und führte sie ins Wasser. Der Professor schnippte die Zigarettenkippe fort.[42] Lorenz erfaßte die beiden Tragegurte des Rucksackes. Das Tuckern des Motors kam näher, hallte echolos über das Wasser, doch es setzte nicht aus, und der Rhythmus änderte sich nicht.

„Fertigmachen zum Umsteigen", sagte der Professor.

Lorenz ließ die Tragegurte wieder los, ging in die Hocke und drehte sich auf den Fußspitzen so weit herum, bis er in die Richtung blicken konnte, aus der das Tuckern kam. Die Ruderblätter[18] fächelten[43] leicht im Wasser wie die Brustflossen eines lauernden Fischs. Das Tuckern war nun in unmittelbarer Nähe, sie hörten das Rauschen der Bugwelle, glaubten das Klatschen des Netzes zu hören, das auf dem Deck trockengeschlagen wird, und dann sahen sie — oder glaubten, daß sie es sahen — wie ein grauer Körper sich durch den Nebel schob, der die Schwaden[44] aufriß, gefährlich vor ihnen aufwuchs und vorbeiglitt, ohne entscheidenen Umriß anzunehmen. Jetzt war das Tuckern achteraus und entfernte sich unaufhörlich; zuletzt hörten sie es schwach in gleichbleibender Entfernung, und sie wußten, daß der Kutter am Landungssteg unterhalb des Dorfes lag.

---

[38] **was ist mit**   what about

[39] **Ich habe . . . . gesehen, sie waren sehr müde, gingen in der anderen Richtung. . . .**

[40] **die Faust, ̈e** fist; **der Faustschlag, ̈e** blow of the fist

[41] **tuckern** chug

[42] **die Zigarettenkippe fort-schnippen**   toss away the butt

[43] **fächeln** *here:* feather

[44] **der Schwaden, –** vapor

„Er hat uns nicht gefunden", sagte Lorenz.

„Das war er nich", sagte Tadeusz, „das war er bestimmt nich."

Lorenz beugte sich über die Bordwand und blickte in das Wasser, in dem einzelne Seegrashalme schwammen, die Halme wanderten voraus, und er erkannte an ihnen, daß das Boot trieb. Manchmal spürte er, wie sich das Boot hob, mit weichem Zwang, so als würde es von einem kraftvollen und ruhigen Atem angehoben: es war die aufkommende Dünung.[45]

Vorsichtig begann Tadeusz zu rudern; er machte kurze Schläge, ließ das Boot nach dem Schlag ausgleiten und lauschte mit erhobenem Kopf und geschlossenen Augen.

„Wie lange würde man brauchen, um nach Schweden zu rudern?" fragte der Professor.

„Bis zum Jüngsten Tag", sagte Lorenz gereizt.

„Die Ostsee ist doch aber ein kleines Meer."

„Das kommt auf den Vergleich an."

„Jedenfalls muß ich in Schweden gleich Rasierzeug kaufen", sagte der Professor. „An alles hab ich gedacht, nur das Rasierzeug mußte ich vergessen."

„Besser wäre noch ein Friseur im Rucksack", sagte Lorenz. „Man sollte nie auf die Flucht gehen, ohne seinen Friseur mitzunehmen. Dann ist man die größte Sorge los." Der Professor musterte ihn mit einem verlegenen Blick, strich über seinen fleckigen Walroßbart und kramte eine krumme Zigarette hervor.[46] Er rauchte schweigend, während Tadeusz abwechselnd ruderte und lauschte. Lorenz löste seinen Schal,[47] band ihn über den Kopf, und so, daß er die Wangen wärmte. Er dachte: „Nie wird der Kutter kommen, nie; es war unvorsichtig, diesem Kerl die Anzahlung zu geben, er war betrunken, und vielleicht war er darum der einzige, der uns rüberbringen wollte. Wir hätten ihm das ganze Geld erst vor der schwedischen Küste geben sollen." Und er sagte: „Dein feiner Schwager, Tadeusz, hat ein ziemlich großzügiges Gedächtnis. Ich glaube, er hat uns vergessen, denn er müßte längst hier sein."

Tadeusz zuckte die Achseln.[48]

„Vorhin", sagte der Professor, „vorhin, als wir noch oben waren-, da hörten wir einen Kutter; vielleicht war er es. Kann sein, daß er in der Nähe liegt und auf uns wartet."

„Er weint sich die Augen nach uns aus", sagte Lorenz.

„Wir müssen nix wie raus[49] aus dem Nebel", sagte Tadeusz. „Wenn der Nebel aufhört, können wir sehen. Auf einem Kutter, der nich zu finden is, kann keiner nach Schweden rüber."

„Soll ich rudern?" fragte Lorenz.

---

[45] **die Dünung, dünen**   swell
[46] **hervor-kramen**   unearth, pull out
[47] **der Schal, —e**   scarf
[48] **zuckte die Achseln**   shrugged
[49] **nix wie raus = nichts als heraus**   (we must) just get out

„Is mein Schwager", sagte Tadeusz, „darum werd ich rudern. Geht noch."[50]

Er ruderte regelmäßig und mit langem Schlag, die Riemen bogen sich durch, hart brachen die Blätter aus, und das leichte Boot schoß durch das schiefergraue Wasser. Die lange Dünung wurde stärker, sie klatschte gegen den Rumpf[51] des Bootes, wenn der Bug frei in der Luft stand. Das Tuckern des Kutters war nicht mehr zu hören. Tadeusz ruderte parallel zur Küste, zumindest vermutete er die Küste auf der Backbordseite,[52] doch er konnte sie nicht sehen. Nach einer Weile zog er die Joppe mit dem Fischgrätenmuster aus, stopfte[53] sie unter die Ducht und saß nun und ruderte im Pullover, der unter den Achseln verfilzt war und sich jedesmal, wenn er den Körper nach vorn legte, auf den Rücken hoch schob. Lorenz kauerte reglos im Heck und blickte in die auseinanderlaufende Strudelspur[54] des Bootes. Seine erdbraunen Uniformhosen waren an den Aufschlägen[55] durchnäßt; er hatte einen Ellenbogen auf das Knie gestemmt und das Kinn in die Hand gestützt. Der Professor lag auf den Knien im Bug des Bootes, den Oberkörper nach vorn geschoben, vorausblickend. Er trug jetzt seinen Zwicker.[56]

„Es wird heller", sagte Tadeusz, „wir kommen raus aus der Küche,[57] war man nix wie eine Nebelbank."

„Dann ist es geschafft", sagte der Professor.

„Sicher", sagte Lorenz, „dann sind wir da und können Rasierzeug kaufen. Wir sollten uns schon überlegen, wie Pinsel auf schwedisch heißt."

Dann stieß das Boot aus der Nebelbank heraus und glitt, während Tadeusz die Riemen einzog, in die freie Dünung der See: Sie sahen auf den schleierigen Wulst[58] des Nebels zurück und dann hinaus in die vom Horizont begrenzte Leere, auf der das Glitzern[59] einer stechenden Sonne lag: der Kutter war nicht zu sehen.

„Die Ostsee ist ein kleines Meer", sagte Lorenz unbeweglich,[60] „besonders, wenn man sie vor sich hat."

„Wir sind in 'ner Strömung drin", sagte Tadeusz. Er zog den Pullover aus und stopfte ihn unter die Ducht. Lorenz band den Schal ab. Das Boot dümpelte[61] in der langen Dünung, die Strömung trug es hinaus.

„Der Kutter wird kommen und uns suchen", sagte Tadeusz. „Macht

---

[50] **Geht noch.** I can still manage.
[51] **der Rumpf, ̈e** hull
[52] **die Backbordseite, –n** port side
[53] **stopfen** stuff
[54] **die Strudelspur, –en** wake
[55] **der Aufschlag, ̈e** cuff
[56] **der Zwicker, –** pince-nez
[57] **wir kommen raus aus der Küche** we're out of the soup
[58] **der Wulst, ̈e** bulge
[59] **glitzern** glitter
[60] **unbeweglich** stonily
[61] **dümpeln** roll

nix,[33] wenn wir in 'ner Strömung drin sind. Zu nah an der Küste is nich
gut. Mein Schwager wird uns schon finden."

„Er muß uns finden", sagte der Professor. „Ich kann nicht zurück.
Jetzt hat sich alles entschieden, jetzt wissen sie schon, daß ich fort bin.
Nein, zurück geht es nicht mehr."[62]

Der Professor setzte den Zwicker ab, schloß die Augen und kniff mit
Daumen und Zeigefinger seine Nasenwurzel, an der der Zwicker zwei
gerötete Druckstellen hinterlassen hatte. Er seufzte. Eine grünliche
Glaskugel, die sich von einem Netz gelöst hatte, trieb funkelnd[63] vorbei
in der Strömung. Scharf blitzte sie auf, wenn sie einen dünenden Wasser-
hügel hinaufrollte. Am Horizont standen weißgeränderte graue Wolken;
es sah aus, als hindere ihr Gewicht sie daran, über den Himmel herauf-
zuziehen. Lorenz entdeckte als erster, daß sich weit draußen das Wasser
zu krausen[64] begann, es riffelte sich[65] wie unter einem Schauer, und
dann spürten sie den Ausläufer des Winds. Die Sonne brannte auf sie
nieder. Der Kutter stieß nicht durch den Nebel, nicht einmal sein Tuckern
war zu hören.

„Vielleicht können wir segeln", sagte der Professor. „Wenn der Kutter
nicht kommt, versuchen wir es so, und dann schaffen wir es auch."

„Sicher", sagte Lorenz, „wir können eine Briefmarke ans Ruder kleben
und damit segeln."

„Das Boot is tüchtig",[66] sagte Tadeusz, „ich hab eingepackt meine
Wolldecke, und wenn nix is mit dem Kutter, dann wir können versuchen
zu segeln. Hab ich gehört, daß einer is gesegelt sogar mit dem Faltboot
über die Ostsee."

„Der hat's zum Vergnügen gemacht", sagte Lorenz.

„Was sollen wir denn tun?" sagte der Professor.

„Segeln", sagte Lorenz, „was sonst. Und wenn wir rudern müßten,
würden wir rudern, und wenn wir zu schwimmen hätten, würden wir
schwimmen."

Tadeusz richtete einen Riemen auf, band ihn an der Ducht fest, und sie
nahmen den schwarzen Umhang des Professors und benutzten ihn als
Segel, nachdem sie festgestellt hatten, daß die Wolldecke zu groß war und
flatterte und sich aus der Befestigung losriß. Das Boot war jetzt schneller
als die Strömung, die sie hinausführte: treibender Tang, der sie begleitet
hatte, blieb zurück, das Boot zitterte unter den kleinen Stößen des Winds,
parierte[67] sie, fing sie auf, indem es leicht krängte[68] und sich schnell
wieder zurücklegte. Der Professor schnallte seinen Rucksack auf, zögerte,

---

[62] **Nein, zurück geht es nicht mehr.**   No, it's too late to turn back.
[63] **funkeln**   sparkle
[64] **sich krausen**   ruffle, crest
[65] **sich riffeln**   ripple
[66] **tüchtig**   smart
[67] **parieren**   parry
[68] **krängen**   heel over

beobachtete einen Augenblick die beiden Männner, dann packte er Brot[69] aus und zwei gekochte Eier und begann zu essen, ohne Lorenz und Tadeusz aus den Augen zu lassen. Lorenz wandte sich ab, und der Professor sagte: ,,Haben Sie etwas gesagt?``

,,Nein``, sagte Lorenz gereizt.

,,Ich dachte, Sie hätten etwas gesagt.``

,,Ich habe nichts gesagt.``

,,Es hörte sich aber an,[70] als ob Sie etwas gesagt hätten.``

,,Kein Wort.``

,,Dann muß ich mich geirrt haben``,[71] sagte der Professor kauend.[72] Der schwarze Umhang begann zu flattern, Lorenz zog ihn auseinander, so daß der Wind sich in ihm fing, und Tadeusz zwang das Boot auf den alten Kurs, indem er mit dem Riemen, der als Steuer diente, zu wriggen[73] begann. Der Professor glättete das Papier, in dem sein Brot eingewickelt war, warf die Eierschalen über Bord und schnallte seinen Rucksack wieder zu und zündete sich eine Zigarette an. Während er rauchte, sprachen sie nicht. Das Boot machte stetige Fahrt,[74] klatschend brach der Bug ein, wenn die Dünung ihn emporgetragen hatte, und die Küste duckte sich an die See und lag nun flach und grau und unbestimmbar unter dem Horizont, weit genug, und nun begann Tadeusz zu essen, und Lorenz trank aus einer emaillierten Kruke[75] mit Bierflaschenverschluß warmen Kaffee. Der Kutter war nicht zu sehen.

Als die Küste außer Sicht war, sprang der Wind um. Sie segelten jetzt vor dem Wind, die Sonne im Rücken, und das Boot war schneller als die Strömung. Eine leere Holzkiste trieb vorbei, die Bretter leuchteten in der Sonne, dümpelten[61] leuchtend vorüber. Eine breite Schaumspur[76] zog sich bis zum Horizont, sie kreuzten die Schaumspur und segelten mit der Sonne im Rücken. ,,Was zu rauchen``, fragte der Professor und hielt Lorenz eine zerknitterte Zigarette hin. Lorenz nickte und zündete sich die Zigarette an. Er lächelte, während er den Rauch scharf inhalierte, und sagte: ,,Wer von uns kann eigentlich segeln? Wer? Hast du schon mal[77] gesegelt, Tadeusz?``

,,Der Kutter wird kommen und uns suchen``, sagte Tadeusz, ,,mein Schwager wird uns helfen das letzte Stück.``

,,Wir schaffen es auch so``, sagte der Professor. ,,Wenn wir nach Norden

---

[69] **das Brot, –e**   bread
[70] **es hörte sich aber an**   but it sounded
[71] **sich irren**   be mistaken
[72] **kauen**   chew
[73] **wriggen**   scull (*i.e.*, work oar from side to side over the stern)
[74] **machte stetige Fahrt**   moved steadily
[75] **die emaillierte Kruke, –n**   enamelled stone jar
[76] **die Schaumspur, –en**   trail of foam; **die Schaumkrone, –n**   whitecap
  schäumen   foam
[77] **(ein-) mal**   *here:* ever

fahren, müssen wir ankommen, wo wir hinwollen. Das glaube ich. Wenn
nur das Wetter nicht umschlägt."

„Was glaubst du, Tadeusz?" fragte Lorenz.

„Glaub ich auch", sagte Tadeusz nickend, „nu glaub ich dasselbe wie
Professor."

„Dann muß ich es wohl auch glauben", sagte Lorenz, „jedenfalls
fühle ich mich schon besser als im Nebel vor der Küste. Wie lange
könnte es dauern — äußerstenfalls? Was meinst du, Tadeusz, wie lange
wir brauchen werden?"

„Kann sein drei Tage, kann sein fünf Tage."

„Die Ostsee ist ein kleines Meer", sagte der Professor.

„Das ist es", sagte Lorenz, „genau das. Man muß es nur oft genug
wiederholen."

Ein Flugzeug zog sehr hoch über sie hinweg, sie beobachteten es, sahen
es im Nordosten heraufkommen und größer werden und einmal schnell
aufblitzen, als die Sonne die Kanzel traf; es verschwand mit stoßweisem
Brummen in südwestlicher Richtung. Tadeusz machte eine Schlaufe
aus Sisal-Leine[78] und nagelte sie am Heck fest, die Schlaufe lag lose um
den Riemen, den Tadeusz nun mit einer Hand wie eine Ruderpinne
umfaßte und das leichte Boot auf Kurs hielt. Sie banden Schnüre um
die Ärmel[79] des schwarzen Umhangs, der als Segel diente, zogen die
Schnüre zur Seite herunter und zurrten[80] sie an den Dollen fest, so daß
der Wind den Umhang blähte[81] und sich voll fing, ohne daß sie ihn halten
mußten. Lorenz und der Professor blickten zur gleichen Zeit auf das
volle schwarze Segel über ihnen, es sah aus wie eine pralle Vogelscheuche,[82]
die ihre halb erhobenen Arme schützend oder sogar in einer Art plumper
Segnung[83] über den Insassen[84] hielt, und während sie beide hinauf-
blickten, trafen sich ihre Blicke, ruhten ineinander, als tauschten sie
die gleiche Empfindung oder das gleiche Wort aus, das sie beim Anblick
ihres Segels sagen wollten, und sie lächelten sich abermals zu.

„Ah", sagte Lorenz, „jetzt sollte ich es Ihnen sagen, Professor, das
ist ein guter Augenblick zur Beichte:[85] ich war es damals, ich allein.
Die andern haben mir dabei geholfen, aber ich fand Ihren Umhang auf
dem Haken im Korridor, und ich nahm ihn im Vorbeigehen ab und trug
ihn in die Klasse. Wissen Sie noch? Wir stellten den Kleiderständer
in den Papierkorb, stopften Ihren Umhang aus und stellten alles hinters
Katheder;[86] wir schnitzten aus einer Rübe ein Gesicht, ich stülpte einen

---

[78] **die Sisal-Leine, –n**   sisal rope
[79] **der Ärmel, –**   sleeve
[80] **fest-zurren**   lash to
[81] **blähen**   inflate
[82] **die Vogelscheuche, –n**   scarecrow
[83] **die Segnung, –en**   blessing
[84] **der Insasse, –n, –n**   occupant
[85] **die Beichte, –n**   confession
[86] **das Katheder, –**   teacher's desk

Schlapphut drauf,[87] und das ganze Ding, wie es hinter dem Katheder stand, hatte eine enorme Ähnlichkeit mit Ihnen, Professor. Und als Sie dann in die Klasse kamen, ohne Zwicker, wissen Sie noch, ja? Und das grunzende[88] Erstaunen, als Sie aufsahen und das Katheder besetzt fanden? Wissen Sie noch, was dann passierte, Professor? Sie verbeugten sich erstaunt vor Ihrem Umhang und sagten ‚Entschuldigung‘, und rückwärts, ja, rückwärts gingen Sie wieder raus und schlossen die Tür. — Es war doch dieser Umhang?"

„Ja", sagte der Professor, „es war dieser Umhang, er hat seine Geschichte."

„Rauch", sagte Tadeusz plötzlich.

Sie wandten sich zur Seite, über dem Horizont stand eine langgezogene Rauchfahne wie ein Versprechen; aus der See schien der Rauch aufzusteigen, lag an der Stelle seines Ursprungs unmittelbar auf dem Wasser, hob sich weiter in unregelmäßiger Spirale und löste sich unter den Wolken auf. Ein Schiff kam nicht in Sicht. Sie warteten darauf, und Lorenz kletterte auf die mittlere Ducht, wo er breitbeinig balancierend dastand und eine Weile die Rauchfahne beobachtete, doch auch er sah das Schiff nicht. Er setzte sich wieder auf die Bodenbretter. Solange die Rauchfahne über der See lag — sie waren nicht erstaunt, daß sie eine Stunde oder vielleicht auch anderthalb oder sogar zwei Stunden sichtbar blieb — rechneten sie mit dem Aufkommen eines Schiffes, vielmehr Tadeusz hoffte es, während Lorenz und der Professor es befürchteten.

Der Wind wurde stärker, die Luft kühl, als die Sonne von den weißgeränderten, schwer aufziehenden Wolken erreicht und verdeckt wurde; das Wasser bekam die Farbe eines düsteren Grüns, und die ersten Spritzer fegten über sie hin, wenn das Boot einbrach. Sie saßen geduckt und mit angezogenen Beinen im Boot. Lorenz und Tadeusz begannen zu essen, sie aßen Brot und jeder eine Scheibe harter Dauerwurst. Sie tranken nicht. Der Professor zündete sich an der Kippe eine neue Zigarette an, schnippte die Kippe[42] über Bord, sah, wie sie neben der Bordwand mit scharfem Aufzischen ins Wasser flog und achteraus blieb und in die kleinen Strudel[89] des Kielwassers[90] hineingeriet, wo sie unter die Oberfläche gewirbelt wurde. Er dachte: Jetzt hat Lorenz sich beruhigt, er ist sogar freundlich geworden, demnach scheint er auch zuversichtlich[91] zu sein für die ganze Angelegenheit. Ausgerechnet[92] er, der Schüler,[93] den ich zu hassen nie aufgehört habe, ist mein Führer auf der Flucht. Der argwöhnische Ausdruck seines Gesichts, schon damals sah er so aus,

---

[87] **ich stülpte . . . drauf** I crammed on
[88] **grunzend** grunting
[89] **der Strudel, –** eddy
[90] **das Kielwasser** wake
[91] **zuversichtlich** confident
[92] **ausgerechnet** of all people
[93] *d.h.,* **Hochschüler** *oder* **Student**

und an dem Abend, als wir uns unvermutet trafen — er trug die Uniform: was war es nur, was ging in uns vor, daß wir flüsternd einander anvertrauten und flüsternd Pläne entwarfen? Es war, als ob er mich mit seinen Plänen bedrohte; ich hatte sie auch, aber sie wären Pläne geblieben, verborgen und unauffindbar für jeden andern, nur er, Lorenz, erzwang sich die Kenntnis dieser Pläne, flüsternd an den dunkeln Abenden im Arbeitszimmer, und er verband sie mit seinen Plänen und bereitete alles vor, so daß ich, obwohl er nie ein entschiedenes Ja zu hören bekam, nicht mehr zurückkonnte, als er kam und sagte, daß der Termin[94] feststehe. Er sah mich erschrecken, ich haßte ihn, weil er mich zwang, etwas zu tun, was ich zwar selbst zu tun wünschte, aber allein nicht getan hätte aus verschiedenen Gründen, ja, er zwang mich, anzunehmen und zu glauben, daß der Plan zur Flucht von mir stamme und daß ich ihn dazu überredet habe, woraufhin er es auch mir überließ, zu bestimmen, wieviel Gepäck jeder mitnehmen könne und welche Motive wir für die Flucht nach der Landung in Schweden angeben sollten. Dabei ist er der Führer auf der Flucht geblieben, und jetzt verbirgt er nicht einmal, daß alles davon abhängt, was er tut und was er glaubt. Ich werde mich trennen von ihm, ja, bald nach der Landung werde ich sehen, daß wir auseinanderkommen.

„Ein Stück Wurst?" fragte Lorenz freundlich. Er legte eine Scheibe rötlicher Dauerwurst auf die Ducht, aber der Professor schüttelte den Kopf.

„Nicht jetzt", sagte er, „nicht jetzt."

Tadeusz blickte während ihrer Unterhaltung zurück, reglos, mit halboffenem Mund, und jetzt schnellte er hoch, daß das Boot schwankte, seine Hand flog empor: „Da", rief er, „da is er wieder. Er verfolgt uns."

„Wer?" fragte Lorenz.

„Jetzt is er weg", sagte Tadeusz.

„Wer, zum Teufel?"

„Muß gewesen sein ein Hai,[95] großer Hai."

„Hier gibt es keine Haie", sagte Lorenz. „Du hast geträumt."

„In der Ostsee gibt es nur Heringshaie", sagte der Professor. „Sie leben in tieferem Wasser und kommen nicht an die Oberfläche. Außerdem werden sie nicht sehr groß und sind ungefährlich, Heringshaie greifen den Menschen nicht an."

„Aber hab ich gesehn, wie er is geschwommen", sagte Tadeusz. „So groß", und er machte eine Bewegung, die über das ganze Boot hinging.

„Die Ostsee ist zu klein", sagte der Professor. „Haie, die den Menschen angreifen, leben hier nicht."

„Richte dich gefälligst danach,[96] Tadeusz", sagte Lorenz.

---

[94] **der Termin, —e** date
[95] **der Hai(fisch), —e** shark
[96] **richte dich gefälligst danach** kindly keep this in mind

Sie beobachteten gemeinsam die See hinter dem Boot, doch sie sahen nirgendwo den Körper oder den Rücken oder die Schwanzflosse[97] des Fisches; sie sahen nur die zerrissenen Schaumkronen[76] auf dem düsteren Grün der Wellen, die sie weit ausholend von hinten anliefen, das Boot hoben und nach vorn hinabdrückten, wobei der Riemen, mit dem sie steuerten, sich knarrend in der Schlaufe rieb und für einen Augenblick frei in der Luft stand. Spritzer fegten ins Boot, ihre Gesichter waren naß vom Seewasser. Lorenz spürte, wie der Kragen seines Hemdes zu kleben begann. Er band seinen Schal wieder um, und sie segelten schweigend mit achterem Wind und merkten am treibenden Tang, daß sie in einer querlaufenden Strömung[98] waren. Sie segelten und trieben den zweiten Teil des Nachmittags, und am Abend sprang der Wind um. Sie hätten es nicht gemerkt, wenn sie nicht noch einmal, für kurze Zeit, die untergehende Sonne gesehen hätten. Der Wind wurde stärker und schüttelte mit kräftigen Stößen das Boot. Sie mußten das Notsegel einholen, denn der Riemen, der als Mast diente, war bei dem Wind für das Boot zu schwer.

,,Und jetzt?" fragte der Professor.

,,Jetzt wird gerudert",[99] sagte Lorenz, ,,ich fange an."

,,Ich werde rudern", sagte Tadeusz. ,,Is mein Schwager, wo[100] uns hat sitzenlassen, darum werde ich rudern. Nachher können wir uns ablösen."

,,Streng dich nicht sehr an, Tadeusz. Wer weiß, wozu wir unsere Kraft noch brauchen werden. Es genügt, wenn wir das Boot halten und nicht allzu weit abgetrieben werden."

,,Schweden hat eine lange Küste", sagte der Professor.

,,Hoffentlich ist der Wind derselben Ansicht", sagte Lorenz.

Tadeusz ruderte bis zur Dämmerung, dann wurde die See unruhiger, und er mußte in den Wind drehen und konnte das Boot nur noch mit kurzen Schlägen auf der Stelle halten. Das Boot tauchte tief mit dem Bug ein, wenn eine Welle unter ihm hindurchgelaufen war, nahm Wasser über, schüttelte sich und glitt wie ein Schlitten[101] den Wellenhügel hinab, bis die nächste Welle es abfing und emportrug. Der Professor kramte aus seinem Rucksack eine Konservendose heraus, entleerte sie und fing an, Wasser zu schöpfen, das schwappend, in trägem[102] Rhythmus über die Bodenbretter hinwegspülte.[103] Das Wasser funkelte, wo der Bug es zerspellte.[104] Weiter entfernt leuchteten die zerrissenen Schaumkronen in der Dunkelheit.

---

[97] **die Schwanzflosse, –n** tailfin
[98] **die querlaufende Strömung** cross sea
[99] **jetzt wird gerudert** now we row
[100] **wo = welcher**
[101] **der Schlitten, –** sleigh
[102] **träg(e)** lazy
[103] **hinweg-spülen** wash over
[104] **zerspellen** cleave

Obwohl er ruderte, trug Tadeusz seine Joppe mit dem Fischgräten-muster, Lorenz hatte seinen Pullover angezogen, und der Professor hatte sich den Umhang übergelegt, während er Wasser schöpfte. Die Konser-vendose fuhr kratzend, mit blechernem Geräusch über die Bodenbretter, plumpsend fiel das Wasser zurück in die See, mit einem dunklen, gurgeln-den Laut.

,,Es regnet", sagte der Professor plötzlich. ,,Ich habe die ersten Tropfen bekommen."

,,Dann werde ich rudern", sagte Lorenz. ,,Komm, Tadeusz, laß mich vorbei."

Er erhob sich, der Wind traf sie mit einem Stoß wie ein Faustschlag,[40] und Lorenz und Tadeusz griffen nacheinander und preßten ihre Körper zusammen, um das Schwanken des Bootes aufzufangen: zitternd standen sie nebeneinander, duckten sich, schoben sich gespannt und langsam und ohne den Griff in der Kleidung des andern zu lösen, aneinander vorbei, und erst als sie beide saßen, Tadeusz im Heck und Lorenz auf der Ducht, lösten sie sich aus der Umklammerung. Lorenz legte sich in die Riemen, sein Körper hob sich so weit, daß sein Gesäß[105] nicht mehr die Ducht be-rührte: stemmend, in schräger Haltung, als sei er an keine Schwerkraft gebunden, so machte er einige wilde Schläge, um das Boot, das querzuschla-gen drohte, wieder mit dem Bug gegen die See zu bringen. Es war dunkel.

,,Eh, Professor", rief Lorenz.

,,Ja? Ja, was ist?"

,,Sie sollten versuchen, zu schlafen."

,,Jetzt?"

,,Sie müssen es versuchen. Einer von uns muß frisch bleiben, für alle Fälle."

,,Gut", sagte der Professor, ,,ich werde es versuchen."

Er zog den Umhang über seinen Kopf, streckte die Beine aus und legte die Wange gegen seinen Rucksack. Er spürte, wie sich das Schwanken des Bootes in seinem Körper fortsetzte; sanft rieb die Wange über den durchnäßten Stoff des Rucksacks. Der Professor schloß die Augen, er fror. Durch seine Vermummung hörte er den Wind über die Bordkante[106] pfeifen. Er wußte, daß er nicht schlafen würde. Tadeusz schöpfte mit der Konservendose Wasser, sobald die Bodenbretter überspült wurden; Lorenz ruderte. Er keuchte; obwohl er jetzt saß und nur noch versuchte, den Bug des Bootes im Wind zu halten, keuchte er und verzerrte beim Zurücklegen und Ausbrechen der Riemen sein Gesicht.

Plötzlich kroch Tadeusz bis zur mittleren Ducht vor, richtete sich zwischen Lorenz' gespreizten[107] Beinen halb auf und hob sein breitwan-giges Gesicht und flüsterte: ,,Laß treiben, Lorenz, hat keinen Zweck nich. Vielleicht wir kriegen Sturm diese Nacht."

---

[105] **das Gesäß** buttocks
[106] **die Bordkante, –n** gunwale
[107] **gespreizt** open

„Verschwinde", sagte Lorenz.

„Aber es wird kommen Sturm vielleicht."

„Es kommt kein Sturm."

„Und wenn?"

„Wir können nicht zurück, Tadeusz. Wir müssen versuchen, rüberzukommen. Wenn wir es alle versuchen, schaffen wir es. Wir können jetzt nicht aufgeben."

„Wir können zurück und es morgen versuchen mit Kutter."

„Ich scheiß[108] auf deinen Kutter", sagte Lorenz. „Deinen Schwager mit seinem Kutter soll die Pest holen.[109] Jetzt können wir nicht zurück."

„Und wann viel Wasser kommt ins Boot?"

„Dann wirst du schöpfen."

„Gut", sagte Tadeusz.

Er kroch wieder zurück ins Heck, kauerte sich hin, und die Konservendose fuhr kratzend über die Bodenbretter, hob sich über die Bordwand: in glimmendem Strahl[110] plumpste das Wasser zurück in die See.

Der Regen wurde schärfer, prasselte[111] auf sie herab, trommelte gegen die Bordwand, ihre Gesichter waren naß, die Nässe durchdrang ihre Kleidung; das Geräusch des Regens war stärker als das Geräusch der See. Es war nur ein Schauer, denn nach einer Weile hörten sie wieder das Schnalzen[112] der See, das Klatschen des einbrechenden Bugs im Wasser, und sie hatten wieder das Gefühl, von der Küste weit entfernt zu sein. Während der Regen auf sie niederging, hatten sowohl Tadeusz als auch Lorenz die unwillkürliche[113] Empfindung, daß hinter der Wand des Regens ein Ufer sein müßte, sie glaubten sich für einen Augenblick nicht auf freier See, sondern — eingeengt, von der Regenwand umschlossen — inmitten eines Teiches oder eines kleinen schilfgesäumten Gewässers, dessen Ufer zu erreichen sie nur einige lange Schläge kosten würde — nun, nachdem der Regen zu Ende war, kehrte das alte Gefühl zurück.

Gischt sprühte[114] über das Boot, das jetzt in einigen unregelmäßigen Seen trudelte und sich schüttelte, durchsackte und dann mit sonderbarer Ruhe einen Wellenhügel hinabglitt, als nähme es Anlauf, um den gefährlich vor ihm aufwachsenden Kamm zu erklimmen.[115] Lorenz hielt den Bug gegen die See.

„Da", schrie Tadeusz auf einmal, „da, da!" Er schrie es so laut, daß der Professor hochschrak und seinen durchnäßten Umhang vom Kopf riß, so laut und befehlend, daß Lorenz die Riemen hob und nicht mehr

---

[108] **scheißen, i, i** (*vulg.*) shit
[109] **. . . soll die Pest holen**   may the plague take
[110] **der Strahl, —en**   jet
[111] **prasseln**   beat
[112] **schnalzen**   smack
[113] **unwillkürlich**   sudden
[114] **Gischt sprühte**   spray showered
[115] **erklimmen, o, o**   climb

weiterruderte, und sie brauchten nicht einmal Tadeusz' ausgestreckter Hand zu folgen, um zu erkennen, was er meinte und worauf er sie aufmerksam machen wollte. Ja, sie sahen es so zwangsläufig und automatisch, wie man sofort zwei glühende Augen in einem dunklen Raum sieht, den man betritt, oder doch so zwangsläufig, wie man in die einzige Richtung blickt, aus der man Rettung erwartet: sobald sie den Kopf hoben, mußten sie es sehen. Und sie sahen es alle. Das Schiff kam fast auf sie zu, ein erleuchtetes Schiff, ein Passagierschiff mit zwei Reihen von erleuchten Bulleyes;[116] sogar die Positionslampen[117] im Topp[118] konnten sie erkennen. Das Schiff machte schnelle Fahrt und kam schnell näher, sie konnten nicht sagen, wie weit es von ihnen entfernt war, sie vermuteten, daß das Schiff sehr nahe sein mußte, denn hinter einigen Bulleyes waren Schatten zu sehen.

,,Wir müssen geben ein Zeichen", sagte Tadeusz und sprang ruckartig auf, so daß das Boot heftig schwankte und an der Seite Wasser übernahm. ,,Was für ein Zeichen?" fragte Lorenz ruhig. Er ruderte wieder.

,,Ein Zeichen, daß sie uns rausholen."

,,Und dann?"

,,Dann wir kriegen trockenes Bett und warmes Essen, und alles schmeckt. Hab ich Taschenlampe mitgebracht, ich kann geben Zeichen mit Taschenlampe."

Tadeusz zog aus seiner Joppentasche eine schwarze, flache Taschenlampe heraus, hielt sie mit ausgestrecktem Arm Lorenz hin und sagte: ,,Hier, damit wir uns verschaffen trockenes Bett und warmes Essen."

Lorenz nahm wortlos die Taschenlampe und ließ sie in seinem Rucksack verschwinden. Er ruderte schweigend, blickte aufmerksam zum Schiff hinüber, das jetzt querab von ihnen vorbeifuhr.

,,Was ist", fragte Tadeusz, ,,warum gibst du kein Zeichen?"

,,Sei still. Oder laß dir vom Professor erklären, warum wir kein Zeichen geben können. Der Professor ist zuständig für Erklärungen."

,,Sie würden uns schön rausholen", sagte Tadeusz.

,,Ja", sagte Lorenz, ,,sie würden uns schön rausholen. Aber weißt du, welch ein Schiff das ist? Weißt du, wohin es fährt und in welchem Hafen wir landen würden? Vielleicht würde es uns dahin zurückbringen, woher wir gekommen sind."

,,Wir können kein Zeichen geben", sagte der Professor. ,,Wir sind so weit, daß wir uns unsere Retter aussuchen müssen. Aber warum sollten wir es? Morgen flaut der Wind wieder ab,[119] und wir können segeln. Bisher ist alles gut gegangen, und es wird auch weiter alles gut gehen. Wir haben schon eine Menge geschafft."

---

[116] **das Bulleye, –e** (*English*) porthole
[117] **die Positionslampe, –n** navigation light
[118] **der Topp** topmast
[119] **ab-flauen (ist)** calm down

„Merk dir das, Tadeusz", sagte Lorenz.

Die Bulleyes des Schiffes liefen zu einer leuchtenden Linie zusammen, die kürzer wurde, je mehr sich das Schiff entfernte und schließlich selbst nur noch ein Punkt war, der lange über dem Horizont stand wie ein starres, gelbes Auge in der Dunkelheit. Der Professor zog den nassen Umhang über den Kopf, legte die Wange an seinen Rucksack und schloß die Augen. Lorenz ruderte, und Tadeusz zog von Zeit zu Zeit die Konservenbüchse über die Bodenbretter und schöpfte Wasser. Einmal öffnete sich die Wolkendecke, ein Ausschnitt des Himmels wurde sichtbar, ein einziger Stern, dann schoben sich tiefziehende Wolken davor.

Lorenz glaubte einen treibenden Gegenstand auf dem Wasser zu entdecken, doch er täuschte sich. Glimmend zogen sich Schaumspuren die Rücken der Wellen hinauf. Der Wind nahm nicht zu.

Später, als Lorenz nur noch das Gefühl hatte, daß seine Arme die Riemen wären, daß seine Handflächen ins Wasser tauchten und das Boot gegen die See hielten, erhielt er einen kleinen Stoß in den Rücken, und er sah den Professor hinter sich kauern und ihm etwas entgegenhalten.

„Was ist das?" fragte Lorenz.

„Schnaps", sagte der Professor. „Nehmen Sie einen Schluck, und dann werde ich rudern."

„Später", sagte Lorenz. „Zuerst wollen wir die Plätze tauschen. Ich bin fertig."[120]

Sie schoben sich behutsam aneinander vorbei, ohne sich aufzurichten, das Boot schwankte, aber bevor der Wind es querschlug, saß der Professor auf der Ruderducht und zog die Riemen durchs Wasser. Einen Augenblick lag das Boot wieder in der See, doch nun drückte das Wasser und der Wind den linken Riemen gegen die Bordwand, und der Professor arbeitete, um den Riemen freizubekommen; er schaffte es nicht, gegen den Druck des Wassers konnte er den verklemmten[121] Riemen nicht ausbrechen. Er ließ den rechten Riemen los, faßte den linken mit beiden Händen und zog und stöhnte, doch nun schlug das Boot quer, und eine Welle brach sich an der Bordkante und schleuderte so viel Wasser hinein, daß die Bodenbretter schwammen. Tadeusz riß den Professor von der Ruderducht — sie wären gekentert,[122] wenn Lorenz nicht die heftige Bewegung ausgeglichen hätte, indem er sich instinktiv auf eine Seite warf — ergriff die Riemen, brach sie aus ihrer Verklemmung und ruderte peitschend und mit kurzen Schlägen, bis er den Bug herumzwang.

„Danke", sagte der Professor leise, „vielen Dank."

Tadeusz hörte es nicht. Der Professor zog eine Flasche heraus, schraubte den Verschluß ab[123] und reichte die Flasche Tadeusz.

---

[120] **Ich bin fertig.** I have had it.
[121] **verklemmt** jammed
[122] **kentern (ist)** capsize
[123] **ab-schrauben** unscrew

„Das wärmt", sagte er.

Tadeusz trank, und nach ihm trank Lorenz einen Schluck. Der Professor zündete sich eine Zigarette an; dann begann er mit großer Sorgfalt und ohne Unterbrechung Wasser zu schöpfen; er schöpfte so lange, bis die Bodenbretter wieder fest auflagen und grünlich und matt glänzten. Er hatte es vermieden, Tadeusz oder Lorenz anzusehen, und als er sich aufrichtete, sagte er: „Ich bitte um Verzeihung. Ich weiß auch nicht, wie es geschah."

„Der Schnaps wärmt gut", sagte Tadeusz.

„Ich denke, Sie sollten nicht mehr rudern, Professor", sagte Lorenz. „Sie können besser schöpfen. Damit ist uns mehr geholfen."

„Ich kann auf den Schlaf verzichten. Ich werde immer schöpfen", sagte der Professor leise.

Lorenz kauerte sich im Bug zusammen und versuchte zu schlafen, und er schlief auch ein, doch nach einiger Zeit weckte ihn Tadeusz durch einen Zuruf, und Lorenz löste ihn auf der Ducht ab. Dann lösten sie sich noch einmal ab, und als Lorenz aus seiner Erschöpfung erwachte, lag im Osten über der See ein roter Schimmer, der wuchs und über den Horizont hinaufdrängte. Das Wasser war schmutziggrün, im Osten hatte es eine rötliche Färbung. Die Schaumkronen leuchteten im frühen Licht.

Sie waren alle wach, als die Sonne aufging und sich gleich darauf hinter schmutziggrauen Wolken zurückzog, so als hätte sie sich nur überzeugen wollen, daß das Boot noch trieb und die Männer noch in ihm waren. Sie aßen gemeinsam, sie teilten diesmal, was sie mitgebracht hatten: Brot, Dauerwurst, gekochte Eier und fetten Speck, der Professor schraubte seine Schnapsflasche auf, und nach dem Essen rauchten sie.

„Da ist jedenfalls Osten", sagte Lorenz und machte eine nickende Kopfbewegung gegen den Horizont, wo der rote Schimmer noch stand, aber nicht mehr frei und direkt stand, sondern abnehmend, indirekt, wie eine Erinnerung, die von den langsam ziehenden Wolken festgehalten wurde. Tadeusz versuchte, das Notsegel aufzurichten: der Wind war zu stark, immer wieder kippte der Riemen mit dem flatternden Umhang — sie mußten rudern.

„Wie schnell treibt eigentlich ein Boot?" fragte Lorenz.

„Es kommt auf die Strömung und auf den Wind an", sagte der Professor.

„Wieviel? Ungefähr."

„Eine bis zwei Meilen in der Stunde kann man rechnen. Vielleicht auch weniger."

„Also sind wir schätzungsweise zwanzig Meilen getrieben. Zumindest können wir das annehmen."

„Ungefähr", sagte der Professor. „Aber wir kennen die Strömung nicht. Manchmal ist die Strömung stärker als die See und bringt das Boot vorwärts, obwohl es so aussieht, als werde es zurückgeworfen."

„Das ist ein sehr guter Gedanke", sagte Lorenz. „Der hat uns bisher gefehlt. Unter diesen Umständen könnten wir bald in Schweden

Rasierzeug kaufen." Er blickte auf den schlaffen, unrasierten Hals des Professors, an dem ein nasser Hemdkragen klebte.

„Es war gut gemeint", sagte Lorenz.

Der Professor lächelte.

Der ganze Vormittag blieb sonnenlos, die See wurde nicht ruhiger als in der Nacht: torkelnd, den Bug im Wind, trieb das Boot, während einer der Männer, Tadeusz oder Lorenz, ruderte. Tadeusz schwieg vorwurfsvoll, er kümmerte sich nicht um die kurzen flüsternden Gespräche zwischen Lorenz und dem Professor, achtete nicht auf ihr seltsames und lautloses Lachen — Tadeusz dachte an das erleuchtete Schiff, das ihren Kurs passiert hatte. Der Professor drehte im Schutz seines Umhangs Zigaretten, verteilte sie, reichte Feuer hinter einer gebogenen Handfläche; er reichte dem jeweils Rudernden die aufgeschraubte Schnapsflasche, ermunterte sie und schöpfte Wasser, sobald es schwappend über die Bodenbretter stieg. Der Professor blickte nicht auf die See. Er war sehr ruhig.

„Das nächste Mal steigen wir um", sagte Lorenz plötzlich. „Wenn wir wieder ein Schiff treffen, geben wir Zeichen und lassen uns an Bord nehmen. Einverstanden, Tadeusz? Das ist fest abgemacht."[124]

Tadeusz nickte und sagte: „Vielleicht das Schiff fährt nach Schweden. Wer kann wissen? Dann wir kommen schneller hin als mit Kutter."

„Das meine ich auch", sagte Lorenz. „Und nun hör auf, solch ein Gesicht zu machen. Wir sind nicht besser dran als du. Ich schätze, daß wir alle dieselben Möglichkeiten haben. Als wir die Sache anfingen, da haben wir uns eine Chance ausgerechnet,[125] sonst wären wir jetzt nicht in dem Boot. Keiner von uns hat einen Vorteil."

Tadeusz legte sich in die Riemen[126] und schloß beim Zurücklegen die Augen.

Die schmutziggrauen Wolken zogen über den Horizont herauf, schoben sich auf sie zu und standen nun unmittelbar voraus: Sturmwolken, die sich ineinander wälzten und an den Rändern wallend verschoben; ihr Zentrum schien unbeweglich. Die Männer im Boot sahen die Wolken voraus, sahen sie und spürten, daß es Zeit wurde, sich gefaßt zu machen, sich vorzubereiten auf etwas, worauf sie sich in dem Boot weder vorzubereiten wußten noch vorbereiten konnten, und da sie das ahnten und tun wollten, was zu tun ihnen angesichts der Größe des Bootes nicht möglich war, stopften sie die Rucksäcke unter die mittlere Ducht, schlugen die Kragen hoch und warteten.

„Wenn ich nur wüßte, wo wir sind", sagte Lorenz.

„Es gibt eine Menge Inseln vor der Küste", sagte der Professor. „Wenn wir Glück haben, treiben wir irgendwo an. Wir werden schon an Land kommen."

---

[124] **Das ist fest abgemacht.** That's a promise.
[125] **da haben wir uns eine Chance ausgerechnet** we figured we had a chance
[126] **legte sich in die Riemen** bent to the oars

„Sicher. Die Ostsee ist ein kleines Meer."

Als der erste Vorläufer des Sturms sie erreichte, war es finster über dem Wasser, eine fahle Dunkelheit herrschte, es war nicht die entschiedene, tröstliche, ruhende Dunkelheit der Nacht, sondern die gewaltsame, drohende Dunkelheit, die der Sturm vorausschickt. Die Männer rückten stillschweigend in die Mitte des Bootes, hoben die Hände, streckten sie zu den Seiten aus und umklammerten das Dollbord. Die Seen schienen kürzer zu werden, obwohl sie an Heftigkeit zunahmen. Auf den Rücken der Wellen kräuselte sich[127] das Wasser, das jetzt dunkel war, von unbestimmbarer Farbe. Tadeusz spuckte seine Kippe ins Boot und stemmte die Absätze gegen die Kante der Bodenbretter, um den besten Widerstand zu finden. Er ruderte mit kurzen Schlägen.

Der Wind war wieder umgesprungen, doch sie konnten nicht bestimmen, aus welcher Richtung er kam und wohin sie abgetrieben wurden. Der Wind war so stark, daß er auf die Ruderblätter drückte, und wenn Tadeusz sie ausbrach[128] und zurückführte, hatte er das Gefühl, daß an der Spitze der Riemen Gewichte hingen — was ihn für eine Sekunde daran erinnerte, daß er als Junge mit dem Boot seines Vaters auf einen verwachsenen See hinausfuhr und schließlich zum Ufer staken mußte, weil die Riemen unter das Kraut gerieten, festsaßen in einer elastischen, aber unzerreißbaren Fessel, so daß er nicht mehr rudern konnte.

Zuerst merkten sie den Sturm kaum oder hätten zumindest nicht sagen können, wann genau er einsetzte — denn während der ganzen Nacht und während des ganzen Vormittags war die See nicht ruhig gewesen —: sie merkten es erst, als das leichte Boot einen Wellenberg hinauflief, einen Berg, der so steil war, daß ihre Rucksäcke plötzlich polternd über die Bodenbretter in das Heck rutschten und die Männer sich in jähem Erstaunen ansahen, da der Wellenberg vor ihnen kein Ende zu nehmen schien und sich noch weiter hinaufreckte,[129] während das Boot, das nicht an ihm klebte, sondern ihn erklomm, so emporgetragen wurde, daß Tadeusz zu rudern aufhörte, weil er glaubte, mit seinen Riemen das Wasser nicht mehr erreichen zu können. Und sie merkten den Sturm, wenn das Boot jedesmal unterhalb des Wellenkammes stillzustehen schien auf dem steilen Hang, wobei sie dachten, daß sie entweder zurückschießen oder aber, was wahrscheinlicher war, von dem sich aufrichtenden und zusammenstürzenden Kamm unter Wasser gedrückt werden müßten.

Der Professor hielt sich mit einer Hand am Dollbord fest und schöpfte mit der anderen Wasser. Lorenz hatte sich im Bug umgedreht und blickte voraus. Tadeusz hielt die Riemen, ohne sie regelmäßig zu benutzen. Es war ihr erster Sturm.

Das Boot torkelte nach beiden Seiten, von beiden Seiten klatschte

---

[127] **sich kräuseln**   ripple
[128] **(die Riemen) aus-brechen**   recover (the oars)
[129] **sich hinauf-recken**   stretch upward

Wasser herein, über den Bug fegte die Gischt, traf schneidend ihre Gesichter, und die Hände wurden klamm. Lorenz konnte Tadeusz auf der mittleren Ducht nicht ablösen, er konnte sich nicht aufrichten, ohne das leichte Boot in die Gefahr des Kenterns zu bringen. Hockend zerrte er die Rucksäcke in die Mitte des Bootes, löste die Riemen und schnallte sie an der Ducht fest. Die Riemen knarrten und strafften sich, sie verhinderten, daß die Rucksäcke ins Heck rollten. Der Professor versuchte eine Zigarette anzustecken; es gelang ihm nicht, und er warf die Zigarette, die von der hereinfegenden Gischt naß geworden war, über Bord. Er nahm einen Schluck aus der Schnapsflasche und reichte die Flasche dann Lorenz, der ebenfalls einen Schluck nahm. Tadeusz trank nicht. Er konnte die Riemen nicht mit einer Hand halten. Die schmutzige Wolke stand jetzt über ihnen. Sie bewegte sich langsam, sie schien sich nicht schneller zu bewegen als das Boot.

Und dann war es wieder Tadeusz: in dem Augenblick, als der Professor seinen wasserbesprühten, blinden Zwicker abnahm und in die Brusttasche schob, in der Sekunde, da Lorenz sich angesichts eines zusammenstürzenden Wellenkammes unwillkürlich duckte, rief Tadeusz ein Wort — wenngleich[130] es ihnen allen vorkam, daß es mehr war als ein Wort — „Küste!" rief er, und ehe sie noch etwas wahrnahmen oder sich aufrichteten oder umdrehten, fühlten sie sich durch das eine Wort bestätigt, ja, sie hatten sogar das Empfinden, daß der Sturm, nachdem das Wort gefallen war, wie auf Befehl nachließ, und dies Empfinden behauptete sich, selbst als sie sich umwandten und nichts sahen als die dünende Einöde[131] der See.

„Wo?" schrie Lorenz.

„Wo ist die Küste?" rief der Professor.

„Gleich", sagte Tadeusz.

Als die nächste Welle sie emportrug, sahen sie einen dunklen Strich am Horizont, dünn wie eine Planke oder das Blatt eines Riemens; es war die Küste.

„Da", schrie Tadeusz, „ich hab sie gesehn."

„Die Küste", murmelte der Professor und legte die Hand auf seinen Rucksack.

„Welche Küste?" fragte Lorenz.

„Wahrscheinlich eine Insel", sagte der Professor, „es sah so aus."

„Mit irgendeiner Küste ist uns nicht gedient",[132] sagte Lorenz. "Wir müssen wissen, welche Küste es ist."

„Es muß eine schwedische Insel sein", sagte der Professor.

„Und wenn es keine schwedische Insel ist?"

„Es ist eine."

---

[130] **wenngleich** although
[131] **die dünende Einöde** the heaving desolation
[132] **Mit irgendeiner Küste ist uns nicht gedient.** Just any coast is of no use to us.

„Aber wenn es eine andere ist?"

„Dann bleibt immer noch Zeit."

„Wofür?"

Der Professor antwortete nicht, schob die Finger in eine Westentasche und kramte vorsichtig und zog eine kleine Glasampulle heraus, die er behutsam zwischen Daumen und Zeigefinger hielt und den Männern zeigte.

„Was ist das?" fragte Lorenz.

„Für den Fall."

„Für welchen Fall?"

„Es ist Gift",[133] sagte der Professor.

„Gift?" fragte Tadeusz.

„Es braucht nur eine Minute", sagte der Professor, „wenn die Ampulle[134] zerbissen ist. Man muß sie in den Mund stecken und draufbeißen. Es ist noch Friedensware."

Lorenz sah auf die Ampulle, sah in das Gesicht des Professors, und in seinem Blick lag eine nachdenkliche Feindseligkeit. Jetzt glaubte er, daß er diesen Mann schon immer gehaßt hatte, weniger als Erwiderung darauf, daß er sich selbst mitunter von ihm gehaßt fühlte, als wegen der gefährlichen Jovialität und der biedermännischen Tücke,[135] die er in seinem Wesen zu spüren glaubte.

„Sie sind übel", sagte Lorenz, „ah, Sie sind übel."

„Was ist denn?" sagte der Professor erstaunt.

„Ich wußte es immer, Sie taugen nichts."[136]

„Was habe ich denn getan?"

„Getan? Sie wissen nicht einmal, was Sie getan haben? Sie haben Tadeusz verraten, den Mann, der für Sie rudert, und Sie haben mich verraten. Sie haben natürlich dafür gesorgt, daß Sie einen heimlichen Vorteil hatten. Sie dachten nicht daran, mit gleichen Chancen ins Boot zu steigen. Sie hatten für den Fall der Fälle[137] vorgesorgt. Sie brauchen nur eine Minute — und wir? Interessiert es Sie nicht, wieviel Minuten wir brauchen? Das ist der dreckigste Verrat, von dem ich gehört habe. Na, los, beißen Sie drauf, schlucken Sie Ihre Friedensware. Warum tun Sie es nicht?"

Der Professor drehte die kleine Ampulle zwischen den Fingern, betrachtete sie, und dann schob er die Hand über das Dollbord und ließ die Ampulle los, indem er die Zange[138] der Finger öffnete. Die Ampulle fiel ohne Geräusch ins Wasser.

„Ein dreckiger Verrat", sagte Lorenz leise.

Der Sturm trieb sie auf die Küste zu, die höher hinauswuchs aus der See,

---

[133] **das Gift, –e**   poison
[134] **die Ampulle, –n**   vial
[135] **biedermännische Tücke**   deceitful bonhomie
[136] **Sie taugen nichts.**   You are no good.
[137] **für den Fall der Fälle**   for the one case in a hundred
[138] **die Zange, –n**   pliers; *here:* grip

eine dunkle, steile Küste, vor der die Brandung[139] schäumte. Die
Küste war kahl, nirgendwo ein Haus, ein Baum oder Licht, und Tadeusz
sagte: ,,Bald wir finden trocknes Bett. Bald wir haben warmes Essen."
Lorenz und der Professor schwiegen; sie hielten die Küste im Auge.
Obwohl es spät am Nachmittag war, lag Dunkelheit über der See und
über dem Land. Ihre nassen Gesichter glänzten. Die Wellen warfen das
Boot auf die Brandung zu, die rumpelnd, wie ein Gewitter, gegen die
Küste lief.

,,Wenn wir sind durch Brandung, sind wir an Land", sagte Tadeusz
scharfsinnig. Niemand hörte es, oder niemand wollte es hören; den
Körper gegen die Bordwand gepreßt, die Hände auf dem Dollbord: so
saßen sie im Boot und blickten und horchten auf die Brandung. Und
jetzt sahen sie etwas, was niemand auszusprechen wagte, nicht einmal
Tadeusz sagte es, obzwar die andern damit rechneten, daß er auch dies
sagen würde, was sie selbst sich nicht einzugestehen wagten: dort, wo die
Steilküste sich vertiefte und eine Mulde bildete, standen zwei Männer und
beobachteten sie, standen, dunkle Erscheinungen gegen den Himmel,
bewegungslos da, als ob sie das Boot erwarteten.

Die erste Brandungswelle[139] erfaßte das Boot und trieb es rückwärts und
in sehr schneller Fahrt gegen die Küste; die zweite Welle schlug das Boot
quer;[140] die dritte hob es in seiner Breite an, obwohl Tadeusz so heftig
ruderte, daß die Riemen durchbogen und zu brechen schienen, warf es so
kurz und unvermutet um, daß keiner der Männer Zeit fand, zu springen.
Einen Augenblick war das Boot völlig unter Wasser verschwunden, und
als es kieloben[141] zum Vorschein kam, hatte es die Brandungswelle fünf
oder acht oder sogar zehn Meter unter Wasser gegen den Strand geworfen.
Mit dem Boot tauchten auch Lorenz und Tadeusz auf, dicht neben der
Bordwand kamen sie hervor, klammerten sich fest, während eine neue
Brandungswelle sie erfaßte und vorwärtsstieß und über ihren Köpfen
zusammenbrach. Als die Gewalt der Welle nachließ, spürten sie Grund
unter den Füßen. Das Wasser reichte ihnen bis zur Brust. Etwas Weiches,
Zähes schlang sich um Lorenz' Beine; er bückte sich, zog und brachte den
schwarzen Umhang des Professors zur Oberfläche. Er warf ihn über das
Boot und blickte zurück. Der Professor war nicht zu sehen.

,,Da hinten!" rief eine Stimme, die er zum ersten Mal hörte. Neben
ihnen, bis zur Brust im Wasser, stand ein Mann und deutete auf die
Brandung hinaus, wo ein treibender Körper auf einer Welle sichtbar wurde
und im Zusammenstürzen unter Wasser verschwand. Der Mann neben
ihnen trug die Uniform, die sie kannten, und noch bevor sie zu waten
begannen, sahen sie, daß auch der Mann, der am Ufer stand, eine

---

[139] **die Brandung**   surf; **die Brandungswelle, –n**   breaker
[140] **quer**   *here:* broadside on
[141] **kieloben**   keelside up

Maschinenpistole schräg über dem Rücken, Uniform trug. Er winkte ihnen angestrengt, und sie wateten in flaches Wasser und erkannten die Küste wieder.

FRAGEN UND THEMEN

1. Charakterisieren Sie (a) Lorenz, (b) den Professor, (c) Tadeusz.

2. Beschreiben Sie die Beziehungen zwischen Lorenz und dem Professor am Anfang der Erzählung.

3. Wodurch verändert sie sich, und welche Stadien lassen sich unterscheiden?

4. Vergleichen Sie die psychologische Entwicklung mit der thematischen, daher, den ,,Stimmungen der See".

5. Besprechen Sie Tadeusz' Rolle.

6. Warum beschuldigt Lorenz den Professor, ein Verräter zu sein, und hat er Recht?

7. Welche symbolische Bedeutung läßt sich dem Tod des Professors zuschreiben?

8. Es wird nie klar gemacht, warum Lorenz eigentlich den Professor zu dieser Bootfahrt überredet hat. War es ein Racheakt? eine Probe? Reue? Besprechen Sie die verschiedenen Möglichkeiten.

9. Besprechen Sie die Rolle der Natur — realistisch und symbolisch gesehen.

10. Die Erzählung besteht aus einzelnen strukturellen Teilen, in denen teils Handlung, teils Beschreibung, teils psychologische Entwicklung im Vordergrund stehen. Analysieren Sie den Aufbau (*structure*) von dieser Perspektive aus.

11. Versuchen Sie eine Stilanalyse. Geben Sie Beispiele für die Knappheit der Sprache, (*understatement*), Präzision, Sachlichkeit, Humor und Ironie, und die wenigen melodramatischen Momente, die sich eingeschlichen haben. Wie läßt sich Lenz' präzise technische Terminologie mit der Unerfahrenheit der ,,Seefahrer" in Einklang bringen (*reconcile*)?

Teil II   Lyrik

19 GÜNTER GRASS

Die Ballade von der schwarzen Wolke

Im Sand,
den die Maurer gelassen hatten,
brütete eine Henne.[1]

Von links,
von dort kam auch immer die Eisenbahn,
zog auf eine schwarze Wolke.

Makellos[2] war die Henne
und hatte fleißig[3] vom Kalk gegessen,
den gleichfalls die Maurer gelassen hatten.[4]

Die Wolke aber nährte sich selber,[5]
ging von sich aus[6]
und blieb dennoch geballt.[7]

Ernst und behutsam
ist das Verhältnis
zwischen der Henne und ihren Eiern.

Als die schwarze Wolke
über der makellosen Henne stand,
verhielt sie, wie Wolken verhalten.[8]

---

[1] **brütete eine Henne** a hen sat on her eggs
[2] **makellos** flawless, *i.e.*, a perfect specimen
[3] **fleißig** conscientiously
[4] Note the tongue-in-cheek emphasis on the hen's benefiting from human progress (builder's materials), and its attention to an appropriate diet.
[5] **nährte sich selber** found nourishment within itself
[6] **ging von sich aus** ambiguous: moved at will *or* moved away from itself
[7] **geballt** concentrated: In contrast to the hen, the cloud is self-sufficient, flexible and elusive — a modern divinity. (The entire poem is a spoof on astrology.)
[8] **verhalten**, *i.e.*, pause, hold back (also from wetting); *zool.* play dead, cower; note the pun **verhalten – Verhältnis** (relationship).

Doch es verhielt auch die Henne,
wie Hennen verhalten,
wenn über ihnen Wolken verhalten.

Dieses Verhältnis aber
bemerkte ich,
der ich hinter dem Schuppen der Maurer stand.[9]

Nein, fuhr kein Blitz[10]
aus der Wolke
und reichte der Henne die Hand.[11]

Kein Habicht[12] nicht,[13]
der aus der Wolke
in makellos Federn fiel.[14]

Von links nach rechts,
wie es die Eisenbahn tat,[15]
zog hin die Wolke, verkleinerte sich.

Und niemand wird jemals gewiß sein,
was jenen vier Eiern
unter der Henne, unter der Wolke,

im Sand der Maurer geschah.[16]

---

[0] The solemn tone prepares for a moment of significance.

[10] **fuhr kein Blitz**   incorrect for **es fuhr** or **kein Blitz fuhr**

[11] The observer's expectations of divine intercession are disappointed. The incongruity between image and subject matter is enhanced by the mixture of pomposity and clumsiness in the observer's speech in this and the next stanza.

[12] **der Habicht, –**   hawk

[13] **Kein . . . nicht**   The double negative is grammatically incorrect, but frequently found in slang. Grass uses it here to enhance the mock pompousness of the poem.

[14] *I.e.*, no romantic tragedy takes place either.

[15] Civilization has nature in its tow.

[16] The poem ends on a mock solemn note.

Saturn[1]

In diesem großen Haus
— von[2] den Ratten,
die um den Abfluß wissen,
bis zu den Tauben,
die nichts wissen —
wohne ich und ahne vieles.

Kam spät nach Hause,
schloß mit dem Schlüssel
die Wohnung auf
und merkte beim Schlüsselsuchen,
daß ich einen Schlüssel brauche,
um bei mir[3] einkehren zu können.

Hatte wohl Hunger,
aß noch ein Hühnchen[4]
mit meinen Händen[5]
und merkte beim Hühnchenessen,
daß ich ein kaltes und totes
Hühnchen aß.

---

[1] Saturn — ancient Roman deity of harvest, lord of time, and spirit of action. In later legend the devourer of his children — the days, months, and years — thus in astro-mythology the "death" planet. *Here*, primarily the lord of the underworld.

[2] **von**   from

[3] **bei mir**   in my own house *or* my own self. In view of the earlier images of the ignorant doves and the knowledgeable rats, it seems that man's path does not lead upward — toward Heaven — but down, at best into the self.

[4] **das Hühnchen, –**   young chicken (*i.e.*, tender, delicate: the diminutive carries emotional overtones)

[5] **Hände**   hands, *not* fingers: crude or barbarian manners are suggested.

Bückte mich dann,
zog beide Schuhe aus
und merkte beim Schuhausziehen,
daß wir uns bücken müssen,[6]
wenn wir die Schuhe
ausziehen wollen.

Waagerecht lag ich,
rauchte die Zigarette
und war im Dunkeln gewiß,
daß jemand die Hand aufhielt,
als ich meiner Zigarette
die Asche abklopfte.

Nachts kommt Saturn
und hält seine Hand auf.
Mit meiner Asche[7]
putzt seine Zähne Saturn.
In seinen Rachen[8]
werden wir steigen.[9]

---

[6] *I.e.*, we become the servants of our comforts.
[7] **Asche**   cigarette ashes *or* the author's ashes
[8] **der Rachen, –**   jaw
[9] *I.e.*, as we live by the dead, so death lives by us.

20 WOLF BIERMANN

Erster Mai
Von Kindern auf dem Dorf zu singen

Der Erste Mai ist schön
Da kann man Leute sehn
Der Konsum[1] bestellt Bockwurst[2]
Und hundert Kasten Bier
Studenten sind auch hier
Die kommen aus der Stadt
(Wo man sowas *hat*)[3]

Der Erste Mai ist neu
Da gibt es noch kein Heu
Die Kühe fressen Haferstroh[4]
Am Kuhstall ist die Losung[5] rot
mit weißer Schrift geschrieben:[6]
Im Kuhstall wird die Milch gemacht,
die Butter und der Frieden.
   Die Butter und der Friehieden.[7]

---

[1] **der Konsum, –e**   coop(erative)
[2] **die Bockwurst, ⸚e**   (veal) beer sausage
[3] **wo man sowas hat**   where such things are available
[4] **das Haferstroh**   oat straw
[5] **die Losung, –en**   slogan, password
[6] **die rote Losung weiß geschrieben**   The red slogans are "whitened" to attract the peasants, or perhaps the peasants' vernal whitewashing of all buildings has extended even to this message. *or Red message written in white letters?*
[7] **Friehieden**   a reference to the sing-song of "peace," one of the slogans of East Germany.

Brigitte

Ich ging zu dir
dein Bett war leer.
Ich wollte lesen
und dachte an nichts.
Ich wollte ins Kino
und kannte den Film.
Ich ging in die Kneipe
und war allein.
Ich hatte Hunger
und trank zwei Spezi.[1]
Ich wollte allein sein
und war zwischen Menschen.
Ich wollte atmen
und sah nicht den Ausgang.
Ich sah eine Frau
die ist öfters hier.
Ich sah einen Mann
der stierte[2] ins Bier.
Ich sah zwei Hunde
die waren so frei.[3]
Ich sah auch die Menschen
die lachten dabei.
Ich sah einen Mann
der fiel in den Schnee
er war besoffen[4]
es tat ihm nicht weh.
Ich rannte vor Kälte
über das Eis
der Straßen zu dir
die all das nicht weiß.

---

[1] **und trank zwei Spezi** (*dial.*) and had two glasses of wine
[2] **stieren** stare
[3] **die waren so frei** who took the liberty
[4] **besoffen** (*vulg.*) stewed

Jahrmarkt am Rhein

Meine Soldaten schießen am besten
sagt der General.
Im Sommerkrieg[1]
liegen sie zwischen Blumen
und treffen die Menschen.
Auf dem Weihnachtsmarkt
stehen sie zwischen Menschen
und treffen die Blumen.[2]
Die abgeschossenen Menschen
sammelt der Tod.
Die abgeschossenen Blumen
sammelt das Mädchen.[3]

Das Farnkraut[4] schießt in die Höhe.[5]
Mein Sohn schießt in die Höhe.
Es![6]
Ja, *es* steht unter Naturschutz.

Wann endlich schützt *uns* unsere Natur,
daß wir nicht erschossen werden
von unsresgleichen?

---

[1] **der Sommerkrieg** War used to be waged mainly in late summer and fall. ,,Im Winter findet der Krieg im Saale statt'' was a popular World War I saying. (Cf. Adrienne Thomas: *Die Katrin wird Soldat*, Berlin 1930, p. 198.)
[2] *i.e.*, in the shooting galleries
[3] **das Mädchen** An ironic echo of the famous poem, ,,*Der Tod und das Mädchen*,'' written by Matthias Claudius and set to music by Franz Schubert.
[4] **das Farnkraut, ˙er** fern
[5] **schießt in die Höhe** shoots upward
[6] **es** the fern, *i.e.*, a neuter subject

21 JOHANNES BOBROWSKI

Der Don[1]

Hoch, aus Feuern
die Dörfer. Über den Fels[2]
fallen die Ufer. Aber
der Strom gefangen, Eishauch
wehte er, Stille finster
folgte ihm nach.

Weiß war der Strom. Das höhere
Ufer dunkel. Die Pferde
stiegen den Hang auf. Einmal,
die Ufer drüben
flogen davon, wir sahn
hinter den Feldern, weit,
unter dem Frühmond, Mauern
gegen den Himmel.

Dort
singt der Diw,[3]
im Turm,
er schreit an die Wolke, der Vogel
ganz aus Unglück, er ruft
über die Felsenufer,
befiehlt zu hören den Ebenen.
Hügel, öffnet euch, sagt er,
tretet hervor gerüstet,[4]
Tote, legt an den Helm.[5]

---

[1] **der Don** large river in the southeast of Soviet Russia (the Ukraine) flowing to the Sea of Azov.

[2] **der Fels(en), –en, –en** cliff, rock

[3] **der Diw** the Div is a mythological bird mentioned in the famous Kievan heroic epic, "The Lay of Igor's Campaign" (1185), as a prophet of doom.

[4] **gerüstet** armed

[5] The Div recalls Igor's defeated troops from their graves. In the epic, Igor, a Russian prince, had been so anxious to "fill his helmet with Don water" that he had disregarded the Div's warnings and other omens and had vaingloriously challenged the Polovtsian hordes. His troops were defeated in a bloody battle on the plain of the Don, and he was taken captive.

Fischerhafen

Abends
ehe die Boote fort
treiben, eins um[1] das andre,
da lieb ich dich.

Bis an den Morgen
lieb ich dich mit dem Stroh in der Kammer,
mit dem Landwind über dem Dach,
mit der Hecke vor deinem Haus,
mit dem Hundegebell
ehe es hell wird.

Das Gesicht voll Fischdunst, im Tau
werd ich kommen: einer,
der seiner Hände
Wärme vertut an die Silbergestalt
Nacht. Salzigen Munds
kommt er. Jetzt[2]
springt er ins letzte Boot.

---

[1] **um** *here:* after
[2] *i.e.,* at dawn

22 WALTER HÖLLERER

Ein bleicher Tross,[1] heimwärts

Zigeunerhunde[2] waren
Ihnen zugesellt,
Anruf von Janitscharen,[3]
Ein Schuß, der tief im Dämmern fällt,[4]
Ein Mädchen, das im Schreiten
Die Last der Körbe wiegt —
Über die weiten, weiten
Felder der Kranich[5] fliegt.

Über die weiten, weiten
Wiesen ein Kranich schreit.
Pferdewiehern, reiten,
Halme im Kleid,
Mit ungarischen Bauern
Über Mais,[6] über Rohr,[7]
Und immer im Mund den sauern
Wein und den flirrenden[8] Ton im Ohr.

---

[1] **der Troß, –e** cavalcade
[2] **Zigeunerhunde** stray dogs (*lit.:* gypsy dogs)
[3] **Janitscharen** janizaries — the professional (paid) soldiers of the Ottoman army
prior to 1826.
[4] **fällt** The present tense establishes the link between past and present.
[5] **der Kranich, –e** crane
[6] **das Mais** corn
[7] **das Rohr** reed, (sugar) cane
[8] **flirrend** buzzing, humming (actually a sharper sound which incorporates
Pferdewiehern and **Kranichschrei** — perhaps a shrill reverberation)

164

Jetzt gehts nach Süden zu

Das ist der rechte Trott.
Von Eseln klipp und klapp.[1]
Die Straße, die nach Süden geht,
Der Weg bergab.

Und spar dir hüh und hott.[2]
Ein Esel ist nicht dumm.
Vom Weg sind deine Füsse frei,
So laß ihn, er ist krumm.[3]

Ein Weg ist immer krumm.[4]
Du hast auch mitgemacht.[5]
Am Tag hast du den Stein geklopft
Und in der Nacht.[6]

Doch jetzt im Eselkarrn
Da siehst du schon noch mehr:
Und daß die Wolken Wolken sind,
Das blaue Meer ein Meer.

Und gar nicht ein Symptom
Und nicht ein Stück, ein Biß,
Und nicht ein Katalyt[7] und nicht
Ein Schattenriß.

---

[1] **klipp und klapp**   clippety-clop
[2] **Und spar dir hüh und hott.**   And do not waste your "gee" and "whoa."
[3] **krumm**   curved and/or crooked
[4] **krumm**   *here*, obviously symbolic, since a road is not always crooked. *I.e.*, life's path is never straight and easy.
[5] **mitgemacht**   participated, gone along
[6] ambiguous: slave labor would be implied but for the preceding **mitmachen**, which suggests voluntary participation.
[7] **der Katalyt, –en**   catalytic agent

Jetzt gehts nach Süden zu.
Von Eseln klipp und klapp.
Und endlich fällt von deinem Schuh
Der Nordbär ab.[8]

---

[8] *i.e.*, an allusion to the northerner's attitude (as well as **der Brummbär** grouch **der große Bär** ursa major)

23 GÜNTER EICH

Kurz vor dem Regen

Gleich wird es regnen, nimm die Wäsche herein!
Auf der Leine die Klammern schwanken.
Ein Wolkenschatten verdunkelt den Stein.
Die Dächer sind voller Gedanken.

Sie sind gedacht[1] in Ziegel und Schiefer,
gekalkten Kaminen und beizendem Rauch.[2]
Mein Auge horcht den bestürzenden Worten, —
oh lautloser Spruch aus dem feurigen Strauch![3]

Ein Schluchzen beginnt in mir aufzusteigen.[4]
Die wandernden Schatten ändern den Stein.[5]
Ein Windstoß zerrt an den flatternden Hemden.
Gleich regnet es. Hol die Wäsche herein!

---

[1] **gedacht**   past participle of both **denken** and **dachen** (to roof)
[2] **gekaklte Kamine und beizender Rauch**   lime-coated chimneys and pungent smoke
[3] **Oh . . . Strauch!**   A reference to Exodus 3, where God reveals himself to Moses and calls upon him to lead his people out of Egypt: Nature in turmoil reveals a visual imprint of the Divine.
[4] **schluchzen**   sob: The narrator finds the Divine call both disquieting (**bestürzend**) and moving, a summons to reflection and repentance, perhaps even leadership.
[5] **Die . . . Stein.**   Perhaps a suggestion of commandments being written. At any rate, the revelation leaves an imprint, even though the trite present soon takes over once more.

Weltansichten

Man müßte Gulliver fragen:
Wie lebt man ohne Verzweiflung?
Er ist bei den Zwergen gewesen
und bei den Riesen.[1]
Er findet die Welt möglich.
Eine Frage der Statur?[2]
Oder des Unterdrucks?
Man müßte ihn fragen
ihn oder Dornröschen.[3]

---

[1] **Er ist ... Riesen** *i.e.,* he has faced the extremes.
[2] **die Statur** both actual size (which gave Gulliver an advantage) and a strong personality
[3] **Dornröschen** Sleeping Beauty

Nachts

Nachts hören,[1] was nie gehört wurde:
den hundertsten Namen Allahs,[2]
den nicht mehr aufgeschriebenen Paukenton,[3]
als Mozart starb,
im Mutterleib vernommene Gespräche.

---

[1] **nachts hören**   (a wish) to hear at night
[2] **den hundertsten Namen Allahs**   Allah is usually referred to as having a hundred names.
[3] **die Pauke, –n**   kettledrum (Mozart died before he could finish *"The Requiem"*)

Zum Beispiel

Zum Beispiel Segeltuch.

Ein Wort in ein Wort übersetzen,[1]
das Salz und Teer einschließt
und aus Leinen ist,
Geruch enthält,
Gelächter und letzten Atem,[2]
rot und weiß und orange,[3]
Zeitkontrollen[4]
und den göttlichen Dulder.[5]

Segeltuch und keins,[6]
die Frage
nach einer Enzyklopädie
und eine Interjektion
als Antwort.[7]

Zwischen Schöneberg
und Sternbedeckung
der mystische Ort
und Stein der Weisen.[8]

Aufgabe, gestellt
für die Zeit nach dem Tode.

---

[1] **übersetzen** *here:* could one but translate

[2] **letzten Atem** ambiguous: breathlessness or the last breath, *i.e.,* sailing can be a time for pleasure or mortal danger, when the sail becomes a shroud.

[3] **rot . . . orange** the colors of sails in different countries

[4] **Zeitkontrollen** time checks (at races)

[5] **der göttliche Dulder** in German literature this epithet is frequently accorded to Ulysses

[6] **Segeltuch und keins** sailcloth which is and is not sailcloth

[7] **die Frage . . . Antwort:** The need for an encyclopedia is countered by a mere interjection.

[8] **Zwischen Schöneberg . . . Weisen** (Somewhere) between Schöneberg (a section of Berlin and apparently the boat's location) and the starry sky is the mystical place and the philosopher's stone (*i.e.,* the answer). The author compares his task of "placing" the sail to the alchemist's search for a catalyst that would turn base metal into gold.

HANS MAGNUS ENZENSBERGER

lock lied[1]

meine weisheit ist eine binse[2]
schneide dich in den finger damit
um ein rotes ideogramm[3] zu pinseln
auf meine schulter
ki wit   ki wit[4]

meine schulter ist ein schnelles schiff
leg dich auf das sonnige deck
um zu einer insel zu schaukeln
aus glas aus rauch[5]
ki wit

meine stimme ist ein sanftes verlies
laß dich nicht fangen
meine binse ist ein seidener dolch[6]
hör nicht zu
ki wit   ki wit   ki wit

---

[1] **das Locklied, –er**   siren song
[2] **die Binse, –n**   rush, reed; **eine Binsenweisheit**   an obvious truth
[3] **das Ideogramm, –e**   ideogram, *i.e.*, character in ideographic writing such as Chinese.
The ambiguity of the sign is enhanced here by its source — blood — which suggests
a pact with the devil or, here, the temptress.
[4] **ki wit**   a bird call used in the Grimm fairy tale „*Das Märchen von dem
Machandelboom*"; also an echo of medieval love or mocking songs.
[5] Submission to the siren takes you to the phantom paradise of our civilization —
transparent and impregnable, and at the same time hazy and elusive.
[6] **der Dolch, –e**   dagger

memorandum

vom gewitter verworfen wie korken ruhn wir
in zwei dunklen zimmern der welt,
wie unser zerrissenes foto verbleichend
im perlmutt[1] der grachten,[2] wie tote
in ihren polierten kisten, ein jeder
des andern vergessend mit offenen augen,
mit haut und haar: schlagader,
und schläfe, und schulterblatt,
langsam, lauschend wie tote lauschen,
und immer noch, alle sechs minuten,
rauscht die hochbahn[3] am offenen fenster vorbei,
immer noch, und wie damals,
und ohne schlaf, und die zeitungsweiber
bedauern schreiend die geborstenen
dauben[4] des himmels[5]:

immer noch
lauschend
schreibt uns der regen
tränen unter die trockenen augen.[6]

---

[1] **der** _or_ **die Perlmutter** mother-of-pearl; here used as a color value
[2] **die Gracht, –en** canal
[3] **die Hochbahn, –en** elevated train
[4] **die Daube, –n** stave
[5] The thunderstorm conveys an existential insight: man is insignificant, lonely, selfish and helpless, forgotten by his mechanized and sensationalist environment.
[6] Our eyes were dry. _I.e._, nature provides us with tears, but they may be sham, only drops of water.

das ende der eulen

ich spreche von euerm[1] nicht,
ich spreche vom ende der eulen.[2]
ich spreche von butt[3] und wal[4]
in ihrem dunkeln haus,
dem siebenfältigen meer,
von den gletschern,[5]
sie werden kalben[6] zu früh,
rab[7] und taube, gefiederten zeugen,
von allem was lebt in lüften
und wäldern, und den flechten[8] im kies,
vom weglosen selbst,[9] und vom grauen moor[10]
und den leeren gebirgen:

auf radarschirmen leuchtend
zum letzten mal, ausgewertet
auf meldetischen,[11] von antennen
tödlich befingert[12] floridas sümpfe
und das sibirische eis, tier
und schilf und schiefer erwürgt
von warnketten, umzingelt

---

[1] euerm = von euerm Ende
[2] die Eule, –n   owl
[3] der Butt, –e or die Butte, –n   flounder
[4] der Wal(fish), –e   whale
[5] der Gletscher, –   glacier
[6] kalben   calve (the technical term applied to the appearance of a new glacier)
[7] der Rabe, –n   raven
[8] die Flechte, –n   lichen
[9] das weglose Selbst   the pathless self or essence
[10] das Moor, –e   bog
[11] der Meldetisch, –e   plotting board, briefing table
[12] von Antennen tödlich befingert   fatally fingered by antennas

vom letzten manöver, arglos
unter schwebenden feuerglocken[13]
im ticken des ernstfalls.[14]
wir sind schon vergessen.
sorgt euch nicht um die waisen,[15]
aus dem sinn schlagt euch[16]
die mündelsichern[17] gefühle,
den ruhm, die rostfreien psalmen.
ich spreche nicht mehr von euch,
planern der spurlosen[18] tat,
und von mir nicht, und keinem.
ich spreche von dem was nicht spricht,
von den sprachlosen zeugen,
von ottern und robben,
von den alten eulen der erde.

(not in vocab. (but ? on 173)

---

[13] **schwebende Feuerglocken**   hovering hemispheres of fire
[14] **im Ticken des Ernstfalls**   in the ticking of the catastrophe
[15] **die Waise, –n**   orphan
[16] **aus dem Sinn schlagt euch**   erase from your minds
[17] **mündelsichere Gefühle**   gilt-edged feelings (*i.e.*, the pleasures of secure wealth). The image is suggested by the association of **Waise** and **Mündel** (guardian's ward).
[18] **die spurlose Tat**   *i.e.*, the perfect crime

25 INGEBORG BACHMANN

Reklame[1]

Wohin aber gehen wir
ohne sorge sei ohne sorge[2]
wenn es dunkel und wenn es kalt wird
sei ohne sorge
aber
mit musik
was sollen wir tun
heiter und mit musik
und denken
heiter
angesichts eines Endes
mit musik
und wohin tragen wir
am besten
unsre Fragen und den Schauer aller Jahre
in die Traumwäscherei[3] *ohne sorge sei ohne sorge*
was aber geschieht
am besten
wenn Totenstille

eintritt

---

[1] **die Reklame, –n**   advertising, advertisement; *here:* a flashing neon sign advertising a laundry
[2] **sei ohne sorge**   don't worry. . . .   In an effective interplay between thought and advertisement, the cliché provides ironic answers to life's questions.
[3] by analogy to **Feinwäscherei** (quality cleaners)

Unser Acker[1] ist der Himmel,
im Schweiß der Motoren bestellt,[2]
angesichts der Nacht,
unter Einsatz[3] des Traums —

geträumt auf Schädelstätten und Scheiterhaufen,[4]
unter dem Dach der Welt, dessen Ziegel
der Wind forttrug[5] — und nun Regen, Regen, Regen
in unserem Haus und in den Mühlen
die blinden Flüge der Fledermäuse.[6]
Wer wohnte[7] dort? Wessen Hände waren rein?[8]
Wer leuchtete in der Nacht,
Gespenst den Gespenstern?[9]

Im Stahlgefieder geborgen,[10] verhören[11]
Instrumente den Raum, Kontrolluhren und Skalen[12]
das Wolkengesträuch,[13] und es streift die Liebe

---

[1] **der Acker, ∴** field
[2] **bestellt** tilled
[3] **der Einsatz, ∴e** stake; risk; mobilization; recruiting of helpers (enlisting someone's aid). Here probably the last meaning.
[4] **der Scheiterhaufen, –** funeral pyre, stake
[5] **geträumt . . . forttrug** The insert expands on the nature of the dream. It shows it to be a nightmare about the war's devastation.
[6] **in den Mühlen die blinden Flüge der Fledermäuse** in the mills the blindly flitting bats (*i.e.*, the human antheap).
[7] **wohnte** Note the past tense; the pilot tries to distance himself, despite his earlier references to "our" house.
[8] **Wessen . . . rein** The accusation may be uttered in self-defense.
[9] **Gespenst den Gespenstern** a ghost even to ghosts
[10] **Im . . . geborgen** The pilot withdraws into the security of his mechanical world.
[11] **verhören** interrogate *or* cross-examine
[12] **Kontrolluhren und Skalen** timing devices and graphs
[13] **das Wolkengesträuch, –e** cloud thicket

unsres Herzens vergessene Sprache:
kurz und lang lang[14] . . . Für eine Stunde
rührt Hagel die Trommel[15] des Ohrs,
das, uns abgeneigt,[16] lauscht und verwindet.[17]

Nicht untergegangen sind Sonne und Erde,
nur als Gestirne gewandert und nicht zu erkennen.

Wir sind aufgestiegen von einem Hafen,
wo Wiederkehr nicht zählt[18]
und nicht Fracht[19] und nicht Fang.
Indiens Gewürze und Seiden aus Japan
gehören den Händlern
wie die Fische den Netzen.
Doch ein Geruch ist zu spüren,
vorlaufend den Kometen,
und das Gewebe[20] der Luft,
von gefallnen Kometen zerrissen.
Nenn's den Status der Einsamen,
in dem sich das Staunen vollzieht.[21]
Nichts weiter.[22]

Wir sind aufgestiegen, und die Klöster[23] sind leer,
seit wir dulden, ein Orden,[24] der nicht heilt und nicht lehrt.[25]
Zu handeln ist nicht Sache der Piloten.[26] Sie haben
Stützpunkte im Aug und auf den Knien ausgebreitet
die Landkarte einer Welt, der nichts hinzuzufügen ist.[27]

---

[14] **kurz . . . lang** The Morse code becomes a reminder of the heartbeat, *i.e.*, feelings.
[15] **Hagel rührt die Trommel** hail beats the drum (real hail or perhaps a bombardment)
[16] **uns abgeneigt** turned away from us: possibly the ears of those below, exposed to the bombs
[17] **verwinden, a, u** overcome
[18] **wo . . . zählt** Perhaps another hint that the flight is a war mission.
[19] **die Fracht, –en** cargo
[20] **das Gewebe, –** web
[21] **in . . . vollzieht** The pilot experiences a moment of cosmic awe.
[22] **nichts weiter** The pilot quickly dismisses any religious implications.
[23] **das Kloster, ∵** monastery or convent
[24] **der Orden, -** (religious) order
[25] **der . . . lehrt** The new breed of martyrs is passive.
[26] **Zu . . . Piloten** The pilot openly refuses personal responsibility.
[27] **der nichts hinzufügen ist** to which nothing is to be added (*i.e.*, the mission is destruction).

Wer lebt[28] dort unten? Wer weint ...
Wer verliert den Schlüssel zum Haus?
Wer findet sein Bett nicht, wer schläft
auf den Schwellen? Wer, wenn der Morgen kommt,
wagt's, den Silberstreifen zu deuten: seht, über mir ...
Wenn das Wasser von neuem ins Mühlrad greift,[29]
wer wagt's, sich der Nacht zu erinnern?[30]

---

[28] **lebt**   Note the present tense: the pilot is drawn into involvement.
[29] **Mühlrad**   *I.e.*, the world and its activities (cf. note 6).
[30] **Wer lebt ... erinnern**   The questioning becomes more and more insistent and anguished, until the pilot identifies completely with his victims.

Teil III Essayistik

26 MARTIN WALSER

Brief an einen ganz jungen Autor

Lieber Kollege, wenn Du bemerkst, daß Dir der Jahrmarkt, der im Herbst und im Frühjahr mit Buden und Lärm in Deine Stadt kommt, keinen Spaß mehr macht, wenn Du schon Kettenkarussell fahren kannst, ohne in lauten Gesang zu verfallen, gar[1] wenn Du mit den tauben Stoffbällen nach Blechbüchsen wirfst und Deine Unterlippe nicht zerbeißt, obwohl Du nicht getroffen hast, dann ist es Zeit für Dich, Frühjahr und Herbst mit anderen Abenteuern[2] zu besetzen. Als einschlägiger[3] Jahrmarkt für Dich empfehlen sich die Frühjahrs- und Herbsttagungen der GRUPPE 47.

Schreib also an Hans Werner Richter, Walter Jens oder Walter Höllerer. Es schadet Deinem Brief und Deinen Chancen durchaus nicht, wenn Du, ohne es direkt auszusprechen, merken läßt, daß Du alles gelesen hast, was der Adressat geschrieben und herausgegeben hat. Bei dem, was er herausgegeben hat, genügt die Kenntnis der Vor- und Nachworte. Er sieht dann schon, daß Du es ernst meinst.

Schlimm werden für Dich die ersten Stunden sein. Keiner kümmert sich um Dich. Du mußt zusehen, wie sie einander begrüßen. Manche gehen mit ausgebreiteten Armen aufeinander zu. Laß Dich nicht täuschen.

Bitte weigere Dich, schon am ersten Vormittag vorzulesen. Gib Dich so scheu wie Du bist.[4]

Wenn Du den Lesenden und den Kritikern ein paar Stunden zugehört hast, verzichtest Du vielleicht darauf, jene Gedichte vorzulesen, die ein lautes Schließen der Tür nicht überleben könnten. Du wirst spüren, daß Du im Saal etwa[5] mit der Aufmerksamkeit rechnen kannst, die in der Bahn, im Raucherabteil zweiter Klasse, einem Mitreisenden gezollt[6] wird,

---

[1] **gar** finally
[2] **das Abenteuer, –** adventure
[3] **einschlägig** fitting
[4] **Gib Dich so scheu wie Du bist.** Show yourself as timid as you are.
[5] **etwa** roughly
[6] **zollen** render

der vom Hund seiner Schwägerin erzählt. Du kannst Dich aber darauf
verlassen, daß Dir die Kritiker der Gruppe mit jener trainierten Konzen-
tration zuhören, mit der etwa ein Detektiv, der im Urlaub ist, gegen seinen
Willen im Bahnabteil zuhört.

Vieles läßt sich nicht voraussagen (etwa: ob Hans Werner Richter Dich
im Auftrag des Unmuts der Gruppe unterbrechen wird, oder ob er sich
lediglich beauftragt fühlen wird, Dich während Deiner Lesung zwei-,
dreimal erstaunt von der Seite zu mustern), eines aber ist fast sicher: nach
Deiner Lesung werden Höllerer, Jens, Kaiser und Reich-Ranicki sich mit
Dir beschäftigen.

Solltest Du diese großen Vier je zitieren, tu's bitte immer alphabetisch
und sage das dazu.[7] Wenn er und wir Glück haben, wird, ein Alphabet
für sich eröffnend und ausfüllend, Hans Mayer aus Leipzig auftreten.[8]

Nehmen wir an (um des Alphabetes willen), Höllerer hebt zuerst die
energische kleine Hand. Er verbindet das gern mit einer ersten Drehung
des Oberkörpers, so als wollte er die Unabhängigkeit einzelner Körper-
partien voneinander erproben. Wenn er und eine seiner waagrechten
Schultern zu Dir hinschauen, ist er in Ausgangsstellung. Er wird Dein
Vorgelesenes flink tranchieren,[9] in Schnitte, wie fürs Mikroskop, zerlegen,
wird einzelne Sätze vom Gros[10] abtrennen, wird sagen, das seien für Dich
typische Sätze, Du hörst zum ersten Mal, daß es für Dich typische Sätze
gibt, dankst es[11] Höllerer mit einer Gänsehaut, während er schon dabei
ist, diese typischen Sätze weiter zu zerkleinern, bis die Teilchen seinen
mikroskopischen Blick befriedigen.

Nachdem er Dich so in Deiner wahren Zusammensetzung nur noch
für sich selber anschaubar gemacht hat,[12] ist er bereit, Dich zu benennen.
Weil Du ein ganz junger Autor bist, er aber ein ganz großer Kulturen-
Züchter,[13] spricht er vorsichtig über Dich. Du hast das Gefühl, er spricht
über Dich wie über eine neue Krankheit. Dabei spricht er über Dich wie
über eine neue Bakterien-Art, die er, wenn Du nur wolltest, aus Deinen
Anlagen züchten könnte. Du mußt darauf gefaßt sein, daß er murrt.
Sein Murren[14] wird Dich verletzen, obwohl es gar nicht gegen Dich gerichtet ist. Es ist ein dauernder Hinweis auf die Sprache, in der er sich eigentlich ausdrücken möchte. Keiner von uns kennt sie. Wir kennen nur das
Murren (das nichts Mürrisches an sich hat), das ihn und uns daran erinnert,
daß es jene Sprache gibt. Zu eben jener in Höllerer umgehenden Sprache

---

[7] **sage das dazu** mention this fact
[8] **auf·treten a, e (ist)** put in an appearance. However, since 1963, Hans Mayer
  has resided in West Germany.
[9] **tranchieren** carve (up)
[10] **das Gros** whole, total
[11] **dankst es** (you) thank for it
[12] **nur noch für sich selber anschaubar gemacht hat** rendered you perceivable . . . to
  himself alone
[13] **der Kulturen-Züchter, –** grower of cultures
[14] **das Murren** grumbling; **nichts Mürrisches** nothing surly

gehört auch sein plötzliches Lachen. Bitte, erschrick nicht. Es klingt als springe Rübezahl[15] über die Steinhalde[16] und reiße bös' aufgelegtes[17] Geröll mit sich. Ertönt dieses Lachen, wird der Raum sehr groß und in diesem mit dem Lachen immer riesiger werdenden Raum sitzt jeder ganz allein.

Nicht umsonst tut Höllerer vorerst noch so, als spräche er zu sich selbst, als sei er fast sicher, daß ihn niemand so gut versteht wie er sich selbst. Zum Schluß wird er noch kurz praktisch und spickt die für Dich typischen Sätze mit ein paar Fähnchen[18] und versieht die Fähnchen mit einigen subtilen Gutachter-Formeln.

Dann aber wirft er Dein Vorgelesenes samt seinen Fähnchen wieder in die Luft, aber keine Angst: Jens fängt es auf und nimmt Dein Vorgelesenes und Höllerers Fähnchen in seine Scheren. Du darfst ruhig an sowas wie Languste[19] denken. Jens hält sich mit seinen Scheren Dein Vorgelesenes und die Zugaben Höllerers vom Leib. Du kannst Dich nicht darauf verlassen, daß er das pure Gegenteil von dem behauptet, was Höllerer gesagt hat. Zweifellos wird er dieses oder jenes Fähnchen Höllerers an eine andere Stelle stecken, vor allem aber wird er Dein Vorgelesenes immer wieder in die Luft werfen und immer wieder selbst auffangen, um zu sehen, wie schwer es ist, wieviel es aushält. Erstaunt wirst Du zusehen, wie er sich bei diesem Spiel ins Zeug legt,[20] mit welcher Leidenschaft er seine Werkzeuge vorführt, um Dein Gewicht zu ermitteln — denn ihm geht es um Deinen zukünftigen Platz in der Walhalla[21] der zeitgenössischen Literatur; und wie auch immer[22] er entscheiden wird, er hat als Platzanweiser nicht seinesgleichen, wo er Dich hinsetzt, da sitzt Du (vorerst) — erstaunt also und ergriffen wirst Du zusehen, das weiß ich jetzt schon, wenn er in stürmischer Genauigkeit mit Dir umgeht; an Kinsky[23] oder Demosthenes[24] wirst Du denken, wirst Dich entsinnen,[25] bis zur synchronisierenden Fehlleistung:[26] Sturm über Attica,[27] und wirst ganz vergessen, daß es dabei um Dich geht, um Dein Vorgelesenes. Und Du wirst nicht der Einzige sein, der das vergessen hat. Das mag Dich,

---

[15] **Rübezahl** Old Man of the Mountains (the legendary master of the Giant Mountains which form the border between Bohemia and Silesia)

[16] **die Steinhalde, –n** stony slope

[17] **bös aufgelegt** ill-tempered

[18] **das Fähnchen, –** pennant

[19] **die Languste, –n** spiny lobster or sea crayfish (lacking the large claws of the common lobster)

[20] **sich . . . ins Zeug legt** gets involved, gets heated

[21] **Walhalla** "Hall of Fame" (*lit.:* the Germanic heroes' heaven)

[22] **wie immer** whichever way

[23] Count Wilhelm Kinsky, Wallenstein's colonel, was murdered with him.

[24] Demosthenes (384-322 B.C.), famous Greek orator and statesman

[25] **sich entsinnen, a, o** recall

[26] **die Fehlleistung, –en** defeat, failure

[27] **Attica** *i.e.,* far away (Demosthenes was Athen's leader in its (vain) resistance to Macedonian subjugation.)

falls Jens Dich gar zu schlimm placiert zwischen Stockholm und Athen —
denn er mißt immer gern am[28] Nobel-Griechen — ein wenig trösten.

Nehmen wir an, Jens habe seine Scheren wieder eingezogen, die Stille,
die nach Jens eintritt, sei eingetreten, was nun? Eigentlich wäre Joachim
Kaiser dran.[29] Das Alphabet weiß es, der Saal weiß es, er selbst weiß es.
Hans Werner Richter sagt es. Kaiser, ein Kenner von Jens-Finalen, hat
den Kopf rechtzeitig in Schrägstellung gebracht: jeder, der jetzt hinschaut,
sieht, daß er Dein Vorgelesenes treuherzig anschaut. Er findet es hübsch,
das sagt er auch, weil er weiß, daß alle wissen, was er sagt, wenn er ein
Wort sagt, das er eigentlich nicht sagt. Den treuherzigen Blick auf Dein
Vorgelesenes hält er noch eine ganze Zeitlang aufrecht, auch wenn er sich
sichtbar dazu durchringt, sein „hübsch" zu erläutern.[30] Wenn er noch das
kritische Werkzeug seiner Vorredner[31] in Erinnerung bringt, dann mit
jenem Schauder, mit dem Erstkommunikantinnen von Vergewaltigung
sprechen.[32] Du wirst gleich hören und sehen, Kaiser hat es nicht mit dem
Werkzeug.[33] Elegisch schleppend spricht er aus Deinem Text einen Satz
nach, das genügt unter Umständen.[34] Ich bin überzeugt, Du wirst nachher
zu Kaiser hingehen und Dich für diesen Satz entschuldigen. Kaiser kann
leiden. Auch unter sich selbst.[35] Legst Du Wert auf seine Anerkennung,
dann lies nichts vor, was er, seiner Meinung nach, auch selbst hätte
geschrieben haben können. Und wenn ihm zu Deinem Text Sätze ein-
fallen, die so geistreich sind, daß sie sich vom Anlaß lösen,[36] darfst Du
nicht überrascht sein. Er ist es auch nicht. Er ist es so wenig, daß er das
früh einsetzende[37] beifällige Kichern[38] des Saales mit glaubhaften
Händen abwehrt, während sein Satz sich noch auf den Punkt zubewegt,
auf den hin er gedacht ist. Er wehrt diesen allzu frühen Beifall nicht nur
ab, weil er fürchtet, der Punkt, auf den es ankommt,[39] könne schon im
Beifall untergehen, nein, er wehrt sich glaubhaft, wehrt sich wieder
einmal gegen sein Schicksal. Eine Art Midas-Schicksal.[40] Er will über
Dich sprechen, über Dein Vorgelesenes, und er tut es auch, aber kaum
beginnt er einen Satz, will der schon wieder aus dem Dienst entlaufen,
will selber was werden und wird auch was, wird ein Kaiser-Satz. Und

---

[28] **am**   by the scale of
[29] **Eigentlich wäre . . . dran.**   Actually, now should be . . . turn.
[30] **erläutern**   explain, elucidate
[31] **der Vorredner, –**   previous speaker
[32] **mit dem Erstkommunikantinnen von Vergewaltigung sprechen**   with which girls
taking their first Communion speak of rape
[33] **hat es nicht mit dem Werkzeug**   doesn't think much of tools
[34] **unter Umständen**   possibly
[35] **Auch unter sich selbst.**   Also on account of himself.
[36] **vom Anlaß lösen**   become independent
[37] **früh einsetzend**   prompt
[38] **das Kichern**   giggling
auf den es ankommt   which matters
[39] **Midas-Schicksal**   Everything the Phrygian King Midas touched, turned to gold,
[40] including food. Hence, a gift which becomes a curse.

das hat Kaiser natürlich als erster[41] kommen sehen. Versteh ihn also nicht falsch. Eigentlich möchte er Dir Sätze sagen im Weisungs-Ton[42] Bertolt Brechts; wenn er dazu Hugo-Wolf-Melodien benützt, dann stellt er dadurch einfach gewisse Anforderungen an Deine Musikalität und Gebrochenheit.

Sozusagen widerwillig hat er sich seiner Aufgabe entledigt,[43] Dein Vorgelesenes landet, mit Höllerers Fähnchen gespickt, von Jens groß etikettiert[44] und gewogen, von Kaiser ein- und ausgeatmet und intim entlarvt,[45] bei Reich-Ranicki, der sofort aufsteht, wenn er sich mit Dir abzugeben beginnt. Weil er schneller sprechen kann als seine Vorredner, kann er, bei nur geringer Überschreitung der erträglichen Rede-Dauer, alle Verfahren[46] seiner Vorgänger an Dir exekutieren und noch ein eigenes dazu.[47] Sein eigenes Verfahren ist ein rechtschaffenes, es hat auch mit seiner eigenen Rechtschaffenheit zu tun. Höllerers Sprach-Bakteriologie, Jensens Maßnahme und Platzanweisung und Kaisers Versuch, Dein Bild in seinem Spiegel-Kabinett zu versehren,[48] haben Reich-Ranicki, außer Wiederholungen und Korrekturen, nur noch übriggelassen, die weltliche Nützlichkeit und Anständigkeit[49] Deines Vorgelesenen zu beurteilen. Und schon der bloße Gedanke, daß ohne sein Da- und Dabeisein[50] dieser weiß Gott nicht nebensächliche Aspekt ganz unerwähnt geblieben wäre, versetzt Reich-Ranicki in große Eile. Wenn Du, ihm zuhörend, glaubst, er hätte das, was er Dir sagt, schon gewußt, bevor er Deiner Lesung zuhörte, so beweist Du dadurch nur, daß Dir solche Fertigkeit fremd ist. Bedenke bitte immer, der Kritiker ist in jedem Augenblick einer. Der Autor hat Pausen. Und selbst wenn Reich-Ranicki etwas sagt, was er schon vor Deiner Lesung wußte, so ist es doch Deine Schuld, daß ihm das jetzt wieder einfällt. Laß Dich nie dazu hinreißen, einem Kritiker einen Vorwurf zu machen. Wisse (vielmehr): der Autor ist verantwortlich für das, was dem Kritiker zu ihm[51] einfällt. Ja, ich weiß, das ist eine schreckliche Verantwortung. Aber noch steht ja Reich-Ranicki vor Dir, und das ist gut so, denn wie auch immer seine Vorgänger mit Dir verfahren[46] sein mögen, er wird Dich nicht ganz verlorengehen lassen.

Natürlich will auch er zeigen, daß streunende[52] Adjektive und Vergleiche, die nur noch von verheirateten Entomologen gewürdigt werden

---

[41] **hat . . . als erster** been the first to
[42] **der Weisungs-Ton, ¨e** didactic tone
[43] **hat er sich . . . entledigt** he has rid himself of . . .
[44] **groß etikettiert** sweepingly labelled
[45] **entlarvt** unmasked
[46] **das Verfahren, –** method; **verfahren, u, a (ist)** treat, deal with
[47] **und noch ein eigenes dazu** one of his own as well
[48] **versehren** damage
[49] **die Anständigkeit** decency
[50] **Da- und Dabeisein** existence and presence
[51] **zu ihm** *here:* in his presence
[52] **streunend** roaming

können, seine kritischen Sinne beleidigt haben, natürlich reitet auch er gern laut und prächtig[53] über den Markt wie König Drosselbart[54] (der Ahnherr aller Kritiker) und zerdeppert[55] Dir Deine Keramik, aber ohne den Oberton einer spröden,[56] fast preußischen Güte kann er einfach nicht schimpfen. Eine nordöstliche Mutter ist er; in den Westen gekommen,[57] um mit glänzenden Augen seinen Tadel so lange vorzutragen, bis sich eine Familie von solchen, die nur von ihm getadelt werden wollen, um ihn versammelt. Sollte die GRUPPE 47 je eine Abordnung[58] zu irgendwelchen Literatur-Olympiaden schicken, so wird der Mannschafts-Trainer, der für zeitiges Schlafengehen, Beseitigung[59] von internen Intrigen und Ausräumung von Wettbewerbs-Neurosen[60] sorgt, zweifellos Reich-Ranicki sein. Unnachsichtig ist er nur gegen die geistigen Gegenden, aus denen er selber stammt. Möglich, daß er so Heimweh bekämpft.

Nun hoffe ich, um Deinetwillen, um unseretwillen, Hans Mayer sei uns erlaubt worden.[61] Bedenke ich, wann Du geboren bist, rechne ich ein, wo Du jetzt wohnst, dann fürchte ich fast, Du hast noch keinen lebenden Marxisten gesehen. Und jetzt spräche einer zu Dir über Dich. Reich-Ranicki hat eigentlich doch recht langsam gesprochen, findest Du. Und noch eine Revision: wenn Reich-Ranicki bei Deiner Lesung etwas eingefallen sein sollte, was er vorher schon wußte, so hast Du bei Mayer den Eindruck, Du hättest ihm einen Gefallen getan, weil Du ihm alles bestätigt hast, was er schon wußte. Hat es Dich beunruhigt, als Du fühltest, Höllerer spräche über Dich, wie über eine neue Krankheit, so beunruhigt es Dich jetzt, daß Hans Mayer Dich wie eine allzu gut bekannte alte Krankheit bespricht.

Trotzdem, Du hast, während Mayer spricht, vielleicht auch zum ersten Mal das Gefühl, daß Du einen Sinn hast in dieser Welt; Du hast nicht umsonst gelebt, denn Hans Mayer bestätigt Dir, daß es schon eines Lebens Sinn sein kann, Symptome vor Hans Mayer zu tragen, Anlaß einer Mayer-Diagnose zu sein, die Dich — das spürst Du gleich — überleben wird. Du siehst ihn so reden, schräg nach oben Sätze versendend, als denke Mayer ballistisch und wolle noch nebenbei[62] Leipzig erreichen; Du hörst, daß doch alle Krankheiten zur Gesundheit wollen[63] und Du betrachtest diese Gesundheit namens Mayer; Du bist angerührt; denkst

---

[53] **prächtig**   magnificently
[54] **König Drosselbart**   King Thrushbeard: in the Grimm fairy tale of that name, the scorned prince who "tames his shrew" by smashing her wares on the market place.
[55] **zerdeppern** (*oder* **zerteppern**)   (*coll.*) smash
[56] **spröde**   harsh brittle
[57] In 1958, Reich-Ranicki moved from Poland to West Germany.
[58] **die Abordnung, –en**   delegation
[59] **die Beseitigung**   elimination
[60] **die Wettbewerbs-Neurose, –n**   competition neurosis
[61] **erlaubt worden**   *i.e.*, allowed out of East Germany (cf. note 8)
[62] **nebenbei**   incidentally, *en passant*
[63] **zur ... wollen**   want to return to

an Fahrkarten und alles Mögliche;[64] bist bewegt von dieser wohl schönsten Fremdsprache des Vaterlands; und wer hätte gedacht, daß auch in Mayers Haus, wenn nicht viele, so doch sicher mehrere Zimmer sind! Wenn Mayer aufgehört hat zu sprechen, kommst Du Dir vor[65] wie nach dem Kino. Du blinzelst. Mußt Dich zurückfinden. Routiniertere[66] Mayer-Hörer im Saal gehen Dir voran, bahnen auch Dir einen Weg.

Nehmen wir an, Du säßest wieder auf Deinem Stuhl. Hans Werner Richter ist vor Dir zurückgekommen. Sein Gesicht zeigt noch jene zwiespältige Versonnenheit[67] des Musikkritikers, der zwar ein Buch gegen Wagner geschrieben hat, der aber gerade aus einer Tristan-Aufführung kommt. Da sitzt Du also, vor Dir Höllerer, der exakt gemurrt hat, Jens, der nobel-attisch gebrodelt hat,[68] Kaiser, der so gekonnt[69] geseufzt hat, Reich-Ranicki, der spröd-gütig geschimpft hat und, als hätte er nur eben das Fenster aufgemacht und wieder geschlossen, sitzt da aufrecht zwischen Stühlen der ballistische Redner Hans Mayer.

Im Saal erhebt sich ein durch vier oder fünf teilbares Echo, individuell phrasiert. Ist den Fünfen ein Satz, der geahndet[70] werden muß, entgangen, so wird das jetzt selbstverständlich nachgetragen. Hast Du Dir einen Freund erworben durch Deinen Text, so wird der jetzt aufstehen und Dich schüchtern oder grimmig verteidigen. Dadurch gibt er den Kritikern die Möglichkeit, alles noch einmal zu sagen.

Das tun sie zwar gereizt, aber bereitwillig. Das Gute kann ja gar nicht oft genug wiederholt werden.

Da ich Deine eher schüchterne Art kenne, fürchte ich, Du könntest Dich abschrecken lassen. Bitte, laß Dich durch nichts abschrecken. Wenn Du Deinen Text zum Vorlesen auswählst, denke daran, hier handelt es sich um Literatur fürs Zuhören. Heimliche Libretti eignen sich gut. Die Texte müssen zwar die Musik, nach der sie schreien, schon enthalten, müssen aber dem Zuhörer suggerieren,[71] er habe Rhythmus und Melodie beim Zuhören sozusagen dazugemacht. Natürlich sind auch feinere Arten schon gut über die Runde gekommen,[72] aber wenn Du furchtsam bist und sichergehen willst, dann denke daran, daß man Proust vielleicht weniger lang zuhören kann als den wild und rhythmisch flutenden Bildern des „Olympischen Frühlings" von Spitteler.[73] Literatur fürs Zuhören! Das muß nicht gleich schlechte Literatur sein.

In der Hoffnung, bald Dein Zuhörer zu sein, grüßt Dich Dein.

Martin Walser

[64] **alles Mögliche**   all sorts of things
[65] **kommst Du Dir vor**   you feel
[66] **routinierter**   more experienced
[67] **die zwiespältige Versonnenheit**   ambivalent reverie
[68] **brodeln**   bubble
[69] **gekonnt**   expertly
[70] **ahnden**   avenge
[71] **suggerieren**   insinuate
[72] **über die Runde kommen**   get through the round
[73] Carl Spitteler (1845-1924), Swiss writer and poet who won the Nobel prize in 1919.

MARCEL REICH-RANICKI

Von der Fragwürdigkeit und Notwendigkeit mündlicher Kritik

Am 28. Oktober 1961, kurz nach zwei Uhr morgens — es war auf einer Tagung der GRUPPE 47 — richtete der deutsche Schriftsteller Martin Walser an den Schreiber dieser Zeilen in Gegenwart mehrerer prominenter Zeugen eine kraftvoll-männliche, militärisch-knappe Ansprache, in der er die Literaturkritiker aller Länder und Zeiten mehrfach und nachdrücklich als „Lumpenhunde"[1] bezeichnete.

Als der Autor der „Halbzeit"[2] diese ebenso aufrichtigen[3] wie kernigen[4] Worte sprach, konnte er auf eine stolze Ahnenreihe zurückblicken. Bereits Goethe hielt die Rezensenten[5] für Hunde, die man schleunigst totschlagen sollte. Zu zoologischen, freilich etwas komplizierten Vergleichen fühlte sich auch Dickens angeregt: Er meinte, der Kritiker sei eine mit Pygmäenpfeilen bewaffnete Laus, welche die Gestalt eines Menschen und das Herz eines Teufels hätte. Leo Tolstoj wiederum, der ja schließlich auch kein ganz schlechter Schriftsteller war, erklärte in seinem Buch „Was ist Kunst?" klipp und klar,[6] daß jemand, der sich damit befasse, Kritiken zu schreiben, nicht ganz normal sein könne.

Nun muß man aber — denn fair wollen wir sein! — zugeben, daß Martin Walser etwas mehr Grund hat als seine Kollegen aus dem 18. und 19. Jahrhundert, die Kritiker mit wuchtig-harten[7] Worten zu bedenken. Die genannten Romanciers und Dramatiker meinten nämlich, als sie so wohlwollend und menschenfreundlich der Rezensenten gedachten, lediglich die gedruckte Kritik. Goethe, Dickens und Tolstoj war es nicht gegeben,[8] an einer Tagung der GRUPPE 47 teilzunehmen. Die mündliche,

---

[1] der Lumpenhund, –e scoundrel, cad (*lit.*: a scoundrel's dog)
[2] *Halbzeit* (1960), a novel by Martin Walser.
[3] aufrichtig sincere
[4] kernig pithy
[5] der Rezensent, –en, –en reviewer; die Rezension, –en review
[6] klip und klar briefly and clearly
[7] wuchtig-hart hard-hitting
[8] (ihnen) war es nicht gegeben (they) had no opportunity

improvisierte und dennoch öffentliche Kritik war ihnen unbekannt. Die Autoren der „Gruppe" dagegen werden das ganze Jahr hindurch von den schreibenden und auf den Tagungen überdies noch von den redenden Kritikern bedrängt. Aber Martin Walser hätte, als er damals, nach dem Genuß einiger Flaschen vortrefflichen[9] Alkohols, jenes denkwürdige Wort von den „Lumpenhunden" prägte,[10] sich auch auf die Kritiker aus Vergangenheit und Gegenwart berufen[11] können. Denn es gehört zu den nicht unsympathischen Gepflogenheiten[12] zumal der deutschen Literaturkritik, recht häufig an dem Ast zu sägen, auf dem sie sitzt. Das soll heißen: solange es eine deutsche Literaturkritik gibt, solange zweifelt sie an sich selber. Und stellt immer wieder sich selbst[13] in Frage. Und das gilt, offen gesagt, auch für die Kritiker der GRUPPE 47.

Wollen wir jetzt also ein bißchen an unserem Ast sägen? Wir wollen es.

Wer an einer der Tagungen der GRUPPE 47 in den letzten Jahren sei es als Autor oder als Diskutant,[14] sei es als schweigender Beobachter teilgenommen hat, kann sich der Befürchtung nicht erwehren,[15] daß auf diesen Schriftstellertreffen literarische Versuche leichtfertig beurteilt und oft genug auch verurteilt werden. Muß nicht schon die Prozedur, die auf den Tagungen üblich ist, eine unseriöse[16] und verantwortungslose Kritik zur Folge haben? Zunächst einmal:[17] Ist es möglich, ist es sinnvoll, Gedichte, Erzählungen oder Romanfragmente zu bewerten, die man nicht gelesen, sondern nur gehört hat?

Bei der lediglich akustischen Darbietung[18] literarischer Texte werden die Gegenstände der Betrachtung nicht in ihrer ursprünglichen, in ihrer natürlichen Gestalt präsentiert, sondern zugleich mit einer Interpretation des Autors versehen. Indem er seine Prosa oder seine Verse laut liest, empfiehlt er den Zuhörern allein durch die Art des Vortrags, seine Arbeit auf die von ihm erwünschte Weise zu verstehen. Er stützt seinen Text mit außerliterarischen Mitteln. Die Betonung[19] einzelner Worte und Sätze lenkt die Aufmerksamkeit auf gewisse inhaltliche Elemente. Die Pointen[20] werden mehr oder weniger hervorgehoben. Stimme und Tonfall erzeugen[21] eine Atmosphäre, die vielleicht, hätte man nur das Manuskript in der Hand, unbemerkt geblieben wäre. In diesem

---

[9] **vortrefflich** excellent
[10] **prägen** coin
[11] **sich auf . . . berufen** use as reference
[12] **die Gepflogenheit, –en** custom
[13] **sich selbst** its own existence
[14] **der Diskutant, –en, –en** debater
[15] **sich erwehren** (+ *gen.*) defend oneself against, silence
[16] **unseriös** frivolous
[17] **zunächst einmal** first of all
[18] **die Darbietung, –en** presentation
[19] **die Betonung, –en** emphasis
[20] **die Pointe, –n** punchline
[21] **erzeugen** produce

Zusammenhang ist es im Grunde belanglos,[22] ob der Verfasser[23] eine
Deutung mit außerliterarischen Mitteln anstrebt oder vermeiden möchte,
ob sie bewußt oder unbewußt erfolgt: Mag er sich um einen konsequent-
sachlichen,[24] vollkommen gleichgültigen, monotonen oder unterkühlten[25]
Vortrag mühen — eine von jeglicher Auslegung freie, also gewissermaßen
klinisch reine akustische Darbietung literarischer Texte kann man sich
überhaupt nicht vorstellen.

Ferner muß berücksichtigt werden, daß es neben Autoren mit rezi-
tatorischer Begabung[26] auch solche gibt, deren Unfähigkeit auf diesem
Gebiet[27] erstaunlich groß ist. Während also die einen die Wirkung ihrer
Arbeit steigern, verderben andere den Eindruck, den sie bei gewöhnlicher
Lektüre erwecken könnte. Nicht selten geschieht es sogar, daß der
lesende Autor seinen Text verstümmelt,[28] indem er undeutlich liest und
einzelne Silben,[29] ja ganze Worte verschluckt. Überdies eignen sich manche
Arbeiten vortrefflich zur akustischen Darbietung; andere hingegen können
eigentlich nur mit dem Auge wahrgenommen werden. In einer Geschichte,
beispielsweise, in der die Darstellung des Erzählers mit Dialogen und
inneren Monologen der auftretenden Gestalten kombiniert ist und in der
sich der Autor womöglich noch einige Rückblenden leistet,[30] kann selbst
dem aufmerksamen und geübten Zuhörer mit Leichtigkeit ein Zeitsprung[31]
oder ein Wechsel der Bewußtseinsebene[32] entgehen, wodurch das Ganze
in der Regel nahezu unbegreiflich wird. Der Verfasser eines eingleisigen
oder jedenfalls einfacher komponierten Prosastücks hat von vornherein
geringere Widerstände zu überwinden.

Die Kritiker sollen jedoch weder über die Möglichkeiten des Autors
als Vortragskünstler befinden noch darüber, ob sich sein Produkt zur
Rezitation eignet. Sie haben einen literarischen Text sachgemäß und
möglichst gerecht[33] zu beurteilen, müssen also alle Faktoren, die sich
aus der akustischen Darbietung zum Vorteil oder zum Nachteil des
Verfassers ergeben, rücksichtslos eliminieren. Mithin[34] entstehen für
die Kritiker zusätzliche[35] Schwierigkeiten. Übertreibe ich? Man könnte
diese Schwierigkeiten getrost bagatellisieren,[36] wenn ansonsten[37] auf den

---

[22] **belanglos**   irrelevant
[23] **der Verfasser, –**   author
[24] **konsequent-sachlich**   consistently objective
[25] **unterkühlt**   supercooled
[26] **die rezitatorische Begabung**   a gift for rhetoric
[27] **das Gebiet, –e**   area, sphere
[28] **verstümmeln**   mutilate
[29] **die Silbe, –n**   syllable
[30] **sich leisten**   indulge in
[31] **der Zeitsprung, ⁀e**   *here:* switch in time
[32] **die Bewußtseinsebene, –n**   level of consciousness
[33] **möglichst gerecht**   as fairly as possible
[34] **mithin**   thus
[35] **zusätzlich**   additional
[36] **bagatellisieren**   play down, minimize
[37] **ansonsten**   otherwise

Tagungen die Voraussetzungen für eine einigermaßen normale Arbeit der Kritik gegeben wären. Dies ist aber keineswegs der Fall. Der Kritiker hat nicht die Möglichkeit, den gebotenen Text oder auch nur einzelne Passagen, die ihm besonders wichtig oder symptomatisch zu sein scheinen, zu überprüfen. Er muß sich ganz und gar auf den ersten Eindruck verlassen. Wenn er etwa meint, die Arbeit zeuge von einem bemerkenswerten Fortschritt oder Rückschritt im Vergleich zu früheren Büchern des gleichen Verfassers, so muß er seinem Gedächtnis vertrauen.

Sogar das Zitieren aus dem zur Debatte stehenden Stück ist sehr schwierig. Natürlich kann sich der Kritiker während der Lesung Notizen machen. Aber welcher Kritiker kann stenographieren?[38] Wenn er sich einen Satz notiert, riskiert er, daß ihm der nächste entgeht — und wer kann wissen, ob dieser nächste nicht just der Schlüsselsatz des ganzen Prosastücks ist? Vor allem wird der Kritik nicht die geringste Bedenkzeit zugestanden. Wenn sich auf den Tagungen zwanzig Sekunden nach dem letzten Wort eines vorgelesenen Stücks niemand zur kritischen Äußerung meldet, wird Hans Werner Richter in der Regel bereits unwillig. Beim Eiskunstlauf oder beim Kunstspringen der Wassersportler wird blitzschnell entschieden — noch ist der Körper des Springers nicht ganz im Wasser verschwunden, und schon heben die Schiedsrichter die Tafeln mit der Punktbewertung des Sprunges. Das wäre wohl das Ideal auch für die Tagungen der ,,Gruppe'', auf denen tatsächlich mit ähnlicher Geschwindigkeit geurteilt wird, nur daß die Schiedsrichter glücklicherweise nicht gleichzeitig, sondern nacheinander ihre Sprüche vorbringen. Beim besten Willen kann man also dieser Kritik weder Sorgfalt noch Gründlichkeit nachsagen.

Der Beurteilung von literarischen Kunstwerken haftet fast immer etwas Fragwürdiges an.[39] Auf den Tagungen der ,,Gruppe'' wird diese Fragwürdigkeit der Kritik noch außerordentlich gesteigert. Kurzum: Wir haben es mit einem ziemlich unseriösen Phänomen zu tun, das sich der intellektuellen Hochstapelei[40] bedenklich nähert.

Nachdem wir also den Ast, auf dem die Kritik der GRUPPE 47 sitzt, zu Walsers maßloser Freude fast ganz abgesägt haben, wollen wir versuchen, ihn wieder anzukleben. Zwei Fragen drängen sich vor allem auf: Die Autoren, die auf den Tagungen ihre Arbeiten lesen, wissen, daß sie nur improvisierte Soforturteile hören werden, die oft schonungslos[41] und unbarmherzig[42] sind. Sie wissen, daß sie — nach den schon traditionellen Spielregeln der Tagungen — nichts erwidern dürfen, sondern alles stumm über sich ergehen lassen müssen.[43] Warum kommen sie trotzdem?

---

[38] **stenographieren** take shorthand
[39] **an-haften** cling, adhere
[40] **die Hochstapelei, –en** fraud, faking
[41] **schonungslos** unsparing
[42] **unbarmherzig** merciless
[43] **über sich ergehen lassen** submit to

Warum setzen sich angesehene und preisgekrönte Schriftsteller, deren Bücher längst hohe Auflagen[44] erzielen und in viele Sprachen übersetzt werden, einer scheinbar so unernsten Kritik aus? Sind sie etwa Masochisten?

Und jetzt zur zweiten Frage. Jeder Literaturkritiker weiß, wie problematisch das Gewerbe[45] ist, dem er nachgeht. Es gibt wohl kaum einen Kritiker, den nicht immer wieder bei seiner Arbeit die Erinnerung an die Fehlurteile und Sünden aufschreckt, von denen die Geschichte der Literaturkritik strotzt.[46] Wie ist es nun zu verstehen, daß Menschen, die sich also der Fragwürdigkeit ihres Berufes bewußt sind, ihn einige Tage lang unter Umständen ausüben, die diese Fragwürdigkeit noch allem Anschein nach vergrößern? Warum sind hierzu Kritiker bereit, die schließlich einen Ruf zu verlieren haben? Sind etwa aus den gleichen Kritikern, die in ihren Aufsätzen[47] jedes Wort wägen,[48] plötzlich für die Dauer der Tagung leichtfertige Burschen geworden, die flott[49] und unbekümmert über literarische Arbeiten reden?

Die Kritik, wie sie auf den Tagungen geübt wird, hat sich aus der Praxis ergeben. Die Autoren kommen, weil sie Urteile über ihre Arbeit hören wollen — meist suchen sie eine Bestätigung des Weges, den sie eingeschlagen haben.[50] Die Kritiker kommen, weil sie wissen wollen, was die Autoren schreiben. Sie alle sitzen im gleichen Boot, sie haben das Gleiche im Auge: die Literatur. Um derartige Tagungen, die ohne mündliche Sofortkritik kaum vorstellbar sind, überhaupt durchführen zu können, haben sich beide Seiten stillschweigend auf einen Kompromiß geeinigt: die Kritisierten und die Kritisierenden nehmen das Risiko und die Makel in Kauf, die improvisierten Kunsturteilen anhaften und anhaften müssen. Dieser Kompromiß hat sich, wie bisher, durchaus bewährt. Aus der Perspektive der Zeit kann wohl ohne Übertreibung gesagt werden, daß die meisten von der Kritik der „Gruppe" gefällten Urteile sich nicht als falsch erwiesen haben. Dies bezieht sich aber nicht auf Äußerungen einzelner mehr oder weniger prominenter Diskussionsteilnehmer, sondern lediglich auf das Gesamturteil, das nach einer Lesung gefällt wird und das immer aus der Summe mehrerer Ansichten besteht. So mißtrauisch uns auch das Wort „Kollektiv" stimmen mag, so muß doch gesagt werden: Die Kritik der GRUPPE 47 ist eine Kollektivkritik. Es hat sich herausgestellt, daß dieser Umstand viele Schwächen, die durch die Improvisation und das Tempo bedingt werden,[51] auszugleichen vermag.

---

[44] **die Auflage, –n** edition
[45] **das Gewerbe, –** trade
[46] **strotzen von** teem with
[47] **der Aufsatz, ⸚e** essay
[48] **wägen** weigh
[49] **flott** with style and speed, smoothly
[50] **ein-schlagen, u, a** embark on, choose
[51] **bedingt sein** *oder* **werden** be due to, depend on

Diejenigen, die sich zu einem soeben gebotenen Text äußern, tun es in dem Bewußtsein, daß sie nicht so sehr ein Urteil fällen, als zu einem Urteil beitragen. Dies gilt für die Erzähler und Lyriker, die über die Arbeiten ihrer Kollegen sprechen nicht weniger als für die Berufskritiker, auf deren Schultern die Last der Kritik vor allem ruht.

Wie alles andere, das die GRUPPE 47 und die Prozedur ihrer Tagungen betrifft, hat sich auch die dominierende Rolle der professionellen Kritiker bei der Bewertung der Arbeiten aus der Praxis ergeben. Niemals wurde beschlossen, daß *sie* vor allem urteilen sollen. Es hat sich jedoch erwiesen, daß sie am ehesten dazu fähig sind, die Eigenarten[52] eines nur gehörten Textes zu erkennen, ihn sofort zu bewerten und zugleich die Bewertung zu begründen. Daß eine improvisierte Äußerung mitunter einem druckreifen Gutachten ähneln kann, hat Walter Jens, der Konzertmeister unserer Kritik, also sozusagen der ,,Ober-Lumpenhund'', oft genug bewiesen. Die Mannigfaltigkeit der literarkritischen Konzeptionen und Methoden wirkt sich fast immer günstig aus. Denn der gleiche Gegenstand wird von verschiedenen Seiten beleuchtet, die Ansichten ergänzen sich, die Diskussionsteilnehmer korrigieren sich gegenseitig. Walter Höllerer plus Joachim Kaiser ist in der Regel ergiebiger als Höllerer allein oder Kaiser allein. Und wenn der Kaiser in seiner Qual[53] verstummt, ist es dem Jens gegeben, zu sagen, wie er leidet.[54]

Wir alle würden uns wohl nie erlauben, Arbeiten zu kritisieren, die wir nicht gelesen, sondern nur gehört haben, hätten wir nicht die Gewißheit, daß unsere schnellen Äußerungen von den Anwesenden mißtrauisch geprüft werden. Wie sich nämlich der lesende Autor der Kritik aller Teilnehmer der Tagung stellt, so stellt sich in einem gewissen Sinne jeder, der einen Text kritisiert, dem gleichen Forum. Der erforderlichen Sofortreaktion der Kritik auf die gebotene Arbeit entspricht also die Sofortkontrolle, der wiederum die Kritik unterliegt. Vielleicht steckt darin das Geheimnis der Kritik auf den Tagungen der GRUPPE 47. Gewiß, auch die Kollektivkritik kann Fehlurteile nicht vermeiden, aber sie hat sich, glaube ich, nicht als eine nur pragmatische oder gar von Verantwortungslosigkeit zeugende Lösung erwiesen, sondern als ein Instrument, das geeignet ist, literarische Arbeiten zu werten.

Goethe empfahl zwar, die Rezensenten totzuschlagen, hat aber mitunter selber Rezensionen geschrieben. Dickens und Tolstoj haben sich ebenfalls literarkritisch betätigt.[55] Und auch in ihren Ohren klang nichts so schrill wie das Schweigen der Kritik. In den Augenblicken, da wir den

---

[52] **die Eigenart, –en**   unique feature
[53] **die Qual, –en**   torment
[54] **Und . . . leidet**   A paraphrase of Tasso's famous lines: ,,**Und wenn der Mensch in seiner Qual verstummt, gab mir ein Gott zu sagen, wie ich leide.**'' (Goethe: *Torquato Tasso,* Act V, Scene 5)
[55] **literarkritisch betätigt**   engaged in literary criticism

Sinn unserer Arbeit am meisten beargwöhnen, kann uns dieses Bewußtsein
trösten. Die Autoren und die Kritiker, sie ziehen den gleichen Wagen,
wenn auch mitunter in verschiedenen Richtungen. Der Antagonismus,
der zwischen den Kritisierten und den Kritisierenden besteht und immer
bestanden hat, ist nicht so tief und so ernst, wie er zu sein scheint.

Wer könnte schließlich mit Sicherheit sagen, ob in jenem heftigen
Plädoyer[56] Martin Walsers gegen die Kritik nicht auch herzliche oder
vielleicht sogar fast zärtliche Töne verborgen waren? Sicher ist jedenfalls, daß auch er, der Verfasser eines Buches über Franz Kafka, zu uns,
den Lumpenhunden, gehört.

---

[56] **das Plädoyer, –**   plea

28 JOACHIM KAISER
Verführungen

Warum tun sie es eigentlich? Sie suchen einen keineswegs zentral gelegenen oder vielversprechenden Ort auf, kümmern sich um dessen Sehenswürdigkeiten überhaupt nicht, begeben sich in rauchverqualmte[1] Klausur[2] und halten gerade bei der Tätigkeit, die für alle des Lesens Gewohnten vielleicht die anstrengendste ist, täglich zehn Stunden und mehr aus: nämlich beim Zuhören. Nach den Lesungen diskutieren sie, so gut sie können und so frech[3] sie wollen.

Ein Verleger, der diese geballte,[4] mühsame Arbeitsleistung zum Teil „hochqualifizierter" (zumindest „hochdotierter"[5]) Facharbeiter finanzieren wollte, müßte ein steinreicher Mann sein. Aber es geschieht umsonst.[6] Anstrengung, Durchfall-Risiko,[7] halböffentliche Blamage[8], Gefährdung bester Beziehungen — niemand bekommt etwas dafür. Nachts gibt es alkoholischen Auslauf[9] (oder chrom- und autogefährdende Ausfahrt[10]). Tags drauf, stöhnend, verspätet, katerbleich[11] finden sich die Goldgräber wieder mit ihren Frauen zusammen, jammern übers Niveau,[12] gedenken wehmütig[13] vergangener Zügellosigkeiten, schütteln den Kopf über den Blödsinn, der gerade verlesen, und den Unsinn, der danach wieder gequatscht wurde, kommen (nun schon seit vielen Jahren) überein, daß es mit der Gruppe unaufhaltsam zu Ende gehe . . . und machen weiter.

---

[1] **rauchverqualmt** smoke-filled
[2] **die Klausur, –en** confinement, retreat
[3] **so frech** as impertinently as
[4] **geballt** concentrated
[5] **hochdotiert** highly favored
[6] **umsonst** for free
[7] **das Durchfall-Risiko, –en** risk of failure (of being a flop)
[8] **die Blamage, –n** (public) embarrassment
[9] **der Auslauf, ⁓e** outlet, constitutional
[10] **die Ausfahrt, –en** *here:* drive(s)
[11] **katerbleich** pale from a hangover
[12] **das Niveau, –s** (*French*) level
[13] **wehmütig** with melancholy

Aber es ist wie in einer Ehe. Gefährdend für den Bestand[14] sind nicht
so sehr die *Über*belastungen,[15] Unbequemlichkeiten, Primitivitäten,
sondern die *Unter*belastungen.[15] Die Gruppe ist desto gefährdeter, je
mehr Erfolg die einzelnen haben. Dann liest nicht mehr der Autor A.
einen Text, mit dem er irgendwelche Schwierigkeiten hat und zu dem ihm
seine Freunde etwas sagen. Es liest vielmehr Herr A., also die Summe
aus erfolgreichen Romanen, Übersetzungen und Nachtstudios.[16] Und
dazu äußert sich nicht mehr Z., sondern hinter den kritischen Impromp-
tus[17] stehen publizistische Positionen.[18] Drumherum aber stehen Verleger, die sich über den Marktwert eines Autors Gedanken machen. So
kommt es, daß nicht mehr bloß geschriebene und gesprochene Texte sich
messen, sondern Größen.

Niemand kann das wegzaubern. Die Verführung für einen Autor,
sich — und wenn unbewußt — auf die eigene Historie zu stützen, ist
ebenso groß wie die Verführung, denjenigen, dem man zuhört, am Maß des
bisher von ihm Geschriebenen zu messen. Daß die Gruppe damit fertig
wurde (bisher, und unter Schmerzen), ist ein Verdienst von Hans Werner
Richters singulärem gruppenbildendem Talent. Richter nämlich behandelt auf den Tagungen alle Anwesenden — mit sanften, von jeder-
mann natürlich akzeptierten Abstufungen[19] gegenüber solchen, die es
nötig haben — gleich. Man kann sagen: gleich freundlich oder, wenn
einem rasche Bestimmtheit zu schaffen macht: gleich unfreundlich. Die
Folge davon läßt sich leicht ermessen, aber schwer produzieren.[20] Die
Tagungsteilnehmer begeben sich — allem, was sie erreicht zu haben
meinen zum Trotz — in eine höchst demokratische, egalitäre Klausur.

So passen die moralischen Anforderungen einer Tagung und die höchst
verschiedenen Würden oder Intelligenzen doch für kurze Zeit zusammen.
Wenn's vorbei ist, fühlt man sich gleichermaßen zerschlagen und vergnügt. Man ist den Verführungen des Erfolgs noch einmal entronnen.[21]
Vielleicht kommen deshalb viele so gern . . . .

---

[14] **der Bestand, :e**   continuance, stability
[15] **die Überbelastung, –en**   overburdening; **die Unterbelastung, –en**   lack of proper
cargo
[16] **das Nachtstudio**   *i.e.,* late evening broadcasts devoted to cultural themes and
events
[17] **das Impromptu**   (*French*) improvisation
[18] **stehen publizistische Positionen**   reflect editorial positions
[19] **die Abstufung, –en**   gradation
[20] **produzieren**   *here:* reproduce
[21] **entrinnen, a, o (ist)**   escape

29 HANS MAYER

Gruppe 47—historisch gesehen

Man ist Literarhistoriker oder ist es nicht. Vom Kritiker Hans Mayer behauptete Martin Walser, er suche in neuer Literatur, die ihm begegne, vor allem eine Bestätigung von schon Gewußtem und Bekanntem. Daran mag etwas Wahres sein. Solche Methode nimmt zwar alle Gefahren des Historismus[1] auf sich, wird aber nicht leicht in Versuchung geraten, das bloß aktuelle[2] literarische Phänomen gleich als Ewigkeitswert anzupreisen. Gar keine schlechte Methode, will man versuchen, die Stellung der GRUPPE 47 in Raum und Zeit zu bestimmen.

In der Zeit? Darüber ist doch wohl alles durch die Jahreszahl 47 ausgesagt. Oder nicht? Blättert man Reportagen[3] und literarische Artikel durch, die sich seit nunmehr nahezu fünfzehn Jahren mit dieser Gruppe deutscher Schriftsteller befaßten, so geht es bald langweilig zu, denn die Berichterstatter geben immer von neuem die Selbstaussage[4] der Gruppe in Druck; lose Vereinigung deutscher Schriftsteller; 1947 eigentlich mehr durch Zufall zustande gekommen; von Hans Werner Richter zur literarischen Phalanx vereinigt; abhold[5] jeder gemeinsamen weltanschaulichen Doktrin; entbehrend[6] sogar einer verbindenden und verbindlichen Ästhetik; anspruchslos[7] und höchst anspruchsvoll[8] in einem. Alles stimmt und hat sich auch mittlerweile herumgesprochen. Hans Werner Richter pflegt es bei Gelegenheit von Interviews gern zu wiederholen, wobei er den Ausfrager meist gar nicht merken läßt, daß die scheinbar stets gleichen Formeln heute einen Untertext des Nicht-Gesagten verdecken sollen.[9] Damals nämlich, im Jahre 1947, gab der

---

[1] **der Historismus** historicism
[2] **aktuell** timely
[3] **die Reportage, –n** on-the-spot report
[4] **die Selbstaussage, –n** self-appraisal
[5] **abhold** (+ *dat.*) disinclined toward
[6] **entbehren** lack
[7] **anspruchlos** undemanding, modest
[8] **anspruchsvoll** demanding
[9] **heute . . . sollen** nowadays tend to hide a subtext of withheld information

Hinweis auf einen Freundeskreis von Schriftstellern ohne Programm alle
Auskunft, die nötig sein mochte. Heute muß die Konstellation genauer
bestimmt werden, will man sagen, was die GRUPPE 47 im deutschen
literarischen Leben bedeutet. Manche sind bereits geneigt, die Gruppe
mit der deutschen Gegenwartsliteratur schlechthin gleichzusetzen.
Andere — im deutsch-bürgerlichen Gedeih und Verderb[10] oft bewährte
literarische Berater der besseren Stadtviertel — empfanden das Treiben
der Gruppe und ihrer (wie man in den besseren Vierteln zu sagen pflegt)
„profiliertesten" Vertreter[11] als Zumutung,[12] sogar als Gefahr. Was also
bedeutet die Gruppe in der Zeit, wenn auch sie, mit dieser Zeit, in die
Enwicklung geriet,[13] so daß heute die Selbstaussagen und Formeln von
1947 etwas anderes bedeuten müssen?

Man ist Literarhistoriker oder ist es nicht. Die GRUPPE 47 ist nicht
die erste Vereinigung von Schriftstellern in der deutschen Literaturgeschichte, deren Gründung im Zeichen von Kontingenzen stand, die
sich dann aber zu einem Kapitel[14] der Literaturgeschichte auswuchs,
das in germanistischen Staatsexamen[15] abgefragt wird. In schweren
Fällen sogar in der Reifeprüfung.[16] Mühelos könnte man wenigstens bei
den beiden schlesischen[17] Dichterschulen[18] beginnen, aber es mag bei der
Drohung sein Bewenden haben.[19] Die literarischen Gruppen des 17.
Jahrhunderts nämlich und sogar noch die belletristischen und essayisti-
schen Betriebsamkeiten[20] in Leipzig[21] in der ersten Hälfte des Aufklärungs-
jahrhunderts[22] besaßen weitgehend regionalen Charakter. Der Gedanke
einer literarischen Repräsentation für den Gesamtbereich[23] deutscher
Muttersprache entstand erst in dem Augenblick, da die Forderung nach
deutscher Nationalliteratur aufkam. Die Stürmer und Dränger[24] waren
die erste literarische Gruppe in Deutschland, die so etwas wie ein gemein-
sames ästhetisches und sogar nationalpolitisches Programm besaßen.

---

[10] **der Gedeih und Verderb**   success and failure; up and down
[11] **profilierteste Vertreter**   most prominent representatives
[12] **die Zumutung, –en**   affront, impudence
[13] **in die Entwicklung geriet**   began to change
[14] **das Kapitel, –**   chapter
[15] **das Staatsexamen, –**   a state examination giving access to high school teaching
positions and usually graded by university professors
[16] **die Reifeprüfung –en**   final comprehensive examination at German high schools
[17] **schlesisch**   Silesian
[18] Usually, Paul Fleming (1609-1640) is considered the outstanding representative
of the **erste schlesische Schule,** and Christian Hoffmann von Hoffmannswaldau
(1618-1679) and Kaspar Daniel von Lohenstein (1635-1683) the leaders of the
zweite schlesische Schule.
[19] **es mag bei der Drohung sein Bewendung haben**   let's leave it at the threat
[20] **belletristische und essayistische Betriebsamkeiten**   literary and critical activities
[21] *i.e.* A. H. Francke, Christian Thomasius, Johann Christoph Gottsched, etc.
[22] **das Aufklärungsjahrhundert, –e**   the century of enlightenment
[23] **der Gesamtbereich, –e**   total area
[24] **der Sturm und Drang**   The "Storm and Stress" was a German literary movement that arose in protest to the tenets of enlightenment during the 1760's
and 70's.

Eine interessante Studie von Hans Heinrich Muchow über ,,Jugend[25] und Zeitgeist" (rowohlts[26] deutsche enzyklopädie 1962) hat diesen Jünglings-typ von 1770 nach den vorhandenen Texten genauer charakterisiert: ihre neuen Formen literarischer Geselligkeit; ihr Verhältnis zur älteren Generation; ihre Lektüre als Affront gegen den literarischen Geschmack der Vorgänger; nicht zum wenigsten[27] die Bedeutung des ,,Alpdrucks[28] der Vergangenheit" für ihr ästhetisches Programm.

Der Sturm und Drang war eine literarische Jugendbewegung.[25] Der Jenenser Kreis der Romantiker[29] am Ende des 18. Jahrhunderts nicht minder.[30] (Deutsche Klassik in der Form einer literarischen Gruppe hat es nie gegeben.) Das auslösende Element war die Französische Revolution in ihrer offenbarten Ambivalenz: gleichzeitig Vollendung[31] und Zurück-nahme der bürgerlichen Aufklärung. Die erste romantische Schule in Deutschland: junge Leute, die den Sturz der Bastille[32] gleichzeitig mit der eigenen Pubertät erlebten. Dann gab es um 1813 noch einmal den Typ Theodor Körner.[33] Aber nun war bereits die Politik zum inte-grierenden Moment[34] dieser Jugendbewegung geworden, die Literatur trat zurück. Die Enttäuschung über die Restauration von 1815 wirkte im literarischen Leben desintegrierend, nicht integrierend. Grillparzer und Platen, Wilhelm Müller und Immermann, Grabbe und Heine[35] bildeten keine ,,Gruppe 1827", um das Todesjahr Wilhelm Müllers,[36] übrigens auch das Todesjahr Beethovens vom Jahrgang 1770, als Stichjahr[37] zu nehmen.

Aber das Junge Deutschland?[38] Erst recht keine[39] Schriftsteller-vereinigung im Sinne von Sturm und Drang oder Frühromantik. Metter-nichs Polizei stempelte sie zur literarischen Gemeinschaft, um dadurch besser verbieten zu können. Sie selbst, die Laube und Gutzkow und Wienbarg, waren vollauf damit beschäftigt, sich voneinander

---

[25] **die Jugend** youth; **die Jugendbewegung, –en** youth movement
[26] **Rowohlt Verlag** a well-known German publishing house
[27] **nicht zum wenigsten** last but not least
[28] **der Alpdruck, ⁻e** nightmare
[29] **der Jenenser Kreis der Romantiker** the circle around Schiller in Jena
[30] **nicht minder** not any less so
[31] **die Vollendung** perfection
[32] July 14, 1789
[33] Theodor Körner (1791-1813), poet and Germany's symbol of patriotic idealism. Killed in battle (against Napoleon's army).
[34] **der Moment, –** *here:* impetus
[35] **Grabbe . . . Heine** Though contemporaries, these writers differed considerably in orientation, manner and scope.
[36] *d.h.*, 1827
[37] **das Stichjahr, –e** crucial date, cutoff point
[38] **das Junge Deutschland** literary movement inspired by the July revolution of 1830. Its main figures were Heine, Börne, Gutzkow, Laube, and Wienbarg. The latter gave the movement its name.
[39] **erst recht keine** even less a

abzugrenzen,[40] alle Gemeinsamkeit des Programms zu leugnen.[41] Und
Heine gegen Börne, und Büchners Divergenzen mit Gutzkow,[42] und die
Jungdeutschen gegen die Jung-Hegelianer—nach einer engen Gemeinschaft
von Schriftstellern sah das nicht aus. Nach 1848 vollends erlangt[43] wieder,
fast wie im 17. Jahrhundert, die Regionalliteratur den Vorrang über die
Nationalliteratur. Husum und Seldwyla[44] als extreme Positionen. Der
deutsche Naturalismus von 1890 is provinzielle Wiederholung französischer
Literaturprobleme, ohne einen Theoretiker wie Taine, ohne Zolas oder
Goncourts. Gerhart Hauptmann[45] hat nur in Äußerlichkeiten damit
etwas zu tun; ihn zusammen mit Holz oder Schlaf[46] zu einer naturalisti-
schen „Gruppe" rechnen zu wollen, wäre absurd.

Aber die Expressionisten von 1910? Hier gab es in der Tat neue
Formen der künstlerischen Kommunikation. Die Widmungsgedichte[47]
der Lasker-Schüler[48] machen es deutlich: da führen Wege zu Trakl und
Benn,[49] zu Karl Kraus,[50] Theodor Haecker[51] und Franz Marc.[52] Der
„Kondor," die „Menschheitsdämmerung," die „Erhebung"[53] — die
berühmten Anthologien des Expressionismus aus Vor- und Nachkriegszeit
machen deutlich, daß hier eine gemeinsame Ästhetik gesucht und
gefunden worden war. Auch dies war wieder einmal Jugendbewegung.
Sonderbar übrigens: bis in die äußere Erscheinung wiederholte sich im
Gehaben[54] der expressionistischen Nachkriegsgeneration von 1920 der
Habitus[54] der Jünglinge aus der Sturm-und-Drang-Zeit. Betrachtet man

---

[40] **sich voneinander ab-grenzen** differentiate oneself from another
[41] **leugnen** deny
[42] **Georg Büchner** (1813-37), Germany's dramatic genius, attacked the orientation of
Das Junge Deutschland as too theoretical and timid.
[43] **erlangen** attain
[44] **Husum in Schleswig-Holstein** Theodor Storm's birthplace; **Die Leute von
Seldwyla** (1856), a collection of stories about fictional Seldwyla and its inhabitants
by Gottfried Keller (1819-90), a Swiss.
[45] Gerhart Hauptmann (1862-1946), one of Germany's best-known and most prolific
dramatic poets, won the Nobel prize in 1912.
[46] Arno Holz (1863-1929) and Johannes Schlaf (1862-1941) were the two initiators
of German naturalism.
[47] **das Widmungsgedicht, –e** dedicatory poem
[48] Else Lasker-Schüler (1876-1945), a lyrical poetess, found her early inspiration in
oriental myths and rites.
[49] Georg Trakl (1887-1914) and Gottfried Benn (1886-1956), both lyricists and
essayists initially inspired by expressionism.
[50] Karl Kraus (1874-1936), editor of the radical journal *Die Fackel* (The Torch),
was a pacifist and eloquent social critic. His famous volume of dramatic scenes,
Die letzten Tage der Menschheit (1915-19) is closely linked to expressionist drama.
[51] Theodor Haecker (1879-1945), cultural philosopher and popularizer of Kierkegaard.
[52] Franz Marc (1880-1916), painter and, together with Kandinsky, founder of the
expressionist group **Der Blaue Reiter.**
[53] *Der Kondor* (poems by Ernst Blass *et al.*), ed. by Kurt Hiller, Heidelberg, 1912;
Menschheitsdämmerung Eine Symphonie jungster Dichtung, ed. by Kurt Pinthus,
Berlin 1920; *Die Erhebung: Jahrbuch für neue Dichtung und Wertung*, ed. by
Alfred Wolfenstein, 2 vols., Berlin, 1919-1920.
[54] **das Gehaben** mannerism; **der Habitus** behavior

Photographien Walter Hasenclevers oder Fritz von Unruhs, Bechers oder Friedrich Wolfs,[55] so erblickt man Schiller-Jünglinge des 20. Jahrhunderts. Sie wollten den neuen Menschen, die Weltfreundschaft, den Geist als Überwinder der Macht. Mit Ende des revolutionären Turnus und der Geldentwertung, mit der Stabilisierung von Rentenmark[57] und Bourgeoisie zu Beginn des Jahres 1924 war alles zu Ende. Man wurde neusachlich[58] und geschäftstüchtig[59] und schrieb Gebrauchskomödien[60] statt der dramatisierten Manifeste.

Literarische Gruppen Deutschlands in historischer Sicht. Wie verhält sich die GRUPPE 47 zu ihren Vorgängern? Jugendbewegung jedenfalls war sie nicht. Richter ist 1908 geboren. Andersch im Jahre 1914. Die Zusammensetzung des Kreises von 1947 entsprach weitgehend diesen Altersklassen. Nichts da von Empörung der Söhne gegen die Väter: dies hier waren Leute, die aus dem Zweiten Weltkrieg kamen, Heimkehrer und entlassene Kriegsgefangene, die schon vor 1939 den Auflösungsprozeß in der bürgerlichen Familie mit ansehen mußten, so daß wenig Emotion für eine Generationsrevolte übriggeblieben war. Um 1920 hatte man die eigentlichen sozialen Gegner[61] gleichzeitig verkannt und dämonisiert. Gegen die „Väter",[62] nicht gegen Hugo Stinnes.[63] Nach 1945 war die Stabilität der bürgerlichen Familie so weitgehend erschüttert, daß Revolten der Söhne gegen die Väter gegenstandslos sein mußten. Gegen Nazis und Kriegsgewinnler — ja. Übrigens täuschte man sich um 1947, als man glaubte, die Auseinandersetzung mit der bürgerlichen Familie, mit dem Problem Bürger — Künstler, mit der Heimkehrer-Problematik Andreas Kraglers[64] oder Beckmanns[65] werde von nun an aus der deutschen Literatur verschwinden. Genau vier Jahre später erhielt Heinrich Böll in Bad Dürkheim den Preis der Gruppe, der den Beginn seiner Weltkarriere bedeutete, für eine Erzählung „Die schwarzen Schafe"[66], die zwar ganz ohne Vatermord auskam, im übrigen aber die erneute Aktualität[67] der stabilisierten Bürgerwelt auch für die Literatur ankündigte.

Der Name bleib: GRUPPE 47. Die geistige Konstellation aber des

---

[55] Walter Hasenclever (1890-1940), Fritz von Unruh (1885), and Friedrich Wolf (1888-1953) were primarily dramatists; Johannes Becher (1891-1958), was a poet.
[56] **der Turnus** rotation
[57] **die Rentenmark** German currency after the devaluation of 1924
[58] **die Neue Sachlichkeit** art movement which arose ca. 1925 as a reaction against the subjectivity of impressionism, expressionism, etc.
[59] **geschäftstüchtig** business-oriented, efficient
[60] **die Gebrauchskomödie, –n** stageable comedy
[61] **der Gegner, –** opponent
[62] **. . . wurde rebelliert**
[63] Hugo Stinnes (1870-1924), powerful German industrialist, dominating the coal and shipping industry in the Ruhr
[64] Andreas Kragler—main character in Brecht's drama **Trommeln in der Nacht** (1922).
[65] Beckmann, the demobilized soldier in Wolfgang Borchert's play **Draußen vor der Tür** (1947).
[66] **das Schaf, –e** sheep
[67] **die Aktualität** timeliness; *here:* importance

Gründungsjahres konnte nicht beibehalten werden. Der Verzicht auf ein literarisches oder gar kulturpolitisches Programm entsprang in der Gründungsära dem „totalen Ideologieverdacht". Man war entschlossen, die Wirklichkeit ohne weltanschauliche Präformation zu betrachten: weder prästabilierte Harmonie noch Disharmonie. Sehr verständlich bei Schriftstellern, die Fronttheater,[68] Durchhaltepresse,[69] Führerreden erlebt hatten. Aber dieses Programm einer ideologischen Askese[70] war selbst ein ideologisches Programm. Geistiger Reflex auf die geschichtliche Lage des Jahres 1947. Dabei konnte es nicht bleiben. Liest man heute — nach fünfzehn Jahren — die wichtigsten und erfolgreichsten Texte, die auf Tagungen der Gruppe vorgelesen wurden, so kann man von einer unverkennbar konzentrischen literarischen Entwicklung sprechen. Dies ist längst nicht mehr[71] eine Gemeinsamkeit von Kriegsteilnehmern mit Neigung zur ideologischen Askese und einem Bekenntnis zum ästhetischen Pluralismus. Die Zeitentwicklung ließ das nicht zu, denn sie zwang jeden echten Schriftsteller in der Gruppe, und damit die Gruppe „als solche", die geschichtliche Evolution mitzuvollziehen.[72]

Anders wäre es gar nicht zu erklären, daß es gelang, einige der wichtigsten Schriftsteller der Nachkriegsgeneration zu gewinnen: Menschen vom Jahrgang 1927 wie Walser oder Günter Grass, vom Jahrgang 1929 wie Rühmkorf oder Enzensberger, ganz zu schweigen[73] von Uwe Johnson, der 1947, als die Gruppe entstand, erst dreizehn Jahre alt war. Indem Hans Werner Richter und seine Freunde den Geist sachlicher Unerbittlichkeit in allen Fragen der „chose littéraire"[74] beibehielten, ohne den geschichtlichen Ausgangspunkt des zweiten Nachkriegsjahres als endgültige geistige Fixierung[75] zu verstehen, konnte die Gruppe, ihrem Namen zum Trotz, auch literarisch evoluieren und für jene nachwachsenden Schriftsteller attraktiv werden, die bei ihrem Debüt in der Schriftstellerei deutscher Sprache eine andere Ausgangssituation vorfanden als die „Gründer". Damit aber vollzog sich etwas Neues in der deutschen Literaturentwicklung, denn diese Evolution über die Ursprungslage hinaus war dem Sturm und Drang ebenso versagt geblieben wie später den Romantikern von Jena und Heidelberg, den Jungdeutschen und den Expressionisten. Ein Vergleich neuer literarischer Phänomene mit dem historisch Vertrauten hat also etwas für sich.[76]

---

[68] **das Fronttheater, –**   troop show
[69] **die Durchhaltepresse**   "carry-on" journalism (Nazi press campaign urging German civilians and soldiers in World War II to hold out)
[70] **die Askese**   asceticism
[71] **ist längst nicht mehr**   has long since ceased to be
[72] **mit-vollziehen, o, o**   share in, help accomplish
[73] **ganz zu schweigen**   to say nothing
[74] **la chose littéraire**   (*French*) literature, literary matters
[75] **die Fixierung, –en**   *here*: commitment
[76] **hat also etwas für sich**   there is something to be said for . . . after all

Teil IV   Bibliographisches

Tagungen der Gruppe 47

1. September 1947 im Haus von Ilse Schneider-Lengyel in Bannwaldsee bei Füssen im Allgäu
2. November 1947 im Haus von Hanns Ahrens in Herrlingen bei Ulm
3. April 1948 in Jugenheim bei Darmstadt
4. September 1948 im Haus der Gräfin Degenfeld in Altenbeuern in Oberbayern
5. April 1949 im Rathaus von Marktbreit bei Würzburg
6. Oktober 1949 im Café Bauer in Uttung am Ammersee in Oberbayern
7. Mai 1950 im ehemaligen Kloster von Inzigkofen bei Sigmaringen in Schwaben
8. Mai 1951 in Bad Dürkheim in der Pfalz
9. Oktober 1951 in Laufenmühle bei Ulm
10. Mai 1952 in Niendorf an der Ostsee
11. Oktober 1952 auf Burg Berlepsch bei Göttingen
12. Mai 1953 in Mainz
13. Oktober 1953 im Schloß Bebenhausen bei Tübingen
14. April 1954 in Cap Circeo in Italien
15. Oktober 1954 auf Burg Rothenfels am Main
16. Mai 1955 in Berlin
17. Oktober 1955 im Schloß Bebenhausen bei Tübingen
18. Oktober 1956 in der DGB-Schule in Niederpöcking am Starnbergersee
19. September 1957 in der DGB-Schule in Niederpöcking am Starnbergersee
20. November 1958 im Gasthof Adler in Großholzleute im Allgäu
21. Oktober 1959 im Schloß Elmau bei Mittenwald in Oberbayern
22. November 1960 im Rathaus von Aschaffenburg*
23. Oktober 1961 im Jagdschloß Göhrde bei Lüneburg
24. Oktober 1962 am Wannsee in Berlin

---

*Zusätzliche Tagungen; Hörspieltagung Mai 1960 in Ulm
Fernsehspieltagung April 1961 in Sasbachwalden

25. Oktober 1963 im Saulgau bei Ulm
26. September 1964 in Sigtuna in Schweden
27. November 1965 am Wannsee in Berlin
28. April 1966 in Princeton, New Jersey
29. November 1967 in Waischenfeld in Franken

Der Preis der Gruppe 47

Der Preis der Gruppe 47, mit einer von Rundfunkstationen and Verlegern gespendeten Geldsumme verbunden, wird für besonders vielversprechende, auf der Tagung gelesene Manuskripte vergeben. Er dient dazu, unbekannte Autoren der Öffentlichkeit vorzustellen. Der Preisträger wird in freier und geheimer Wahl von allen Anwesenden gewählt. Bisher wurde der Preis der Gruppe 47 zehnmal vergeben:

1950 an Günter Eich
1951 an Heinrich Böll
1952 an Ilse Aichinger
1953 an Ingeborg Bachmann
1954 an Adriaan Morriën
1955 an Martin Walser
1958 an Günter Grass
1962 an Johannes Bobrowski
1965 an Peter Bichsel
1967 an Jürgen Becker*

---

* für einen bisher unveröffentlichten Prosaband, RÄNDER

AICHINGER, ILSE, geb. 1921 in Wien. Nach dem Krieg Medizinstudium. Lebt in Bayern. *Die größere Hoffnung* (R*, 1948); *Der Gefesselte* (E, 1953); *Knöpfe* (Hö, 1953); *Zu keiner Stunde* (E, 1957); *Wo ich wohne* (E, G, 1963); *Eliza, Eliza* (E, 1965). GR 1951.

BACHMANN, INGEBORG, geb. 1926 in Klagenfurt. Philosophiestudium, Aufenthalt in Paris, London. Lebt in Rom. *Die gestundete Zeit* (G, 1953); *Die Zikaden* (Hö, 1955); *Anrufung des großen Bären* (G, 1956); *Der gute Gott von Manhatten* (Hö, 1958); *Das dreißigste Jahr* (E, 1961); *Gedichte, Erzählungen, Hörspiel, Essays* (1964); *Ein Ort für Zufälle* (E, 1965); *Der junge Lord* (O, 1965). GR 1952.

BICHSEL, PETER, geb. 1935 in Luzern. Volksschullehrer in Zuchwill/Solothurn. *Eigentlich möchte Frau Blum den Milchmann kennenlernen* (E, 1964); *Die Jahreszeiten* (R, 1967). GR 1964.

BIERMANN, WOLF, geb. 1936 in Hamburg. Übersiedelte 1953 in die DDR. Regieassistenz und Philosophiestudium. Lebt in Ost-Berlin. *Die Drahtharfe* (G, 1965). GR 1964.

BOBROWSKI, JOHANNES, geb. 1917 in Tilsit, gest. 1965 in Ost-Berlin. Studium der Kunstgeschichte. Ab 1939 Soldat, kehrte 1949 aus russischer Kriegsgefangenschaft zurück. *Sarmatische Zeit* (G, 1961); *Schattenland, Ströme* (G, 1962; *Levins Mühle* (R, 1964); *Boehlendorff und andere* (E, 1965; *Mäusefest* (E, 1965); *Litauische Claviere* (R, 1967); *Wetterzeichen* (G, 1967); *Nachbarschaft* (E,G 1967); *Der Mahner* (E, 1967). GR 1960.

BÖLL, HEINRICH, geb. 1917 in Köln. Abitur, dann Buchhändlerlehre. Kriegsgefangenschaft, Germanistik. Lebt in Köln. *Der Zug war pünktlich* (E, 1949); *Wanderer, kommst du nach Spa...* (E, 1950); *Die schwarzen Schafe* (E, 1951); *Wo warst du, Adam?* (R, 1951); *Nicht nur zur Weihnachtszeit* (E, 1952); *Und sagte kein einziges Wort* (R, 1953); *Haus ohne Hüter* (R, 1954); *Das Brot der frühen Jahre* (E, 1955); *So ward Abend und Morgen* (E, 1956); *Unberechenbare Gäste* (E, 1956); *Im Tal der donnernden Hufe* (E, 1957);

---

*Au Aufsatz (÷e)	Ges Geschichten	O Oper
Be Bericht	GR zum ersten Mal bei	P Parabel(n)
E Erzählung(en)	Gruppe 47	R Roman
Fa Fabel(n)	Hö Hörspiel(e)	S Satire(n)
G Gedichte	KG Kurzgeschichten	Th Theaterstück(e)

208

Irisches Tagebuch (Be, 1957); *Doktor Murkes gesammeltes Schweigen* (S, 1958); *Die Waage der Baleks* (E, 1959); *Der Brotbeutel* (KG, 1958); *Der Mann mit den Messern* (E, 1959); *Der Bahnhof von Zimpren* (E, 1959); *Billard um halbzehn* (R, 1959); *Ein Schluck Erde* (Th, 1962); *Ansichten eines Clowns* (R, 1963); *Entfernung von der Truppe* (E, 1964); *Ende einer Dienstfahrt* (R, 1966). GR 1951.

DOR, MILO (Milutin Doroslovak), geb. 1923 in Budapest, in Jugoslawien aufgewachsen, lebt in Wien als Journalist und Schrifsteller. Schreibt seit 1945 in deutscher Sprache. *Unterwegs* (E, 1947); *Der vergessene Bahnhof* (Traumspiel, 1948); *Tote auf Urlaub* (R, 1952); *Belgrad liegt in Europa* (Be, 1953); *Nichts als Erinnerung* (R, 1959); *Salto Mortale* (E, 1960); *Ballade vom menschlichen Körper* (E, 1966). GR 1951.

EICH, GÜNTER, geb. 1907 in Lebus an der Oder. Jura und Sinologiestudium. Lebte in Berlin, nach dem Krieg in Bayern und Österreich. Seit 1953 verheiratet mit Ilse Aichinger. Marionettenspiele. *Gedichte* (1930); *Die Glücksritter* (Th, 1933); *Katharina* (E, 1936); *Abgelegene Gehöfte* (G, 1948); *Untergrundbahn* (G, 1949); *Träume* (Hö, 1953); *Botschaften des Regens* (G, 1955); *Stimmen* (Hö, 1958); *Zu den Akten* (G, 1964); *In anderen Sprachen* (G, 1964); *Anlässe und Steingärten* (G, 1966). GR 1948.

ENZENSBERGER, HANS MAGNUS, geb. 1929 in Kaufbeuren im Allgäu. Nach dem Krieg Rundfunkredakteur in Stuttgart. Reisen nach den U.S.A., Mexiko, Norwegen, Italien, Frankfurt, der Sowjetunion. Lebt in Berlin. Anthologien und Übersetzungen. *Verteidigung der Wölfe* (G, 1957); *Zupp* (Ges, 1959); *Landessprache* (G, 1960); *Clemens Brentanos Poetik* (1961); *Einzelheiten* (Au. 1962); *Politik und Verbrechen* (Au, 1964); *Blindenschrift* (G, 1964); *Politische Kolportagen* (1966); *Deutschland, Deutschland unter anderm* (Au, 1967). GR 1955.

FERBER, CHRISTIAN (Georg Seidel), geb. 1919, lebt in London und Hamburg, Redaktionsmitglied der ,,Welt''. *Das Netz* (R, 1951); *Die schwachen Punkte* (R, 1953); *Jeder wie er kann* (E, 1956); *Bonner Patiencen* (S, 1963); *Christian Ferbers Flohmarkt* (Au, 1963); *Die Moritat vom Eigenheim* (E, 1967). GR 1951.

FRIED, ERICH, geb. 1921 in Wien, seit 1938 in London. Seit 1951 Mitarbeiter an der BBC. Kritiken, Übersetzungen. *Deutschland* (G, 1944); *Österreich* (G, 1945); *Gedichte* (1958); *Ein Soldat und ein Mädchen* (R, 1960); *Reich der Steine* (G, 1963); *Warngedichte* (G, 1964); *Überlegungen* (G, 1964); *Kinder und Narren* (E, 1965); *und Vietnam und* (G, 1966); *Anfechtungen* (G, 1967). GR 1963.

GRASS, GÜNTER, geb. 1927 in Danzig. Soldat. 1956–59 in Paris. Lebt als Bildhauer, Graphiker und Schriftsteller in West-Berlin. Politische Reden und Aufsätze. *Die Vorzüge der Windhühner* (G, 1956); *Die Blechtrommel* (R, 1959); *Noch 10 Minuten bis Buffalo* (Th, 1959); *O Susanna. Ein Jazz-Bilderbuch* (1959); *Gleisdreieck* (G, 1960); *Katz und Maus* (E, 1961); *Die bösen Köche* (Th, 1961); *Zweiunddreißig Zähne* (Th, 1962); *Hundejahre* (R, 1963); *Hochwasser* (Th, 1963); *Onkel Onkel* (Th, 1965); *Die Plebejer proben den Aufstand* (Th, 1966); *Ausgefragt* (G, 1967). GR 1955.

HILDESHEIMER, WOLFGANG, geb. 1916 in Hamburg. Lebte in Holland, Mannheim, England, Palästina, derzeit als Maler und Schriftsteller in der Schweiz. Übersetzungen. *Lieblose Legenden* (E, 1952); *Das Ende einer Welt*

(O, 1953); *Paradies der falschen Vögel* (R, 1953); *Der Drachenthron* (Th, 1955); *Das Opfer Helena* (Th, 1955); *Ich trage eine Eule nach Athen* (E, 1956); *Spiele, in denen es dunkel wird* (Th, 1958); *Die Eroberung der Prinzessin Turandot* (Th, 1960); *Die Verspätung* (Th, 1962); *Nachtstück* (Th, 1963); *Aufzeichnungen über Mozart* (1963); *Tynset* (R, 1965). GR 1951.

HÖLLERER, WALTER, geb. 1922 in der Oberpfalz. Studium der Philosophie, Geschichte, Germanistik und vergleichenden Literaturwissenschaft. Lehrte in Münster und an amerikanischen Universitäten. Derzeit Ordinarius für Literaturwissenschaft an der Technischen Universität Berlin. Mitbegründer der Zeitschrift *Akzente*. Herausgeber der Zeitschrift *Sprache im technischen Zeitalter*. Anthologien. *Der andere Gast* (G, 1952); *Zwischen Klassik und Moderne* (Au, 1958); *Wie entsteht ein Gedicht* (Au, 1964); *Gedichte* (1964); *Theorie der modernen Lyrik* (Au, 1965); *Modernes Theater auf kleinen Bühnen* (Au, 1965); *Außerhalb der Saison* (G, 1967); *Ein Gedicht und sein Autor* (Au, 1967). GR 1959.

JENS, WALTER, geb. 1923 in Hamburg. Studium der Germanistik und klassischen Philologie. Seit 1956 Professor für klassische Philologie, seit 1963 Inhaber des Lehrstuhls für allgemeine Rhetorik an der Universität Tübingen. Übersetzungen antiker Dramen. *Das weiße Taschentuch* (E, 1945); *Nein. Die Welt der Angeklagten* (R, 1950); *Der Blinde* (E, 1951); *Vergessene Gesichter* (R, 1952); *Der Mann, der nicht alt werden wollte* (R, 1955); *Hofmannsthal und die Griechen* (Au, 1955); *Die Stichomythie in der frühen griechischen Tragödie* (Au, 1955); *Das Testament des Odysseus* (E, 1957); *Statt einer Literaturgeschichte* (Au, 1957); *Moderne Literatur—Moderne Wirklichkeit* (Vortrag, 1958); *Ilias und Odyssee* (Nacherzählung, 1958); *Die Götter sind sterblich* (Be, 1959); *Deutsche Literatur der Gegenwart* (Au, 1961); *Zueignungen* (Au, 1962); *Herr Meister. Dialog über einen Roman* (R, 1963). *Die rote Rosa* (Th, 1966). GR 1950.

JOHNSON, UWE, geb. 1934 in Cammin/Pommern. Studium in Rostock und Leipzig (bei Hans Mayer). Seit 1959 in West-Berlin. Reisen nach den U.S.A., Rom. Zurzeit in New York. *Mutmaßungen über Jakob* (R, 1959); *Das dritte Buch über Achim* (R, 1961); *Karsch, und andere Prosa* (E, 1964); *Zwei Ansichten* (R, 1965). GR 1960.

KAISER, JOACHIM, geb. 1928 in Milken/Oberpreußen. Musikwissenschaften, Germanistik. Mitarbeiter an der *Süddeutschen Zeitung*, lebt in München. *Grillparzers dramatischer Stil* (1961); *Kleines Theater-Tagebuch* (Au, 1965); *Große Pianisten in unserer Zeit* (Au, 1965). GR 1953.

LENZ, SIEGFRIED, geb. 1926 in Lyck/Masuren. Literatur, Anglistik. *Es waren Habichte in der Luft* (R, 1951); *So leicht fängt man keine Katze* (R, 1954); *Duell mit dem Schatten* (R, 1953); *So zärtlich war Suleyken* (Ges, 1955); *Der Mann im Strom* (R, 1957); *Jäger des Spotts* (E, 1958); *Brot und Spiele* (R, 1959); *Das Feuerschiff* (E, 1960); *Zeit der Schuldlosen* (Th, 1962); *Stadtgespräch* (R, 1963); *Lehmanns Erzählungen* (E, 1964); *Der Spielverderber* (E, 1965); *Haussuchung* (Hö, 1967). GR 1952.

MAYER, HANS, geb. 1907 in Köln. 1933–45 in Frankreich und der Schweiz. Chefredakteur des Frankfurter Rundfunks 1946–47. Ordentlicher Professor für neuere deutsche Literaturgeschichte an der Universität Leipzig 1946–63. Seit 1963 in Westdeutschland. Seit 1965 Professor für deutsche Literaturgeschichte an der Technischen Hochschule Hannover. *Von der Dritten zur Vierten Republik* (1945); *Georg Büchner und seine Zeit* (Au, 1946); *Ansichten über einige neuere Schriftsteller* (mit Stephan Hermlin) (Au, 1947); *Karl Marx und das Elend des Geistes* (Au, 1948); *Unendliche Kette* (Au, 1949); *Thomas Mann* (Au, 1950); *Schiller und die Nation* (Au, 1953); *Studien zur deutschen Literaturgeschichte* (Au, 1954); *Deutsche Literatur und Weltliteratur* (Au, 1957); *Von Lessing bis Thomas Mann* (Au, 1959); Richard Wagner (Au, 1959); *Bertolt Brecht und die Tradition* (Au, 1961); *Ansichten. Zur Literatur der Zeit* (Au, 1962); *Heinrich von Kleist, der geschichtliche Augenblick* (Au, 1962); *Dürenmatt und Frisch* (Au, 1962); *Zur deutschen Klassik und Romantik* (Au, 1963); *Anmerkungen zu Brecht* (Au, 1965); *Anmerkungen zu Richard Wagner* (Au, 1966); *Zur deutschen Literatur der Zeit* (Au, 1967); *Gerhart Hauptmann* (Au, 1967). GR 1959.

REICH-RANICKI, MARCEL, geb. 1920 in Wloclawek (Polen). Bis 1938 in Berlin, dann in Warschau, ab 1958 in der Bundesrepublik, zur Zeit in Hamburg. Literaturkritiker, ständiger Mitarbeiter der Wochenzeitung *Die Zeit.* In deutscher Sprache erschienen: *Deutsche Literatur in West und Ost* (Au, 1963); *Literarisches Leben in Deutschland* (Au, 1965); *Wer schreibt, provoziert* (Au, 1966); *Literatur der kleinen Schritte* (Au, 1967). Herausgeber der Anthologien: *Auch dort erzählt Deutschland* (E, 1960); *Sechzehn Polnische Erzähler* (E, 1962); *Erfundene Wahrheit—Deutsche Geschichten seit 1945* (E, 1965); *Notwendige Geschichten 1933–1945* (Ges, 1967). GR 1958.

RICHTER, HANS WERNER, geb. 1908 in Bansin auf Usedom. Buchhändler, Soldat. Begann seine publizistische Tätigkeit in amerikanischer Kriegsgefangenschaft. Lebt in München und West-Berlin. Gründer und Leiter der Gruppe 47. *Die Geschlagenen* (R, 1949); *Sie fielen aus Gottes Hand* (R, 1951); *Spuren im Sand* (R, 1953); *Du sollst nicht töten* (R, 1955); *Linus Fleck oder Der Verlust der Würde* (R, 1959); *Menschen in freundlicher Umgebung* (S, 1965); *Karl Marx in Samarkand* (Be, 1967). GR 1947.

SCHNURRE, WOLFDIETRICH, geb. 1920 in Frankfurt am Main, lebt in Berlin. Film-und Theaterkritiker. Tagebücher, Reportagen. *Die Rohrdommel ruft jeden Tag* (E, 1950); *Sternstaub und Sänfte. Aus dem Tagebuch des Pudels Ali* (E, 1953 und 1962); *Die Blumen des Herrn Albin. Aus dem Tagebuch eines Sanftmütigen* (E, 1955); *Kassiber* (G, 1956); *Protest im Parterre* (Fa, 1957); *Abendländler* (SG, 1957); *Liebe böse Welt* (E, 1957); *Als Vaters Bart noch rot war* (Ges, 1958); *Eine Rechnung, die nicht aufgeht* (E, 1958); *Steppenkopp* (E, 1958); *Anaximanders Ende* (O, 1958); *Barfußgeschöpfe* (E, 1958); *Das Los unserer Stadt* (R, 1959); *Man sollte dagegen sein* (Ges, 1960); *Die Flucht nach Ägypten* (Ges, 1960); *Jenö war mein Freund* (E, 1960); *Ein Fall für Herrn Schmidt* (E, 1962); *Funke im Reisig* (E, 1963); *Ohne Einsatz kein Spiel* (Ges, 1964); *Neue Gedichte* (G, 1964); *Schreibtisch unter freiem Himmel* (Au, 1964); *Die Erzählungen* (1966); *Was ich für mein Leben gern tue* (Prosa, 1967); *Spreezimmer möbliert* (Hö, 1967); *Die Zwengel* (Kinderbuch, 1967). GR 1947.

WALSER, MARTIN, geb. 1927 in Wasserburg am Bodensee. Studium der Literaturwissenschaft, Philosophie und Geschichte. Regie bei Rundfunk und Fernsehen. Lebt in Friedrichshafen am Bodensee. *Ein Flugzeug über dem Haus* (Ges, 1955); *Ehen in Philippsburg* (R, 1957); *Halbzeit* (R, 1960); *Der Abstecher* (Th, 1961); *Beschreibung einer Form. Franz Kafka* (Au, 1961); *Eiche und Angora. Eine deutsche Chronik* (Th, 1962); *Überlebensgroß Herr*

Krott (Th, 1963); *Lügengeschichten* (E, 1964); *Der schwarze Schwan* (Th, 1964); *Erfahrungen und Leseerfahrungen* (Au, 1965); *Das Einhorn* (R, 1966); *Der Abstecher/Die Zimmerschlacht* (Th, 1967). GR 1953.

WEISS, PETER, geb. 1916 in Nowawes bei Berlin. Kindheit in Bremen und Berlin, Aufenthalt in England, Studium an der Kunstakademie Prag, als Maler in der Schweiz, lebt seit 1939 in Schweden. Collagen, Filme. *Der Schatten des Körpers des Kutschers* (E, 1960); *Abschied von den Eltern* (E, 1961); *Fluchtpunkt* (R, 1962); *Das Gespräch der drei Gehenden* (E, 1963); *Nacht mit Gästen* (Th, 1963); *Die Verfolgung und Ermordung Jean Paul Marats* (Th, 1964); *Die Ermittlung* (Th, 1965). *Der Lusitanische Popanz* Th, 1967). GR 1962.

Literatur über Gruppe 47

Dichter und Richter. Die Gruppe 47 und ihre Gäste. Gezeichnet von Henri M.-Brockmann (München: Rheinsberg Verlag 1962).

Almanach der Gruppe 47. 1947–1962. Herausgegeben von Hans Werner Richter (Hamburg: Rowohlt Verlag 1962).

Der Ruf. Eine deutsche Nachkriegszeitschrift. Herausgegeben von Hans Schwab-Felisch. Mit einem Geleitwort von Hans Werner Richter. (München: Deutscher Taschenbuch Verlag 1962).

Jürgen von Holländer, „Das Geheimnis der Gruppe 47", *Epoca: Eine Europäische Zeitschrift* (November 1964), pp. 20–26.

Reinhard Lettau, "What about Gruppe 47?" *Yale Review* (Spring 1965), pp. 24–26.

Marcel Reich-Ranicki, *Literarisches Leben in Deutschland* (München: Piper Verlag 1965).

„Kunst und Elend der Schmährede: Zum Streit um die Gruppe 47", *Die Sprache im Technischen Zeitalter.* Herausgegeben von Walter Höllerer. (No. 20, Oktober-Dezember 1966).

Reinhard Lettau, *Die Gruppe 47. Bericht, Kritik, Polemik.* (Neuwied: Luchterhand Verlag 1967).

"Gruppe 47 at Princeton University", *Special Supplement. American-German Review* (April 1966).

Joachim P. Bauke, "Group 47 at Princeton", *New York Times Book Review* (May 15, 1966), pp. 43–45.

Vocabulary

The vocabulary is complete except for articles, pronouns, numerals, the most common conjunctions, prepositions and adverbs, calendar terms, names of nationalities and members of the family, obvious cognates, and words and phrases translated in the footnotes. Nouns are listed with article and nominative plural endings; weak genitive singular endings are likewise given (*der Bär*, *–en, –en*). Nouns with adjective declension are given with both masculine endings: *der Erwachsene(r)*. Verbs are listed with an indication of the third person singular whenever it involves a vowel change, with the vowels of the principal parts of strong verbs, with an indication of the auxiliary *sein*, and with an asterisk for consonant changes in principal parts: *fallen (fällt), ie**, *a (ist)*. Whenever the intransitive verb is reflexive, the transitive verb is marked *v./t.* A dative *sich* is marked by an asterisk. All words are listed under their first letter, with the exception of separable prefix verbs which are listed under the letter of their stem. Separable prefixes are indicated by a hyphen; an optional separable or unseparable prefix by (–); option of separable prefix or separate words by (=). The numbers following each word refer to the numbers of the selections in which the word in question occurred for the first, second and third times. (If a student finds that a word he is looking up has been used in two or three previous selections, he should realize that his retention technique needs to be revised. The teacher, on the other hand, can easily check the vocabulary for words he plans to use in an examination and which the student should know.) Words occurring in only one selection are given in the footnotes, except for compounds whose components occur in several selections.

Abbreviations

acc.	accusative	*dat.*	dative	*pejor.*	perjorative
act.	actually	*d.h. (daher) i.e.*		*pl.*	plural
adj.	adjective	*dial.*	dialect	*poet.*	poetic
approx.	approximately	*gen.*	genitive	*v./i.*	intransitive verb
arch.	archaic	*idiom.*	idiomatic	*v./t.*	transitive verb
cf.	compare	*i.e.*	that is	*vulg.*	vulgar
coll.	colloquial	*lit.*	literally	*weak*	weak verb

ab(–) off, aside, away, down 2, 3, 5
  ab und zu off and on 6
der Abdruck, ⁚e impression, imprint 17
der Abend, –e evening 1, 2, 3
  zu Abend essen dine 4
  abends in the evening 2, 5, 6
  die Abenddämmerung dusk 6
  das Abendessen, – supper 15
  die Abendgesellschaft, –en evening
    party 15
  die Abendvorstellung, –en evening
    performance 13
  der Abendwind, –e evening breeze
    13
abermals again, once more, 11, 18
die Abfahrtszeit, –en departure time
  15
der Abfall, ⁚e defection; trash,
  garbage, scraps 6, 13
der Abfluß, ⁚e sewer 19
  die Abflußrinne, –n drainage ditch
    16
der Abgang, ⁚e departure, exit 16
der Abhang, ⁚e slope 13
die Abkürzung, –en abbreviation 6
die Abmachung, –en agreement 11
die Abneigung aversion 6
die Abrechnung, –en accounting,
  settling of accounts 8
die Abreise, –n departure 6
der Abreißkalender, – daily calendar 6
der Absatz, ⁚e pause; heel (of shoe);
  paragraph 1, 18
abseits away, aside 17, 26
die Absicht, –en intention 6, 11, 15
  absichtlich deliberate, intentional
    6, 13;
  (*cf.* **beabsichtigen**)
das Abteil, –e compartment 7, 26
  die Abteilung, –en detachment,
    section 6, 16
abwärts downward 6, 13
achten heed, esteem, respect 3, 15, 18
  achten auf heed, watch out for 5, 10
  acht geben auf watch, be careful
    concerning 6;
  (*cf.* **beachten, verachten**)
die Ader, –n vein 6, 24
ähneln resemble 27
  ähnlich similar, like 1, 5, 6
  die Ähnlichkeit resemblance 18
ahnen surmise, sense 5, 16, 18
  die Ahnung, –en notion,
    premonition 6

die Ahnenreihe, –n line of ancestors 27
  der Ahnherr, –n, –n ancestor 26
der Aktendeckel, – brief-cover 4
  die Aktentasche, –n briefcase 17
allabendlich every evening 5, 6
allein alone 4, 5, 6
allerdings to be sure, however 2, 5
allererst very first 11, 28
allerlei all kinds of 2, 5
allgemein general 5, 10
allmählich gradual 2, 5
der Alltag everyday 15
  das Alltägliche(s) commonplace,
    daily routine 16
als as, when, as if; than 1, 2, 3
alsbald soon, thereupon 11, 26
also thus, therefore 2, 4, 5
alt old 1, 2, 3
  beim alten the same, as before 6
  der Alte, (r) old man, "old boy" 3,
    11, 16
  die Alten the ancients 11
  der Ältere(r) elder 10
  das Alter, – age 6
  altern (ist) grow old, age 6
  die Altersklasse, –n age-group 29
der Anblick, –e sight, 4 5, 18
ander– other 1, 2, 3
  ander(e)s different, else 3, 5, 6
  ein andermal another time 10
  (ver)ändern change 3, 6, 7
  um-ändern alter 4
  der Andersdenkende(r) someone
    who disagrees 6
anderthalb one and a half 2, 16, 17
die Andeutung, –en indication,
  suggestion 5
aneinander to one another 13, 18
die Anerkennung recognition,
  approbation 6, 26
der Anfang, ⁚e beginning 5, 6, 10
  anfangs in the beginning 2, 16
die Anforderung, –en demand 26, 28
die Angelegenheit, –en affair,
  business 6, 18
angenehm pleasant 2, 11
angesehen distinguished 27
angesichts in the face of, in view of
  5, 18, 25
die Angst, ⁚e fear, anxiety 5, 6, 10
  ängstlich anxious, uneasy 5
die Anklage, –n accusation 6
die Anlage, –n potential; grounds,
  park 16, 26

der Anlaß, ¨e cause, occasion 13, 26
  Anlaß geben give rise 15
der Anlauf, ¨e running start 17, 18
die Anmut grace, charm 11, 13
die Annahme, –n supposition,
  assumption 10
der Anprall shock, impact 13
der Anruf, –e (telephone) call, shout
  6, 22
der Anschein appearance 10, 27
  allem Anschein nach to all
  appearances 27
  anscheinend apparently 6
anschließend subsequent, followed
  by 2
  der Anschluß, ¨e connection,
  annexation 7
die Ansicht, –en view, opinion 18, 27
die Ansprache, –n speech, address 27;
  (cf. an-sprechen)
anstandslos without any objection
  6, 8
an-strengen (v./t.) strain, exhaust 3,
  18
  angestrengt straining, with all one's
  might 18
  anstrengend strenuous 14, 28
  die Anstrengung, –en effort,
  exertion 13, 28
der Anteil, –e share 11
die Antwort, –en answer 2, 13, 23
  (be)antworten answer 2, 3, 4
die Anweisung, –en directive 5
anwesend present 1, 27, 28
die Anzahlung, –en down payment,
  advance 18
das (An)zeichen, – sign, symptom 10
die Anzeige, –n denunciation;
  advertisement 10
  das Anzeigenblatt, ¨er advertisement paper or section 1
der Anzug, ¨e suit, clothes 4, 5, 6
die Ära era 6, 29
die Arbeit, –en work, labor 2, 6, 10
  arbeiten work 2, 5, 6
  der Arbeiter, – worker 6, 15
  der Arbeitsplatz, ¨e place of work 5
  das Arbeitszimmer, – work-room
  4, 18
der Ärger vexation, anger 5
  ärgern, sich be annoyed, angry 3
  arglos unsuspecting 24
  (be)argwöhnen suspect 27
  argwöhnisch suspicious 18

arm, ärmlich poor 1, 5
die Art, –en manner, kind, strain
  5, 6, 10
die Asche ashes 19
  der Aschenbecher, – ashtray 4
der Ast, ¨e branch 17, 27
  der Astbruch, ¨e broken branch 17
  das Astzeug tangle of branches 17
der Atem breath, life 5, 6, 14
  zu Atem kommen catch one's
  breath 11
  Atem schöpfen take a deep breath
  6
  atemlos breathless 17
  atmen breathe 16, 17, 20
  auf-atmen sigh with relief, draw a
  deep breath 5, 15
  ein- und aus-atmen breathe in and
  out 26
auch also, too 1, 2, 3
  wenn auch even if 6, 13, 27
auf(–) up, on, open 2, 3
der Aufbewahrungsschuppen, –
  storage shed 15
der Aufenthalt, –e stay, sojourn 3, 6
  der Aufenthaltsort, –e or ¨er place
  of residence 16
das Auffangnetz, –e safety net 6
die Aufforderung, –en invitation 15
die Aufführung, –en performance 26
die Aufgabe, –n task 6, 23, 26
aufgelegt zu disposed toward, in the
  mood for 14
  (gut) aufgelegt sein be in a (good)
  mood 6
das Aufkommen approach, rise 18
der Auflösungsprozeß, –e process of
  dissolution 29
aufmerksam attentive 2, 6, 17
  die Aufmerksamkeit, –en
  attentiveness 26, 27
aufrecht upright, erect 5, 26
  der Aufrechte(r) upright creature
  13
die Aufschrift, –en inscription 16
der Aufsprung, ¨e leap 17
der Auftrag, ¨e project, bid 4
  im Auftrag as per instruction 26
  (cf. beauftragen)
aufwärts upward 13, 17
der Aufzug, ¨e elevator 4, 12
das Auge, –n eye 2, 3, 5
  im Auge halten keep one's eye on
  18

der **Augenblick**, –e moment 2, 3, 4
  im **Augenblick** at the moment 2, 13
  im ersten **Augenblick** at first 6
  augenblicklich immediate 17
aus over, finished 1, 2, 4
aus(-) out, from 1, 2, 3
der **Ausbruch**, ⸚e escape 13
  der **Ausbruchversuch**, –e attempt
    to break out 10
der **Ausdruck**, ⸚e expression 18
auseinander apart 6, 12, 13
  die **Auseinandersetzung**, –en
    debate 29
der **Ausfrager**, – questioner 29
die **Ausgabe**, –n edition, printing 6
  (*cf.* **heraus-geben**)
der **Ausgang**, ⸚e exit 20
  der **Ausgangspunkt**, –e point of
    departure 29
  die **Ausgangsstellung**, –en starting
    position 26
ausgebleicht pale, faded 1, 5, 17
ausgezeichnet excellent 3, 11
die **Auskunft**, ⸚e information, piece
  of information 6, 15, 29
  eine **Auskunft ein-holen** obtain
    information 6
  die **Auskunftstafel**, –n information
    board 15
die **Auslage**, –n display window 2
das **Ausland** foreign country 6
der **Auslauf**, ⸚e walk 28
  der **Ausläufer**, – forerunner,
    foothill 18
die **Auslegung**, –en interpretation 27
die **Ausnahme**, –n exception 2
die **Ausräumung** purging, clearing
  out 26
der **Ausruf**, –e exclamation 5
Ausschau halten nach look for, be on
  the lookout 13
der **Ausschnitt**, –e section, cut-out
  18
das **Aussehen**, – appearance 6, 11, 15
außen outside, external 16
  die **Außenpolitik** foreign policy 6
außer unless; except 14
  äußer- outer, external 16, 29
  außerdem besides 1, 2, 3
  außerhalb beyond 15, 16
  die **Äußerlichkeit**, –en external
    aspects 29
  außerliterarisch extra-literary 27
  außerordentlich extraordinary 27

äußern, sich express one's opinion,
  respond 27, 28
äußerst utmost 13, 16
äußerstenfalls at the most 18
die **Äußerung**, –en manifestation,
  utterance 5, 27

der **Bach**, ⸚e brook, torrent 5, 13
das **Bad**, ⸚er bath 6, 15
  die **Badeanstalt**, –en bath-house 6
  baden bathe 6, 11, 15
  das **Badezimmer**, – bathroom 4, 6
  das **Badezimmerfenster**, – bath-
    room window 4
die **Bahn**, –en path, course, train 6,
  15, 26
  das (*or* der) **Bahnabteil**, –e train
    compartment 26
  der **Bahnbeamte(r)** railroad
    employee, ticket agent 15
  der **Bahnbedienstete(r)** railroad
    official 14
  der **Bahndamm**, ⸚e railroad
    embankment 16
  bahnen pave a way 26
  der **Bahnhof**, ⸚e railroad station
    6, 15, 16
  das **Bahnhofsgelände**, – railroad
    station terrain 15
  der **Bahnhofswartesaal**, –säle
    station waiting-room 6
  die **Bahnlinie**, –n railroad line 15
  das **Bahnpostamt**, ⸚er station
    post-office 6
  die **Bahnschwelle**, –n cross-tie on
    railroad track 14
  die **Bahnseite**, –n side of the
    tracks 14
  der **Bahnsteig**, –e station platform 15
  die **Bahnstrecke**, –n railroad line 16
bald soon 3, 5, 6
der **Balken**, – beam 16, 18
der **Balkon**, –e balcony 4, 5, 6
die **Ballonmütze**, –n balloon cap 18
der **Ballsaal** (*pl.* **Ballsäle**) dance hall,
  ballroom 1, 26
der **Band**, ⸚e volume 2
  das **Band** strap, loop 12
  (*cf.* **binden**)
die **Bank**, ⸚e bench 3, 6, 16
der **Bär**, –en, –en bear 9, 22
der **Bart**, ⸚e beard 1, 18
  die **Bartstoppel**, –n bristle (of
    beard) 17

der Bau, –e structure, construction 16
  bauen build 3, 11, 18
  vor-bauen build out 16
  das Bauwerk, –e building 16
der Bauch, ⁝e belly 9, 12
  bauchig bulging, bulky 17
der Bauer, –n, –n peasant, farmer
    16, 17, 22
der Baum, ⁝e tree 2, 5, 6
  das Baumskelett, –e tree-skeleton
    15
der Baumwuchs tree growth 5
be- non-separable prefix, usually
    making verb transitive and
    changing case relation
beabsichtigen intend 6
(be)achten take notice of, note 6
der Beamte(r) official 6, 15
(be)antworten answer 15
(be)argwöhnen suspect 27
beauftragen commission 10, 26
bedächtig deliberate, cautious 5, 6
bedauern pity, regret 6, 24
(be)decken cover 5, 10
bedenken, a*, a* consider, bear in
    mind 11, 26
  bedenken mit bestow 27
  bedenklich suspicious 27
  die Bedenkzeit time for
    deliberation 27
bedeuten mean, signify 4, 6, 13
  bedeutungsvoll meaningful,
    significant 5
bedienen, sich + gen. make use of,
    help oneself to 6
(be)drängen molest, harrass 27
(be)drohen threaten 18
bedürfen (es bedarf) + gen. u*, u*
    need, necessitate 15
(be)eilen, sich hurry 1, 15
die Beerdigung, –en burial 1 (cf. Erde)
befahrbar navigable, usable 15
befallen (befällt), ie*, a befall,
    seize 5
befassen, sich mix, occupy oneself
    with 27, 29
der Befehl, –e befehlen, a, o order,
    command 10, 11, 16
befestigen fasten 2, 18
befeuchten moisten, dampen 6, 13
befinden a, u render an opinion 16,
    27
  befinden, sich be stationed, be
    located 16

beflügeln lend wings to 13
(be)folgen follow 6
befreien set free, liberate 13
befreundet friendly 17
befriedigen satisfy 15, 26
(be)fürchten fear 14, 18, 27
begeben, sich a, e go, enter 28
begegnen (ist) meet, encounter, oppose,
    face 6, 10, 29
begehen, i*, a* celebrate; commit 2,
    6
begeistert enraptured, enthusiastic
    2, 6
beginnen, a, o begin 5, 6, 10
begleichen, i, i settle 10
begleiten accompany 5, 18
begnügen, sich be satisfied, content
    oneself with 14
begreifen, i*, i* comprehend,
    understand, conceive 4, 5, 6
(be)grenzen border, bound, limit
    16, 18
der Begriff, –e concept, view 5
begründen justify 27
(be)grüßen greet 4, 6, 26
behaglich comfortable 15, 17
behalten (behält), ie, a keep 2, 6, 13
  bei-behalten retain 29
  vor-behalten, sich* reserve to
    oneself, retain one's freedom
    toward 15
behandeln treat 6, 10, 28
behaupten maintain, claim 6, 9
  behaupten, sich hold one's
    ground 18
die Behausung, –en quarters, housing
    16
(be)herrschen control, rule, dominate
    6, 10, 16
  sich beherrschen control oneself 2
(be)hüten guard, protect 5
behutsam careful, gentle 2, 6, 13
der Beifall applause 26
  beifällig approving, appreciative
    5, 26
das Bein, –e leg 1, 2, 6
beinahe almost 6, 15
das Beispiel, –e example 6, 7, 14
  beispielsweise for example 27
beißen, i, i bite 11, 16, 18
  zu-beißen take a bite 17
der Beitrag, ⁝e contribution 6
(be)jubeln rejoice at, admire 2
(be)kämpfen fight 26

bekannt known, noted 6, 26, 29
  bekannt-machen acquaint 4
  der Bekannte(r) acquaintance
    (person) 15
  die Bekanntschaft, –en acquaint-
    ance 4
bekennen, a*, a*, or sich acknow-
    ledge, confess 6, 14
  das Bekenntnis, –se avowal 29
die Bekleidung clothing 15, 18
bekommen, a*, o receive, attain,
    assume 2, 4, 6
(be)laden, u, a lade, load 5
belegen take, occupy 6
beleidigen insult, offend 5, 6, 26
(be)leuchten illuminate 13, 27
(be)lohnen reward, recompense 10,
    11
(be)malen paint 13, 16
(be)merken notice 3, 4, 5
  bemerkbar noticeable 6
  bemerkenswert noteworthy 27
(be)mühen, sich try, strive, attempt
    3, 4, 6
benachbart neighboring 6
(be)nageln nail 16
(be)nennen, a*, a* name, label 26
benötigen require 14
benützen use 5, 13, 15
beobachten observe 4, 5, 13
  der Beobachter, – observer 27
bequem convenient 6, 28
(be)raten (berät), ie, a, sich mit
    confer with, consult 13
  der Berater, – advisor 29
(be)rauben rob, deprive 5, 6
(be)rechnen charge, calculate 8, 11
  voraus-berechnen precalculate,
    estimate 11
die Berechtigung justification 5
bereit ready, willing 6, 11, 13
  bereitwillig accommodating 26
bereits already 15, 27, 29
bereiten prepare, cause 5
  vor-bereiten prepare 6, 18
(be)reuen repent 6, 9
der Berg, –e mountain 14, 16, 18
  bergab downhill 22
  die Bergspitze, –n mountain peak
    15
der Bericht, –e report 6, 10, 16
  der Berichterstatter, – reporter 29
(zer)bersten, a, o (ist) burst, split
    16, 24

berücksichtigen consider, take into
    consideration 27
der Beruf, –e vocation, profession
    5, 6, 27
  der Berufskritiker, – professional
    critic 27
beruhen rest upon 13
  beruhigen calm 4, 11, 13
berühmt famous 29
berühren touch 4, 13, 18
beschäftigen occupy, employ 6, 15, 26
beschauen gaze upon, view 11
  die Beschaulichkeit contemplation
    2
(be)schießen, o, o fire (on), shell 6
beschleunigen accelerate, speed up
    5, 13
beschließen, o, o decide 6, 13, 15
beschränken limit, restrain 13, 14
beschreiben, –ie, –ie describe 13
beschuldigen + gen. accuse of 13
beschwerlich difficult 15
besehen (besieht), a, e glance at,
    scrutinize 15
besetzen occupy 3, 18, 26
sich besinnen, –a, –o come to one's
    senses
  besinnen, sich auf + acc. recall 6
  besinnungslos unconscious 13
  besonnen prudent 10
der Besitz, –tümer possession 6
besitzen, a*, e* possess, own 6, 13,
    16
  der Besitzer, – owner 3, 6, 13
besondere(r) special 5
  besonders especially 2, 3, 6
  was Besonderes something special 1
besonnen see **besinnen**
besorgen take care of, see to 18
  besorgt anxious, worried 17, 18
bespannen cover, stretch over 5
besprechen (bespricht), a, o discuss,
    arrange 6, 18, 26
  die Buchbesprechung, –en book
    review 15
bestätigen confirm, verify, vindicate
    6, 18, 26
bestehen, a*, a* exist 16, 27
(be)stehlen, a, o rob, steal 13
bestellen order; till 15, 20, 25
bestimmen determine, define 6, 16, 18
  bestimmt certain, definite,
    destined, distinct 2, 3, 6
  die Bestimmtheit firmness 28

bestrickend fascinating, enticing 11
(*cf*. **Strick**)
bestürzen (+ *dat.*) dismay, disconcert
13, 23
der **Besuch**, **–e** visit 6
besuchen visit 2, 3, 5
sich **betätigen** occupy oneself 27
sich **beteiligen** participate 4
der **Beteiligte(r)** participant 13
beten pray 1, 6
fertig-beten finish the prayer 1
der **Beton** concrete 16
das **Betonbruchstück**, **–e** concrete
fragment 16
die **Betondecke**, **–n** cement ceiling 16
der **Betonkasten**, ⁓ concrete box 16
der **Betonpfeiler**, **–** cement post 16
die **Betonrampe**, **–n** concrete ramp
3
die **Betonwand**, ⁓e concrete wall 16
betonen emphasize, stress 27, 29
betrachten (or **sich***) view, observe
3, 6, 13
betreffen (**betrifft**), **a***, **o** concern 10,
14, 27
betreten (**betritt**), **a**, **e** set foot in,
enter 6, 18
sich **betrinken**, **a**, **u** get drunk 6, 18
der **Betrunkene(r)** a drunk 6
das **Bett**, **–en** bed 2, 6, 10
die **Bettdecke**, **–n** bedspread 6
(**be**)**tupfen** dot, touch, dab 1, 6
(**ver**)**beugen**, **sich** bend, bow 1, 6, 13
vor-beugen, **sich** bend forward 17
beunruhigen disturb 13, 14, 15
(**be**)**urteilen** judge 26, 27
die **Bevölkerung**, **–en** population 3,
6, 15
bewaffnen arm 6, 27
bewahren save, protect, keep,
preserve 5, 10, 13
auf-bewahren keep, store up 7
bewähren, **sich** stand the test, prove
successful 27, 29
die **Bewährung**, **–en** trial, test 6
bewegen (*v./t.*) move 1, 5, 6
zu-bewegen, **sich** move toward 26
beweglich mobile, active 5
bewegungslos motionless 5, 6, 18
beweisen, **ie**, **ie** prove 5, 6, 13
(**be**)**werfen** (**bewirft**), **a**, **o** pelt 6
(**be**)**werten** evaluate 27
(**be**)**wohnen** inhabit 14
bewohnt inhabited 16

der **Bewohner**, **–** inhabitant 5, 16
bewußt conscious, intentional 6, 15,
27
das **Bewußtsein** knowledge,
consciousness 15, 27
die **Bewußtseinsebene**, **–n** level of
consciousness 27
(**be**)**zahlen** pay 5, 6, 8
bezeichnen denote, designate,
characterize 6, 14, 27
bezeichnend characteristic 6
beziehen, **o***, **o*** occupy 2
beziehen, **sich** refer 27
die **Beziehung**, **–en**, der **Bezug**, ⁓e
relation(ship), connection 6, 16,
28
bezwecken aim at, achieve 6
(**be**)**zweifeln** doubt 2
biegen, **o**, **o** bend, turn 3, 5, 11
durch-biegen, **sich** curve through
18
ein-biegen (**ist**) **in** turn into 15
(*cf*. **verbiegen**)
das **Bier**, **–e** beer 6, 20
der **Bierflaschenverschluß**, ⁓e
beer bottle cap 18
das **Bierlokal**, **–e** beer hall, pub 6
bieten, **o**, **o** offer, put at someone's
disposal 15, 16, 27
an-bieten offer, serve 4, 6, 13
dar-bieten present, display 27
das **Bild**, **–er** picture, image 4, 6, 9
bilden form 3, 13, 16
ab-bilden portray, depict 6
ein-bilden, **sich** imagine, fancy
6
billig cheap 4, 6, 12
binden, **a**, **u** bind, tie 4, 13, 16
ab-binden untie 18
um-binden tie around 4
die **Bindung**, **–en** obligation,
connection 6
bis (**zu**) until, up (to) 1, 2, 4
bisher till now, so far 5, 18, 27
der **Biß**, **–e** bite 22
(*cf*. **beißen** *and* **Gebiß**)
(**ein**) **bißchen** a little 1, 2, 5
bitte please 4, 6, 26
bitten, **a***, **e*** request, ask 4, 6, 7
blasen (**bläst**), **ie**, **a** blow 2
auf-blasen inflate, blow up 12
blaß pale 3, 5, 6
das **Blatt**, ⁓er leaf, page, blade 3, 6,
18

blattlos leafless 17
blättern turn pages, leaf through 1, 4, 6
das Blech tin 5, 16
   die Blechbüchse, –n tin can 16, 26
   der Blechdeckel, – tin cover 16
   blechern tinny 16, 18
   das Blechfaß, ⸚er tin barrel 6
   das Blechkreuz, –e tin cross 1
   die Blechsäule, –n metal post 16
bleiben, ie, ie (ist) remain 2, 3, 4
   aus-bleiben stay away, fail to appear 13, 14
   bestehen-bleiben endure, remain 16
   stehen-bleiben stop 2, 3, 6
   übrig-bleiben remain (over), be left over 2, 6, 13
bleich pale 1, 5, 22
blenden blind, dazzle 9, 13
der Blick, –e glance, look, gaze 2, 6, 11
   blicken look 4, 6, 16
   an-blicken glance, look at 3, 4
   an-blicken, sich look at one another 18
   zu-blicken watch 4
   (*cf.* erblicken)
blinzeln blink, wink 2, 26
der Blitz, –e lightning 14, 19
   blitzen flash 18
   blitzschnell fast as lightning 27
blöd(e) stupid, dumb, foolish 1, 12
   der Blödsinn nonsense 28
bloß merely, only, simply, bare 1, 2, 3
blühen bloom 3, 6, 13
die Blume, –n flower, 4, 6, 11
   der Blumenstrauß, ⸚e bouquet 16
   der Blumentopf, ⸚e flowerpot 1, 5
das Blut blood 1, 5, 11
   bluten bleed 13
   blutig bloody 12
   der Blutrausch, ⸚e delirium of blood-letting, frenzy 6
   blutstreifig streaked with blood 17
die Blüte, –n blossom 5, 6, 11
   (*cf.* blühen)
der Boden, ⸚ ground, floor 2, 4, 7
   das Bodenbrett, –er floorboard 18
   die Bodenhöhe ground level 16
   der Bodennebel, – ground fog 16
   die Bodensenke, –n hollow, depression 18
die Bohle, –n plank 14
   das Bohlenstück, –e piece of board 16

das Boot, –e boat 18, 21, 27
die Böschung, –en slope 13, 16
böse angry 6, 26
   böse sein + *dat.* be angry with 8
der Brand, ⸚e fire 13
   in Brand geraten catch fire 13
   die Brandmauer, –n fire-proof wall 1
braten (brät), ie, a fry, roast 17
   die Bratkartoffel, –n home-fried potato 17
   die Bratpfanne, –n frying pan 1
brauchen need, use 2, 4, 5
die Braue, –n eyebrow 2, 17
brechen (bricht), a, o break 3, 5, 6
   auf-brechen (ist) depart, set out; (hat) break open 13
   aus-brechen (ist) break through, out; (hat) pull out, through (oars) 17, 18
   ein-brechen (ist) break in, sink in; (hat) lower (oars), cut 18
   zusammen-brechen (ist) collapse 16, 18
breit wide 3, 4, 5
   breitbeinig straddling 18
   breitbordig wide, flat-bottomed 18
   die Breite breadth, width 16, 18
   (aus-)breiten present, lay out, stretch out, open, spread out 5, 13, 16
   auseinander-breiten spread out *or* apart 13
   breithändig with broad hands 17
   breitschultrig broad-shouldered 5
   breitwangig broad-cheeked 18
bremsen brake 5
   das Bremspedal, –e brake pedal 6
(ver)brennen, a*, a* burn (up) 6, 10, 12
das Brett, –er board 16, 18
   der Bretterkasten, ⸚ box made of planks 18
der Brief, –e letter 1, 3, 6
   der Briefkasten, ⸚ mail box 15
   die Briefmarke, –n postage-stamp 18
   der Briefträger, – mailman 15
   der Briefwechsel, – correspondence 8
bringen, a*, a* bring, take, offer 2, 3, 4
   bringen zu succeed in attaining 5
   zu Ende bringen bring to a close 2

zum Stehen bringen bring to a stop 6

an-bringen attach, bring in 2, 5, 6

ein-bringen result in, bring in (profit) 17

fertig-bringen succeed, manage, finish 2

vor-bringen produce 27

weg-bringen remove 4, 17

der Brocken, – fragment, bit 1 (*cf.* **zerbröckeln**)

der Bruch, ˙̈e breakage, fracture 16

der Bruchteil, –e fraction 16 (*cf.* **brechen**)

das Bruch marsh 17

die Brücke, –n bridge 6, 14

brummeln, brummen grumble, mutter, mumble, growl; hum, buzz 1, 5, 6

die Brust, ˙̈e breast, chest 5, 6, 13

die Brustflosse, –n breast-fin 18

das Brustkreuz, –e pendant-cross 4

die Brusttasche, –n breast pocket 18

das Buch, ˙̈er book 4, 6, 9

die Buchbesprechung, –en book review 15

die Buche, –n beech 17

der Buchstabe, –ns, –n letter (*lit.* beech staff, *i.e.* rune) 6, 16

buchstabieren spell 1

bücken, sich stoop, bend down, bow down 1, 3, 5

bucklig hunch-backed 6

die Bude, –n booth 16, 26

das Bügelbrett, –er ironing board 5

bügeln iron 6

das Bündel, – bundle 14, 16

die Burg, –en castle 11

der Burgenbaukasten, – set of children's blocks for building castles 16

der Bürger, – citizen, bourgeois 10, 29

bürgerlich middle-class 16, 29

der Bürgermeister, – mayor 13

die Bürgerwehr, –en civil defense, vigilante 10

das Büro, –s office 6, 14

der Bursch(e), –en, –en youth, boy 6, 27

die Bürste, –n brush 6, 12

bürsten brush, polish 12

der Chef, –s head (of a firm), boss· 2, 4

der Chefredakteur, –e editor-in-chief 6

da here, there, since, because, then, when 1, 2, 3

da und dort here and there 3, 5

von da an from then on 6, 13

das Dach, ˙̈er roof 14, 16, 21

der Dachbalken, – roof-beam 16

der Dachboden, ˙̈ attic 7

die Dachpfanne, –n roof-gutter 17

die Dachrinne, –n gutter 1

dagegen against that; on the other hand 13, 27

damals then, at that time, in those days, formerly 3, 5, 6

das Dämmern *or* **die Dämmerung** twilight, dawn *or* dusk 6, 13, 15

dampfen steam 5, 15

(ver)danken thank, owe 3, 4, 15

dankbar thankful, grateful 3, 6

das Datum (*pl.* **Data** *or* **Daten**) (calendar) date 1, 15, 17

die Dauer duration 13, 27

auf die Dauer in the long run 13

dauern last, continue, take 2, 6, 10

dauernd continuously, permanently 2

die Dauerwurst, ˙̈e dry salami 18

der Daumen, – thumb 4, 17, 18

die Decke, –n blanket, (table)cloth; roof, ceiling 1, 2, 13

der Deckel, – lid, cover 1, 4, 16

(be)decken cover, put a lid on 2, 4, 5

zu-decken cover (up) 6 (*cf.* **entdecken, verdecken**)

dehnen (*v./t.*) stretch 5, 18

denken, a*, a* think, mean 1, 2, 3 *or* **(sich*) denken** imagine 4

nach-denken reflect, meditate 4, 5, 6

der Denkfehler, – blunder, miscalculation 11

denkwürdig notable 27

dennoch nevertheless 15, 19, 27

der Deubel, – (North German for **Teufel**) devil 1, 6

deuten point, interpret 6, 18, 25

an-deuten suggest, hint 5

hin-deuten, auf + *acc.* indicate 15

deutlich clear, distinct 17, 29

die Deutung, –en interpretation 27

dicht thick, dense, close 1, 2, 3
  dicht aneinander close together 16
  dicht neben right beside 18
  dicht über right over 13
dick fat, thick 1, 3, 6
  dickbetaut heavy with dew 17
der Dieb, –e thief 6, 13
  diebisch rascally 6
  die Diebsgeschichte, –n thief-
    story 13
dienen serve 18
  der Diener, – servant; bow 2
  der Dienst, –e service 11, 26
  diensteifrig industrious, eager 6
das Ding, –e thing 1, 2, 3
der Diskutant, –en, –en debater 27
  diskutieren discuss, dispute 28
das Dorf, ̈er village 3, 13, 17
  die Dorfkirche, –n village church 15
der Drache(n), –n, –n dragon 11, 15
der Draht, ̈e wire 5
  drahtig wiry 18
dran = daran
drängen push, crowd, urge, hurry
  5, 6, 13
  auf-drängen, sich force oneself on 27
  (*cf.* **bedrängen, verdrängen**)
drauf = darauf
draußen outside 1, 4, 6
der Dreck (*vulg.*) dirt, mud 1
  dreckig, verdreckt filthy, muddy
  1, 15, 18
drehen turn, twist, roll (cigarettes)
  1, 2, 5
  um-drehen turn over, turn around
  1, 2
  die Drehung, –en twist, turn 26
drin = darin
dringen, a, u (ist) penetrate 5, 16, 18
  dringend urgent 6, 11, 13
  durch-dringen (*or non. sep.* **hat**)
    penetrate 2, 18
  ein-dringen intrude 13, 16
drinnen inside 4, 12, 16
(be)drohen threaten 6, 10, 15
der Druck printing, print, pressure
  5, 6, 18
  drucken print 6, 27
  druckreif ready to print 27
  die Drucksache, –n printed matter
  15
  die Druckstelle, –n imprint 18
drücken press, push 4, 5, 6
  drückend oppressive 6

aus-drücken express 6, 26
  sich herum-drücken hover around 2
drunter = darunter
sich ducken stoop, crouch down
  1, 13, 18
der Duft, ̈e scent 5
  duftig fragrant 11
dulden suffer, tolerate 6, 25
  der Dulder, – sufferer 23
dumpf hollow, muffled, gloomy
  2, 5, 15
dunkel dark 1, 3, 4
  die Dunkelheit darkness 16, 18
  (ver)dunkeln darken, dim 17, 23
dünn thin 5, 6, 13
  dünngehämmert hammered thin 13
der Dunst, ̈e vapor, haze 3, 16
durchaus quite, absolutely 2, 5, 6
durch(-)fahren (-ist) pass through 14
durchforschen investigate 10
die Durchgangstelle, –n station in
  transit 16
durchlöchert in shreds, perforated
  1, 16
durchqueren traverse 17
durchstoßen, ie, o pierce 16
dürfen (darf), u*, u* be permitted
  2, 3, 6
  (*cf.* **bedürfen**)
dürr dry, lean 13, 16, 17
duster *dialect for* **düster**
düster dark, gloomy 1, 18

eben level; just, then 2, 3, 4
  der Ebenbürtige(r) peer 13
  die Ebene, –n plain 13, 21
  ebenfalls likewise 18, 27
  das Ebenmaß symmetry,
    proportion 11
  ebenmäßig even, harmonious
  2, 11, 16
  ebenso just as, the same (way)
  4, 5, 14
echt genuine 15, 29
die Ecke, –n corner 1, 6, 14
ehe before 2, 5, 13
  eher sooner, rather 10, 17, 26
  am ehesten most likely 27
  ehemalig former 14, 15
  ehemals formerly 15
die Ehe, –n marriage 6, 28
  der Ehemann, ̈er husband 10
die Ehre, –n respectability,
  reputation, honor 16

ehren honor 6
ehrlich honest, sincere 5
die Ehrlichkeit honesty 16
das Ei, –er egg 17, 18, 19
   die Eierschale, –n egg-shell 18
eigen own 1, 6, 11
   die Eigenschaft, –en attribute,
     quality 13, 16
   das Eigentum –tümer property,
     possession 5
eigentlich real, true, basical, actual;
   at heart, as a matter of fact
   6, 8, 12
sich eignen be suited 16, 26, 27
die Eile hurry 6, 26
   eilen (ist) *or* **sich beeilen (hat)**
     hurry 1, 15
   nach-eilen (ist) follow, hasten
     after 13
   eilig hurried 14
einander one another 16, 18, 26
der Einblick, –e insight, view 16
der Eindruck, ⁝e impression 5, 16, 26
einfach simple 2, 3, 5
die Einfahrt, –en driveway 14
einfältig simple, silly 4, 6
der Eingang, ⁝e entrance 7, 17
eingleisig one-track, monothematic 27
einig at one, united 13
   (ver)einigen unite, join 29
   sich einigen agree 6, 27
einige some, several 2, 5, 6
   einigermaßen somewhat 27
das Einkommen, *pl.* **die Einkünfte**
   income 5, 6
die Einladung, –en invitation 4
einmal once, some time 3, 4, 5
   nicht einmal not even 6, 13, 17
   das Einmaleins multiplication
     table 6
   auf einmal suddenly, all at once
     12, 18
einsam solitary, lonely 3, 6, 11
die Einsicht, –en view, insight 16
einst once, long ago 6
die Einstellung, –en attitude 11
der Eintritt, –e admission 13
das Einverständnis, –se understanding, agreement 4, 5
   einverstanden sein approve, be
     in agreement 9, 18
die Einzelheit, –en detail 3
   einzeln single, individual, one by
     one 13, 14, 16

einzig single, solitary, only 4, 5, 6
   der Einzige(r) the only one 26
das Eis ice 20, 24
   der Eisbecher, – ice container 4
   der Eishauch, –e icy breath 21
   der Eiskübel, – ice-bucket 4
   der Eiskunstlauf figure skating 27
   der Eissarg, ⁝e coffin of ice 10
   die Eisscholle, –n ice floe 13
   der Eisschrank, ⁝e refrigerator 4
die Eisenbahn, –en train 16, 19
   die Eisenbahnbrücke, –n railroad
     bridge 14
eisenbeschlagen iron-studded 16
   das Eisengitter, – iron rail, fence
     or bar 15, 16
   eisern (of) iron 5, 16
   das Eisenrohr, –e iron pipe 16
   die Eisenschiene, –n iron rail 16
   der Eisenstab, ⁝e iron bar 16
   der Eisensteg, – metal gangway 17
der Ell(en)bogen, – elbow 13, 17, 18
empfehlen (empfiehlt), a, o
   recommend 3, 6, 26
empfinden, a, u feel, experience
   5, 6, 13
   empfindlich sensitive 2, 5
   die Empfindung, –en sensation,
     feeling 18
empor– up(ward) 2, 6, 15
empört indignant 2, 6
   die Empörung, –en rebellion 29
enden end, stop 5
   (*cf.* **verenden**)
endgültig definitive, final 5, 6, 29
endlich finally 3, 5, 6
   endlich einmal once and for all 5
die Endsumme, –n sum total 4
eng narrow, close 1, 16, 29
   ein-engen hem in 18
   (*cf.* **verengen, sich**)
   enggeschnallt buckled tight 3
   (*cf.* **schnallen**)
der Engel, – angel 6
ent- away; dis-, in-, out-, re-, un-
entdecken uncover, discover 10, 13, 18
entfernen remove 15
   sich entfernen withdraw,
     disappear 13, 18
   entfernt away, distant 6, 10, 16
   die Entfernung, –en distance 18
entgegen(–) against, towards 6, 13, 18
entgegengesetzt opposite 18
entgehen, i*, a* (ist) escape 16, 26, 27

enthalten (enthält), ie, a contain,
  hold 23, 26
sich enthalten refrain from 5
entkommen, a*, o + *dat.* (ist)
  escape from someone 13, 16
  der Entkommene(r) escapee 10
entlang– along(side) 5, 16, 17
entlassen (entläßt), ie, a dismiss,
  discharge 6, 11, 13
entlaufen (entläuft), ie, au (ist)
  escape 26
entleeren empty 18
entscheiden, ie, ie (*or* sich) decide,
  render judgment 2, 18, 26
  entscheidend decisive 6
  entschieden firm, resolute, definite
    6, 18
  die Entscheidung, –en decision 6
sich entschließen, o, o decide 6
  entschlossen determined 29
  die Entschlossenheit determination 6
  der Entschluß, ⁝e resolve 6, 15
sich entschuldigen apologize, excuse
  oneself 2, 6, 15
entsprechen (entspricht), a, o + *dat.*
  correspond to 27, 29
entspringen, a, u (ist) arise, escape 29
entstehen, a*, a* (ist) come into
  being, come about, arise 9, 14,
  18
enttäuschen disappoint, disillusion
  7, 29
entwerfen (entwirft), a, o design,
  devise, make (plans) 5, 18
entwickeln (*v./t.*) develop, unfold
  5, 6, 15
erbärmlich pitiful 6, 16
er– begin to . . ., make . . ., turn . . .
erblicken see, perceive, 11, 29
die Erde earth, ground 1, 2, 6
  erdfarben earth-colored 16
erfahren (erfährt), u, a experience,
  find out 2, 4, 5
erfassen seize, comprehend 18
erfinden, a, u invent 5, 6, 13
der Erfolg, –e success 5, 6, 28
  erfolgen (ist) take place 6, 27
  erfolgreich successful 6, 28, 29
erforderlich necessary 27
erfreut pleased 11
erfrieren, o, o (ist) freeze to death 5
ergänzen, sich complement one
  another 27
ergeben, sich, a, e emerge 27

ergreifen, i*, i* seize, have recourse
  to 6. 13, 18
  ergriffen deeply stirred 26
erhalten (erhält), ie, a preserve,
  receive 13, 18, 29
erhaschen snatch, seize 6, 15
erheben, o, o, (*v./t.*) raise; (sich) rise,
  arise 2, 6, 13
  die Erhebung, –en revolution,
    uprising 6, 29
erheitern amuse, make gay 13
erhöhen raise 4
erinnern remind 5, 6, 18
  erinnern, sich an + *acc.* remember
    5, 6, 13
  die Erinnerung, –en memory
    3, 6, 13
  in Erinnerung bringen bring to
    mind 26
erkennen, a*, a* recognize 1, 2, 3
  die Erkenntnis, –se insight,
    knowledge 6, 16
erklären explain 6, 9, 11
  die Erklärung, –en explanation
    11, 15, 18
erlauben permit 4, 5, 13
erleben experience, witness 5, 6, 10
erleuchten light up 1, 4, 18
  die Erleuchtung enlightenment,
    illumination 2
(er)mahnen admonish 4, 10
ermäßigen reduce (price) 15
ermessen, a, e measure, assess 28
ermitteln ascertain 26
ermöglichen render possible 10
ermuntern encourage 4, 18
ernennen, a*, a* appoint, designate
  16
erneuen renew 29
ernst serious 2, 5, 6
  ernsthaft serious 13
  ernstlich serious, in earnest 11
eröffnen disclose 6, 26
(er)proben test 13, 26
die Erregung agitation, excitement
  6, 13
erreichen attain, reach 6, 13, 16
erröten (ist) blush 6
erschallen, o, a* (ist) resound, ring
  11
erscheinen, ie, ie (ist) appear, seem
  3, 6, 11
  die Erscheinung, –en presence,
    appearance 14, 18, 29

erschießen, o, o shoot to death 20
der Erschossene(r) person shot to death 16
erschlagen (erschlägt), u, a kill 6, 13
erschöpft exhausted 6
die Erschöpfung exhaustion 18
erschrecken, a, o (ist) be alarmed or startled; (*weak* + hat) frighten 4, 6, 13
erschüttern shock, shake 18, 29
ersetzen replace, compensate 5, 6
ersichtlich evident 15
(er)sparen save, spare 3, 6
erstarren (ist) stiffen 5
das Erstaunen astonishment 18
erstaunlich astonishing, surprising 6, 27
erstaunt astonished 2, 4, 6
ersticken (ist) suffocate, smother 5, 12
erstrecken, sich extend, stretch 16
erteilen impart, give 2, 4, 15
(er)tönen (ist) sound 18, 26
ertragen (erträgt), u, a bear, stand 1, 5, 13
erträglich bearable 26
(er)wachen (ist) awaken 13, 15, 18
erwachsen grown up 17
der Erwachsene(r) adult 6, 10
erwähnen mention, refer to 6, 16, 26
(er)warten expect, await 3, 6, 13
(er)wecken arouse 13, 27
erweisen, ie, ie, sich prove, turn out 6, 27
erweitern expand, open up 5, 18
erwerben (erwirbt), a, o acquire 5, 26
die Erwerbsmöglichkeit, –en possibility of employment 15
erwidern reply, return, respond to 3, 6, 13
erwischen catch, come upon 6, 17
(er)wünschen desire 27
erwürgen strangle to death 10, 24
erzählen tell 2, 5, 6
der Erzähler, – narrator 27
die Erzählung, –en story, tale 6, 13, 27
erzielen attain 27
erzwingen, a, u force, extort 18
der Esel, – donkey 4, 14, 22
der Eselkarr(e)n, – donkey-cart 22
essen (ißt), a, e* eat 2, 4, 6
das Essen food, meal 2, 4, 13
das Eßzimmer, – dining room 4

etwa approximately, perhaps, about 5, 16, 26
ewig forever 6
die Ewigkeit eternity 6
der Ewigkeitswert, –e eternal value 29

die Fabrik, –en factory 1, 16
das Fabrikat, –e make, brand 4
der Fabrikschornstein, –e factory chimney 2
das Fach, ¨er compartment 16
der Facharbeiter, – specialist 28
fächeln fan 18
der Fächer, – fan 6
fädeln thread, string 5
der Faden, ¨ thread 6, 15
fähig capable, able 16, 27
fahl livid, discolored 3, 5, 17
fahren (fährt), u, a (ist) drive, ride, go, move, flash 1, 2, 3
auf-fahren start, start up, jump up 2, 17
fort-fahren (hat) continue 3
los-fahren set out 18
vor-fahren drive up 16
(*cf.* entfahren)
die Fahrkarte, –n (train) ticket 26
das Fahrrad, ¨er bicycle 5, 15
der Fahrradmechaniker, – bicycle mechanic 5
die Fahrt, –en course 18
schnelle Fahrt machen make fast progress 18
die Fahrtstrecke, –n mainline 16
der Fahrweg, –e road 17
das Fahrzeug, –e vehicle 16
der Fall, ¨e case, event, eventuality 2, 3, 18
fallen (fällt), ie*, a (ist) fall, die (in action) 1, 2, 3
ab-fallen slope 13
an-fallen (hat) attack 13
auf-fallen stand out, be noticed, attract attention, strike 2, 4, 6
ein-fallen + *dat.* occur, come to mind 2, 4, 6
schwer-fallen + *dat.* find difficult 2
um-fallen tumble, topple over 12
vor-fallen occur 6
zu-fallen close, bang shut 17
zusammen-fallen collapse 5, 17
(*cf.* überfallen)
fällen *see* Urteil

falls in the event that 11, 15, 26
der **Fallstrick**, –e snare 13
falsch false, wrong 6, 26, 27
das **Faltboot**, –e collapsible boat 18
  die **Falte**, –n fold 17
  falten fold 1, 4, 6
der **Fang**, ⁓e booty 25
  fangen (fängt), i, a catch, ensnare
    4, 17, 18
  ab-fangen catch, intercept 18
  an-fangen begin, do 1, 2, 3
  auf-fangen catch (something
    falling) 18, 26
die **Farbe**, –n color 4, 5, 6
  farbig colorful 9
  die **Färbung**, –en tinge, hue 11, 18
fassen catch, grasp 6, 16, 18
  sich **fassen** recover, regain one's
    composure 6
  gefaßt sein be prepared 26
  sich **gefaßt machen** get prepared 18
  ab-fassen compose 6
  an-fassen touch, hold 1
  ein-fassen frame, set 5
  (*cf.* **erfassen**)
fast almost 2, 5, 6
faul rotten; lazy 13
  faulig rotten, decayed 17
die **Feder**, –n spring; feather 6, 9, 19
  hoch-federn (hat *or* **ist)** spring up 17
fegen sweep 17, 18
fehlen lack, be short, make a mistake
  6, 8, 10
  fehlen + *dat.* **(er fehlt mir)** miss
    someone 6
  der **Fehler**, – mistake, error 4, 6, 14
  fehlerlos flawless 13
  das **Fehlurteil**, –e wrong
    judgment 27
Feierabend machen finish working
  (*lit.:* turn the evening into a
  celebration) 1
  feierlich solemn 2
  feiern celebrate 2
  der **Feiertag**, –e (church or state)
    holiday 2, 17
fein nice, dainty 6, 18, 26
der **Feind**, –e enemy 6
  an-feinden persecute 17
  feindlich hostile 6
  die **Feindseligkeit**, –en animosity 18
das **Feld**, –er field 13, 16, 21
  das **Feldbett**, –en campbed 16
  die **Feldbluse**, –n army tunic 1

der **Feldhase**, –n, –n field hare 13
der **Feldweg**, –e field lane 15, 17
das **Fell**, –e hide 13, 14
das **Fenster**, – window 1, 2, 4
  das **Fensterbrett**, –er window sill, 17
  das **Fenstergesims**, –e window
    cornice 5
  das **Fensterhakenauge**, –n window
    hook (eye) 17
fern far, distant 6, 14, 17
  das **Fernbleiben** absence 6
  das **Fernglas**, ⁓er telescope 18
fertig(-) finished 2, 6, 18
  die **Fertigkeit**, –en skill 26
  fertig werden mit cope with,
    manage 28
die **Fessel**, –n fetter 13, 18
  fesseln fetter, chain 13, 16
das **Fest**, –e festival, celebration,
  party 2, 10, 17
fest(-) fast, firm, tight 1, 2, 6
  die **Festigkeit** steadiness 5
  das **Festland** mainland, continent 3
  die **Festung**, –en fortress 3
fett fat 2, 6, 18
  fettig greasy 17
feucht damp 4, 16
  die **Feuchtigkeit** dampness 16
das **Feuer**, – fire, bombardment, light
  (for cigarette) 6, 13, 21
  ab-feuern discharge 16
  der **Feuerofen**, ⁓ red-hot oven 16
  die **Feuerstelle**, –n campfire site 17
  feurig fiery, burning 6, 23
finden, a, u find, think 1, 3, 5
  statt-finden take place 1, 15
  vor-finden discover, find (present) 29
  zurück-finden find one's way
    back 26
  (*cf.* **erfinden**)
finster gloomy, dark 6, 13, 14
der **Fischdunst**, ⁓e smell of fish 21
  der **Fischerhafen**, ⁓ fishing harbor 21
  das **Fischgrätenmuster**, – fish-bone
    pattern 18
  der **Fischkutter**, – fishing cutter 18
  der **Fischteich**, –e fish-pond 13
flach flat, shallow 1, 6, 16
  die **flache Hand** *or* die **Handfläche**,
    –n palm (of hand) 16, 18
die **Flasche**, –n bottle 2, 4, 6
flattern flutter 4, 6, 18
der **Fleck(en)**, –e(–) spot, stain
  13, 17, 18

der **Flecken,** – place, town, 15, 16
fleckig spotted 18
der **Fleiß** industry 16
fleißig industrious 19
die **Fliege,** –n fly 13
   fliegen, o, o (ist) fly 1, 5, 6
   um-fliegen tumble over 12
fliehen, o, o (ist) flee 13, 15
fließen, o, o (ist) flow 16
   fließend flowing, smooth 5, 17, 18
flink agile, nimble 5, 6, 26
(ver)fluchen curse, damn 1, 7
die **Flucht,** –en flight 6, 15, 18
   flüchten (*or* sich) flee, escape 5
   flüchtig casual 13
   der **Flüchtling,** –e fugitive 17
der **Flug,** ⁝e flight 25
   der **Flughafen,** ⁝ *or* der **Flugplatz,**
   ⁝e airport 6, 25
   das **Flugzeug,** –e airplane 5, 6, 18
der **Flügel,** – wing 11
   der **Flügelschlag,** ⁝e wing-beat 13
der **Flur,** –e hallway 4, 10
der **Fluß,** ⁝e river 10, 13
   flüssig fluid, liquid 18
   der **Flußlauf,** ⁝e course of river 13
flüstern whisper 4, 16, 18
fluten (ist) flow 26
   (*cf.* **überfluten**)
die **Folge,** –n consequence, result
   6, 27, 28
   folgen follow 1, 2, 4
   (be)folgen obey 6
   (*cf.* **verfolgen**)
auf-fordern invite, encourage 6, 15
   heraus-fordern challenge,
   provoke 6
   die **Forderung,** –en demand 5, 29
forschen inquire, (re)search 3, 10
   (*cf.* **durchforschen**)
der **Förster,** – forester, ranger 7
   die **Försterei,** –n ranger's house 17
   der **Försterweg,** –e service road 17
fort(-) away, off, on, gone 3, 5, 6
der **Fortschritt,** –e advance, progress
   27
die **Frage,** –n question 2, 5, 15
   in Frage stellen question, render
   questionable 27
   fragen ask, inquire 1, 2, 3
   ab-fragen appear as a question
   (on exam) 29
   aus-fragen interrogate 6
   fragwürdig questionable 27

die **Fragwürdigkeit** doubtfulness 27
die **Frau,** –en woman, wife, Mrs.
   1, 3, 4
   der **Frauenverein,** –e women's
   club 10
   das **Frauenzimmer,** – wench,
   dame 6
frei free, open, free-lance 2, 6, 10
   das **Freie** open space, open (air)
   13, 16
   die **Freiheit,** –en freedom 13, 16
   freilich of course, to be sure 6, 14,
   27
freiwillig voluntary 6, 13, 15
fremd strange, foreign 6, 17, 26
   der **Fremde(r)** stranger 13
   die **Fremdsprache,** –n foreign
   language 26
   das **Fremdwort,** *or* –e ⁝er foreign
   word 5
fressen (**frißt**), a, e devour 5, 20
   ein-fressen penetrate, eat into 5
die **Freude,** –n joy, gladness 2, 4, 6
   es machte mir besondere Freude
   I was especially pleased by it 6
   sich freuen rejoice, be glad 6
der **Freund,** –e (boy) friend 6, 10
   die **Freundin,** –nen girlfriend 6, 17
   der **Freundeskreis,** –e circle of
   friends 29
   befreundet on friendly terms 17
   freundlich friendly 2, 6, 12
   die **Freundschaft,** –en friendship
   14, 29
   freundschaftlich friendly 6
der **Frieden** peace 20
   die **Friedensware,** –n pre-war (*i.e.*,
   quality) merchandise 18
   friedlich peaceful 6, 16
der **Friedhof,** ⁝e cemetery 1
   das **Friedhofslicht,** –er cemetery-
   light 13
frieren, o, o freeze 2, 5, 18
frisch fresh 6, 13, 18
   auf-frischen freshen up 18
der **Friseur,** –e barber, hairdresser
   6, 12, 18
   die **Frisur,** –en hairdo 6
froh happy, glad 6, 15
fröhlich gay 2, 5
früh early, a.m. 3, 10, 13
   früher former 4, 5, 6
   in der Frühe in the morning 15
   das **Frühjahr,** –e spring 5, 17, 26

die **Frühluft** early morning air 5
der **Frühmond** new moon 21
frühmorgens early in the morning 16
der **Frühnebel,** – morning fog 18
der **Frühling,** –e spring 2, 6, 7
das **Frühstück,** –e breakfast 5, 15, 17
frühstücken breakfast 5
hinzu-fügen add 3, 6, 25
  zu-fügen + *dat.* do to, cause (something bad) 2
  zusammen-fügen put together 16
  fügsam obedient, docile 6
fühlen (sich) feel 6, 9, 13
  der **Fühler,** – feeler, antenna 5
führen lead, conduct, guide, carry 5, 6, 15
  ab-führen take away, take into custody 6
  sich **auf-führen** act, behave 5
  durch-führen carry through 27
  hin-führen lead in 16
  vor-führen demonstrate, display 9, 11, 26
  der **Führer,** – leader 16, 18
  das **Führerhaus,** ⁝er cab 6
  die **Führerrede,** –n Hitler speech 29
an-füllen fill (up) 16
  auf-füllen refill, restock 2, 26
  ein-füllen fill in 3
  der **Füllfederhalter,** – fountain-pen 4
die **Furcht** fear 10
  furchtbar dreadful, terrible 2, 4
  furchtsam fearful, frightened 26
  (be)fürchten fear 5, 8, 13
  fürchterlich horrible 11
der **Fuß,** ⁝e foot 1, 3, 13
  zu Fuß on foot 15, 17
  das **Fußende** foot (of bed) 17
  der **Fußgänger,** – pedestrian 1
  die **Fußleiste,** –n board 18
  die **Fußmatte,** –n doormat 4
  die **Fußspitze,** –n tip of the foot 13, 18
  der **Fußtritt,** –e kick 17
  der **Fußweg,** –e footpath 17

der **Gang,** ⁝e corridor, hall 7, 16
die **Gans,** ⁝e goose 12, 16
  die **Gänsehaut,** ⁝e goose-pimples, goose-flesh 5, 26
ganz complete, whole, quite 2, 3, 4
  das **Ganze(s)** the whole (thing) 6, 27
  gänzlich wholly, completely 5, 16

der **Garten,** ⁝ garden 3, 5
der **Gast,** ⁝e guest, visitor 2, 3, 4
  das **Gasthaus,** ⁝er inn 6, 15
das **Gebäude,** – building 15, 16
geben (gibt), a, e give 1, 3, 4
  es gibt there is, exists 2, 3, 4
  sich* **Mühe geben,** make an effort 2, 3
  ab-geben share, give, hand over 17
  sich **ab-geben** occupy oneself with 26
  acht-geben be careful, watch out 12
  an-geben declare 18
  frei-geben dismiss, give leave 11
  heraus-geben publish 26
  hin-geben sacrifice 13
  nach-geben yield, give in 13
  über(-)geben hand over, surrender 3
  vor-geben pretend 6
  zu-geben admit 6, 27
  (*cf.* **begeben, sich, ergeben sich**)
das **Gebirge,** – mountain range 14, 15, 24
das **Gebiß,** –e set of teeth 16
geboren born 6, 26, 29
  (*cf.* **Geburt**)
geborgen hidden, secure 25
  die **Geborgenheit** security 6
geborsten *see* **bersten**
das **Gebotene(s)** *see* **bieten**
gebrauchen use 4, 5
gebührend fitting, due 2
  (*cf.* **ungebührlich**)
die **Geburt,** –en birth 14, 16
  der **Geburtsort,** –e birthplace 16
  die **Geburtsstadt,** ⁝e city of birth 16
das **Gedächtnis,** –se memory 18, 27
der **Gedanke,** –ns, –n thought 3, 6, 8
  sich **Gedanken machen** be concerned about, wonder, worry 8, 28
gedenken, a*, a* consider, remember 15, 28
  die **Gedenktafel,** –n memorial tablet 3
das **Gedicht,** –e poem 26, 27, 29
das **Gedruckte(s)** printed item 6
  (*cf.* **drucken**)
der **Geduckte(r)** crouching creature 13
  (*cf.* **ducken, sich**)
die **Geduld** patience 1, 10, 13
  geduldig patient 2, 13

geeignet (well) suited 27

die Gefahr, –en danger 13, 18, 29
  gefährden endanger 28
  gefährlich dangerous 12, 18

gefallen (gefällt), ie*, a please 4, 6
  sich* gefallen like to see oneself 6
  der Gefallen, – favor 26
  gefällig pleasing 11
  gefälligst kindly 18

gefangen sein be imprisoned 16
  die Gefangenschaft captivity 11, 17
  das Gefängnis, –se prison 3

der Gefesselte(r) fettered man 13

gefiedert feathered 24
  (cf. Feder)

das Gefühl, –e feeling 5, 6, 15

die Gegend, –en area, region 3, 13, 15

gegenseitig mutual 13, 27

der Gegenstand, ⁝e object 5, 13, 15
  gegenstandslos pointless 29

das Gegenteil, –e opposite, contrary 5, 13, 26

die Gegenwart presence, present 27
  gegenwärtig present 16
  die Gegenwartsliteratur contemporary literature 29

das Gehaben conduct, behavior 6, 29

geheim secret 13
  das Geheimnis, –se secret 10, 27
  geheimnisvoll mysterious 10
  der Geheimpolizist, –en, –en secret police(man) 6

gehen, i*, a* (ist) go, walk 1, 2, 3
  jemandem um (etwas) gehen be concerned with *or* about 4, 26
  vor sich gehen come about 6
  zu Ende gehen mit go downhill 28
  von der Hand gehen go smoothly 15
  an-gehen (hat) + *acc.* concern someone 6
  auf-gehen open 6, 13, 18
  aus-gehen go out 4
  begehen (hat) celebrate, commit 6
  durch-gehen pass 17
  ein-gehen in + *acc.* enter 5
  ein-gehen auf agree to, sympathize 2
  los-gehen set out, go off, start (suddenly) 2, 6
  nach-gehen pursue, attend to 5, 27
  sicher-gehen be on the safe side 26
  spazieren-gehen go for a walk 6
  um-gehen haunt 26
  um-gehen mit handle, deal with 26

unter-gehen set, be lost, go down, vanish 16, 18, 25
verloren-gehen go amiss 26
vor-gehen take place 18
voran-gehen lead the way 4, 17, 26
zu-gehen move toward, become 22, 26
zurück-gehen go back 1

gehorchen obey 2, 13
  der Gehorsam obedience 16

an-gehören belong 6, 7, 12

der Gehsteig, –e sidewalk 6, 10

der Geist, –er mind, spirit 6, 29
  geistig intellectual 26, 29
  geistreich witty 26

gekonnt ably 26
  (cf. können)

das Gelächter, – laughter 5, 13, 14

das Gelände, – terrain, grounds 15, 16

das Geländer, – railing 13, 14

gelangen zu (ist) reach, arrive at 6, 10, 15

das Geld, –er money 2, 4, 6
  die Geldentwertung money devaluation 29

gelegen located 28
  (cf. liegen)

die Gelegenheit, –en opportunity 13, 29

das Geleise, – track 14, 15, 16

das Gelenk, –e joint, wrist or ankle 5, 6, 13
  gelenkig nimble, alert 5
  (cf. lenken)

gelichtet sparse 13
  (cf. lichten, sich)

der Geliebte(r) lover 16

gelingen, a, u + *dat.* (ist) succeed, achieve 5, 6, 13

gelten (gilt), a, o be meant for, concern, apply, hold true, be important, be a case of 13, 15, 17

gemauert (of) brick 16
  (cf. Maurer)

gemein mean, vulgar, ordinary 2

gemeinsam joint, common, together 18, 29
  die Gemeinsamkeit unity, community 29
  die Gemeinschaft community, society 6, 29

das Gemüt, –er soulfulness 15
  gemütlich cozy, pleasant 4

genau exact, precise 3, 4, 5
  genau so exactly 6
  genauso equally 4, 6, 12
  die Genauigkeit exactitude 26
das Genick, –e back of the neck 5, 16
genießen, o, o enjoy, relish, savor 3, 6, 15
genug enough 1, 3, 6
  genügen suffice 2, 14, 18
  genügend sufficiently 13, 14
  (*cf.* begnügen, sich)
der Genuß, ⁀e enjoyment; consumption 27
  (*cf.* genießen)
das Gepäck baggage 16, 18
  der Gepäckträger, – porter 6
gepolstert upholstered, cushioned 5
gerade quite, straight, just, exact 2, 5, 6
  nicht gerade not exactly 2
  geradeaus straight ahead 16
  geradewegs straight 14
  geradezu practically, positively 5, 11
geraten (gerät), ie, a (ist) succeed, get on 16, 18
  aneinander-geraten be thrown at each other 5
geräumig roomy, spacious 5
das Geräusch, –e noise, sound 5, 6, 18
gerecht just 27
  der Gerechte(r) just man 6
  das Gerichtszimmer, – courtroom 16
gering, geringer, am geringsten slight, less, least 13, 15, 26
  das Geringste(s) the least thing 10, 13
gern like to, with pleasure, gladly 2, 4, 6
  gern-haben like 6
das Geröll boulders 16, 26
der Geruch, ⁀e smell, scent 6, 23, 25
  (*cf.* riechen)
das Gerücht, –e rumor 10, 13
das Gesamturteil, –e collective judgment 27
der Gesang, ⁀e singing, song 26
  (*cf.* singen)
das Geschäft, –e business (establishment) 5
  geschäftlich in business 4
  die Geschäftigkeit activity 15

geschehen, a, e (ist) happen, come to pass 4, 6, 10
  recht(-)geschehen serve right 6
die Geschichte, –n history, story 6, 13, 18
  geschichtlich historical 29
das Geschick, –e skill 5
  geschickt handy 6
der Geschmack, ⁀er taste 29
  (*cf.* schmecken)
die Geschwindigkeit, –en speed 13, 27
die Geselligkeit fellowship 29
  sich zu-gesellen join 22
  die Gesellschaft, –en group, society 6, 15
das Gesicht, –er face 1, 4, 5
  Gesichter schneiden make faces 12
das Gespenst, –er ghost, specter 17, 25
das Gespräch, –e conversation 2, 4, 8
  der Gesprächsstoff, –e topic for conversation 4
die Gestalt, –en figure, form 17, 18, 27
  die Gestaltung shaping, formulation 6
gestehen, a*, a* confess 5
  ein-gestehen admit 15, 18
  zu-gestehen grant 27
gestern yesterday 8, 12, 15
das Gestirn, –e constellation 25
  (*cf.* Stern)
das Gesträuch, –e bushes 16, 17, 25
  (*cf.* Strauch)
gesund healthy 5, 17
  die Gesundheit health 17, 26
das Getränk, –e beverage 5
  (*cf.* trinken)
(ge)treu true, exact 11
gewähren give, impart 6
  gewähren lassen let alone, give free play 13
die Gewalt, –en force 18, 27
  gewaltsam forcible 18
das Gewässer, – body of water 18
das Gewicht, –e weight 18, 26
gewinnen a, o gain 13, 29
gewiß certain 1, 3, 10
  gewissermaßen so-to-say 27
  das Gewissen conscience 6
  die Gewißheit, –en certainty 27
das Gewitter, – thunderstorm 18, 24
gewöhnen accustom 2, 6, 13
  gewöhnlich usual, common, ordinary 2, 3, 6

gewohnt (*or* –ö) familiar,
accustomed 5, 6, 11
das Gewölk cloud-mass 16
(*cf.* Wolke)
das Gewürz, –e spice 25
(*cf.* Würze)
das Gitter, – rail, grating, railing
2, 13, 15
das Gitternetz, –e wire net 16
der Glanz brightness 5, 13
glänzen shine, gleam, shimmer
5, 6, 13
glänzend brilliant 11
glasig glassy 3, 6
die Glaskugel, –n glass ball 18
die Glasscheibe, –n glass pane 6
die Glaswarenhandlung, –en
glassware store 9
glatt smooth, slippery 12, 14
glätten smooth (out) 18
glauben believe 4, 5, 6
glaubhaft convincing 26
gleich right, immediately, directly,
right now, right away, just,
same, alike 1, 2, 3
gleich + *dat.* like 18
gleichbleibend constant 18
gleichen i, i resemble 13
an-gleichen (*v./t.*) adjust 13
aus-gleichen compensate 18, 27
(*cf.* begleichen)
gleichermaßen equally 28
gleichfalls likewise 19
gleichgestellt on equal footing 6
das Gleichgewicht balance 13
gleichgültig indifferent 6, 14, 27
gleichmäßig equal, even, regular
5, 17, 18
gleichmütig indifferent 13
gleichwohl anyway, all the same 8
gleichzeitig simultaneous 6, 11,
15
Gleis *see* Geleise
gleiten, i*, i* (ist) glide 17, 18
aus-gleiten glide on, slip 18
vorwärts-gleiten glide forward 18
das Glied, –er limb 5, 12, 13
glimmen, o, o glow 13, 18
die Glocke, –n bell 17, 24
das Glück luck, happiness, (good)
fortune 2, 3, 6
glücklich happy 4
glücklicherweise fortunate 27
die Glückszahl, –en lucky number 6

glühen glow 18
die Glut, –en glowing fire, embers,
glow 13, 18
gotisch Gothic 4, 9
der Gott, ̈er god 1, 2, 4
göttlich divine 23
das Grab, ̈er grave 1, 3, 16
graben (gräbt), u, a dig 2, 28
(*cf.* begraben)
der Graben, ̈ ditch 3, 13, 17
der Grabenfluß, ̈e ditch stream
17
der Grabenrand, ̈er edge of ditch
17
das Gras, ̈er grass 14
der Grasflecken, – patch of grass 17
grasfleckig grass-stained 17
greifen, i*, i* reach 6, 13, 17
ab-greifen examine, search 13
an-greifen attack 18
auf-greifen apprehend 17
nacheinander-greifen reach out for
each other 18
zu-greifen join in, help 1
(*cf.* begreifen)
grell dazzling, sharp 14, 16
die Grenze, –n border, limit 6, 10, 15
die Grenzgegend, –en border
region 6
der Grenzsoldat, –en, –en border-
guard 6
(be- *or* um-)grenzen border,
bound, limit 16, 18
der Griff, –e hold 13, 17, 18
groß large, great 2, 3, 4
die Großen grown-ups 12
die Größe, –n size, dimension
5, 18, 28
großzügig generous 18
die Grube, –n hole, grave, pit 1, 16
der Grund, ̈e ground, reason, cause,
bottom 2, 5, 6
im Grunde really, basically 2, 13, 27
(*cf.* begründen)
der Gründer, – founder 29
die Gründlichkeit thoroughness 27
grundlos without justification 6
die Grundmauer, –n foundation
wall 16
das Grundmuster, – basic pattern
16
die Gründung, –en founding,
foundation, 16, 29
die Gründungsära founding era 29

das **Gründungsjahr,** –e founding
  year 29
das **Grundwasser** subsoil water 1
die **Gruppe,** –n group 6, 13, 16
  gruppenbildend groupshaping 28
der **Gruß,** ⁙e greeting 6
  grußlos without a greeting 6
  (be)**grüßen** greet 4, 5, 6
günstig favorable 15, 27
gußeisern cast iron 5, 16
  (*cf.* **gießen**)
gut, besser, am besten good, better,
  best 1, 2, 3
die **Güte** benevolence 26
das **Gutachten,** – judgment, opinion
  27
  die **Gutachter-Formel,** –n expert's
  formula 26
der **Güterwagen,** – freight-car 15, 16
der **Güterzug,** ⁙e freight train 16

das **Haar,** –e hair 3, 6, 17
  haarbreit of a hair's breadth 17
haben, a*, a* have
  an-haben wear 1
  auf-haben wear (on one's head) 1
  vor-haben have in mind, intend 2
  wahr-haben accept as true,
    submit 6
der **Hafen,** ⁙ port 16, 18, 25
  das **Hafenviertel,** – waterfront 6
hager haggard, thin, emaciated 1, 6
der **Haken,** – hook 16, 18
halbdunkel semi-darkened, dim 13
  halblaut in an undertone 6
  halböffentlich semi-public 28
die **Hälfte,** –n half 16, 18, 29
die **Halle,** –n large room 5
hallen resound 18
der **Halm,** –e stalk 13, 18, 22
der **Hals,** ⁙e neck, throat 4, 5, 6
halt! stop! 1
  halten (hält), ie, a hold, keep,
    stop 2, 4, 6
  halten für consider, take someone
    for 5, 6, 14
  mehr halten von think more
    highly of, prefer 17
  ab-halten restrain, dissuade 13, 15
  an-halten stop, restrain 6, 17
  anhaltend lasting, persistent 11
  an-halten, sich hold on 12
  auf-halten hold open, retain, stop
    4, 19

sich auf-halten stay, linger 2
aufrecht-erhalten sustain 26
aus-halten + *acc.* endure, stand,
  survive, keep, support 2, 6, 26
dicht-halten be close-mouthed,
  keep a secret 2
ein-halten cease 5
entgegen-halten offer, hold out 18
fest-halten capture, hold tight 2, 18
inne-halten stop, pause 13
stand-halten withstand 13
vor-halten + *dat.* reproach 6
zusammen-halten stand together,
  support one another 6
die **Haltung,** –en position, attitude 18
der **Händedruck,** ⁙e handshake 5
händeschüttelnd hand-shaking 5
der **Handfeger,** – hand broom 2
  (*cf.* **fegen**)
handfest solid 10
die **Handfläche,** –n palm of the
  hand 6, 18
das **Handgelenk,** –e wrist 13
der **Handrücken,** – back of the
  hand 13
die **Handtasche,** –n handbag 3, 4
handeln act, trade 3, 6, 25
  sich um handeln + *acc.* be con-
    cerned, be at stake, be a question
    of 6, 15, 26
  der **Händler,** – trader, salesman,
    store keeper 6, 25
das **Handwerk,** –e calling, trade 6
der **(Ab)hang,** ⁙e slope, face (of cliff)
  13, 18, 21
hängen, i, a (*v./t.* = *weak*) hang
  2, 6, 12
  ab-hängen depend; (*weak*) hang up
    (telephone) 13, 15, 18
  auf-hängen (*strong or weak*)
    suspend, hang, hang up 16
  ein-hängen (*weak*) hang up (phone) 4
  vor-hängen (*strong or weak*) fasten
    (a lock) 7
hantieren wield, handle, busy
  oneself 5, 6
hart hard, harsh 3, 5, 13
  (ver)härten (sich) harden 5
hassen hate 1, 18
  häßlich ugly 6
die **Hast** haste 13
  hastig hasty 6
der **Hauch,** –e breath, 5, 12, 16
  hauchen breathe 12

hauen beat, chop, strike, hit 1, 2
   hin-hauen get at it, work 1
   eine (Ohrfeige) herunter-hauen
      box his ear 2, 5
der Haufen, – heap, pile 1, 5, 6
   auf-häufen heap up 16
   häufig often, frequent 2, 6, 27
   die Häufung frequency 6
der Hauptplatz, ⁏e main square 16
   die Hauptsache, –n main thing 18
   die Hauptstadt, ⁏e capital city 6, 11
   die Hauptstraße, –n main street 16
das Haus, ⁏er house 3, 4, 5
   nach Hause home(ward) 2, 4, 6
   zu Hause at home 2, 4, 5
   der Hausanzug, ⁏e hostess
      pajamas 4
   der Hausflur, –e house-entrance,
      hallway 10
   das Hausgerät, –e household
      appliances 5
   der Hausierer, – peddler,
      panhandler 7, 10
   der Hausrat household furniture 10
   die Hausreise, –n house-tour 12
   das Haustor, –e house entrance
      (in an apartment house) 6
   die Haustür, –en entrance door
      10, 15
die Haut, ⁏e skin 5, 6, 12
heben, o, o lift, raise 1, 2, 5
   ab-heben, sich be brought into
      relief 14
   an-heben heave up 1, 18
   hervor-heben lift out, stress 16
die Hecke, –n hedge 3, 21
das Heft, –e notebook 6
   der (Schnell)hefter, – clamp *or*
      file binder 4
heftig forcible, fervent, strong,
   violent 6, 11, 17
   die Heftigkeit violence 18
heilen cure, heal 5, 25
   heilig holy, solemn 11
die Heimat home(land) 15
   der Heimatbahnhof, ⁏e home
      station 15
   die Heimfahrt, –en trip home 13
   der Heimkehrer, – discharged
      soldier (usually from P.O.W.
      camp) 1, 2, 9
   heimwärts homeward (bound) 22
   das Heimweh homesickness 26
heimlich secret 5, 18, 26

heimtückisch malicious 5 (*cf.* **Tücke**)
(sich mit) (ver)heiraten marry
   5, 6, 26
   ein-heiraten marry into 4
heiser hoarse 2, 3
heiß hot 3, 17
heißen, ie, ei be called, mean 3, 6, 10
   das heißt that is to say 6, 12
   das hieß that meant 10, 18
   es hieß it was said 10
heiter cheerful 6, 25
heizen heat 2, 15, 16
   die Heizung, –en heating system,
      radiator 2
(ver)helfen (hilft), a, o jemandem zu
   help 2, 4, 6
   der Helfershelfer, – accomplice,
      abettor 10
hell bright, light 1, 3, 4
der Helm, –e helmet 5, 21
das Hemd, –en shirt 1, 3, 6
   der Hemdkragen, ⁏ shirt-collar 18
der Herbst, –e autumn 13, 26
   herbstlich autumnal 13
der Herr, –(e)n, –n gentleman, master
   5, 6, 9
   Herr werden + *gen.* gain control
      of *or* over 10
(be)herrschen rule, prevail 6, 10, 16
   vor-herrschen predominate 16
   (*cf.* **sich beherrschen**)
das Herz, –ens, –en heart 4, 6, 16
   herzförmig heart-shaped 4
   herzlich cordial, hearty 4, 27
   der Herzschlag, ⁏e heart attack 6
das Heu hay 14, 20
heute today 1, 2, 3
   heute abend this evening 15
   heute morgen this morning 6
   heute nacht this evening, tonight 1
   heutzutage these days 17
die Hilfe, –n help 1, 2, 10
   die Hilflosigkeit helplessness 13
der Himmel, – heaven, sky 2, 9, 13
   himmlisch heavenly 1
auf . . . hin on the strength of 10
   hin und her back and forth 6, 11, 12
   hin und wieder now and then 2, 16
   vor sich hin to himself 5, 6
(ver)hindern prevent 13, 18
der Hinweis, –e allusion 26, 29
die Hitze heat 13, 14
hoch high 1, 2, 6
   höchst highly 28, 29

höchstens at most 5
die Hochbahn, –en elevated train 24
die Hochfläche, –n high plain 13
der Hochglanz high lustre, shine 6
hochmütig arrogant 6
der Hochsommertag, –e midsummer day 5
die Hochspannung high voltage 16
der Hochspannungsmast, –e high-tension pole 14
der Hochstand, ∵e high tower, look-out 17
die Hochzeit, –en wedding, marriage 4, 11
die Hochzeitsreise, –n honeymoon 4
die Hocke squatting position 18
hocken squat, crouch 6, 17, 18
der Hof, ∵e yard, court, 6, 7, 14
höflich polite 6, 7, 14
die Höflichkeit politeness 6
hoffen hope 4, 5, 6
hoffentlich hopefully 8, 17, 18
die Hoffnung, –en hope 5, 7, 10
die Höhe, –n top, height 13, 20
der Höhenzug, ∵e ridge of hills 13
höher higher 1, 4, 5
hohl hollow 3, 17, 18
die hohle Hand palm 17
die Höhle, –n cave 11
aus-höhlen hollow out 16
holen (*or* sich*) fetch, get, pull out 2, 4, 5
Atem holen take a deep breath 17
aus-holen reach (out) 2, 18
ein-holen obtain, fetch, take in, catch up 6, 18
nach-holen make up for 10
(*cf.* **überholen**)
der Holunderstrauch, ∵e elder-bush 13, 17
der Holunderzweig, –e elder-branch 13
das Holz, ∵er wood 13, 16
hölzern wooden 16
holzgezimmert frame, wooden 16
das Holzgestell, –e wooden frame 16
der Holzkarren, – wooden cart 16
die Holzkiste, –n wooden box 18
der Holzkorb, ∵e wood basket 17
der Holzpantoffel, – clog 17
der Holzplatz, ∵e woodpile 17
die Holzwolle wood shavings 9
horchen listen, harken to 18, 23

hören hear 1, 3, 4
an-hören listen to 6, 18
auf-hören stop 2, 6, 15
zu-hören listen (to) 2, 15, 16
der Hörer, – (phone) receiver, (radio) listener 4, 26
die Hose, –n trousers 4, 12, 17
das Hosenbein, –e trouserleg 4
die Hosentasche, –n trouser pocket 17
hübsch pretty, nice 2, 26
die Hüfte, –n hip 1, 13, 17
der Hügel, – hill 1, 13, 18
die Hügelkuppe, –n crest of hill 17
(ver)hüllen cover, wrap up 11, 15, 16
der Hund, –e dog 6, 9, 10
das Hundegebell barking of dogs 21
hungrig hungry 14, 15
hüpfen leap, bounce, hop 5, 13
hüsteln clear one's throat 2, 6
husten cough 18
der Hut, ∵e hat 5, 6
die Hut, –en guard 13
(be)hüten guard, protect 5

immer wieder again and again 6, 13, 16
seit immer forever 6
immerhin still, even so 2, 15
der Inhalt, –e content(s) 16
inhaltlich plot, thematic 27
das Innere (s) interior 5, 13, 16
innerhalb within 15
die Insel, –n island 3, 18, 24
der Insulaner, – islander 3
interessant interesting 6, 29
interessieren (*v./t.*) interest 4, 6, 8
irdisch earthly 16
(*cf.* **Erde**)

ja of course, to be sure, after all 1, 2, 3
die Jagd, –en hunt 13
der Jäger, – hunter 12
jagen hunt, chase 10, 16, 17
jäh sudden, rapid 5, 18
das Jahr, –e year 2, 3, 4
seit Jahren, jahrelang for years 6, 10
der Jahrestag –e anniversary 6
die Jahreszahl, –en date (year only) 29
der Jahrgang vintage year, generation 29

das Jahrhundert, –e century 4, 27, 29

der Jahrmarkt, –e (annual) fair 16, 20, 26

jammern complain, lament 6, 28

jenseits + *gen.* on the far side, beyond 11, 14, 15

die Joppe, –n jacket 2, 18

der Jubel jubilation 13

(be)jubeln rejoice, admire 2

jung young 3, 6, 10

der Junge, –n, –n boy 1, 2, 3

die Jungfrau, –en maid, spinster, maiden, virgin 6, 11

der Junggeselle, –n, –n bachelor 5

der Jüngling, –e youth 6, 29

der Jünglingstyp, –en youthful type 29

der Jüngste(r) youngest person 18

der Jüngste Tag doomsday 18

der Jungwuchs new growth 17

die Kachel, –n tile 15, 17

kahl bare, barren 6, 16, 17

der Kalk lime 19

kalken coat with lime 16, 23

kalt cold 2, 4, 6

die Kälte cold, coldness 5, 10, 13

der Kamm, ⁚e comb, crest, ridge 3, 18

kämmen comb 6, 10

die Kammer, –n small room 6, 16, 21

der Kampf, ⁚e struggle 13

(be)kämpfen fight 3, 6, 16

an-kämpfen gegen combat 6

der Kanalisationsschacht, ⁚e drainage ditch, sewer pipe 10

das Kaninchen, – rabbit 17

die Kaninchenzucht, –en breeding of rabbits 2

die Kante, –n edge 17, 18

kantig angular 17

die Kanzel, –n pulpit, fusilage 10, 18

kapitulieren surrender 3, 10

kaputt broken, ruined 2, 9, 17

der Karabiner, – rifle 17

der Karabinerhaken, – rifle clasp 18

der Karren, – cart 17, 22

die Karrenspur, –en cart track 17

die Karte, –n card; map 3, 6 (*cf.* **Landkarte**)

die Kartoffel, –n potato 17

der Kartoffelbrei mashed potatoes 2

der Kasten, ⁚ box, chest, case 2, 9, 15

das Kästchen, – little box 7

die Kastentasche, –n (attaché) case 17

katerbleich suffering from a hangover 28 (*lit.:* pale as a tomcat)

die Katze, –n cat 17

der Katzenjammer hangover 6

kaufen (*or* **sich***) buy 1, 2, 4

in Kauf nehmen accept 27

ein-kaufen shop 6, 15

der Käufer, – buyer, customer 6

die Kehle, –n throat 13, 15

kehren turn; sweep 7

(den Blick) kehren turn, direct 13

ein-kehren (ist) enter 6, 19

um-kehren (ist) turn back *or* around 14

wieder-kehren (ist), zurück-kehren (ist) return 3, 4, 6

keineswegs not at all 6, 27, 28

der Keller, – cellar, basement 10, 16

der Kellner, – waiter 1, 10

kennen, a*, a* know, be acquainted with 1, 2, 3

der Kenner, – expert, connoisseur 3, 26

die Kenntnis, –se knowledge 16, 18, 26

zur Kenntnis bringen inform, make realize, call to someone's attention 6

der Kerl, –e fellow, character 2, 6, 18

die Kette, –n chain 24, 26

das Kettenkarussell merry-go-round 26

keuchen pant, gasp 11, 17, 18

der Kies, –e gravel 24

die Kiesgrube, –n gravel pit 16

das Kind, –er child 2, 5, 6

der Kinderreim, –e nursery rhyme 13

das Kinderzimmer, – nursery 12

kindlich childlike 5

die Kindheit childhood 16

das Kinn, –e chin 13, 17, 18

das Kino, –s cinema, movies 5, 20, 26

die Kino-Vorstellung, –en movie-showing 10

um-kippen (ist) tilt, tip over, topple over 2, 18

die Kirche, –n church 10, 17

das Kirchenfenster, – church window 13

der **Kirchgang** going to church 10, 17
die **Kiste, –n** box, chest 1, 18, 24
die **Klage, –n** complaint 14
  der **Klagelaut, –e** lament, moan 11
  klagen complain 3, 13
  an-klagen accuse 6
klamm stiff (with cold), oppressing 16, 18
die **Klammer, –n** clothespin 23
  sich (an-)klammern cling 18
  (*cf.* **umklammern**)
der **Klang, ⸚e** sound 16
  (*cf.* **klingen**)
klappen clap, rattle 1, 2, 6
  hoch-klappen raise, turn up 1
  zu-klappen close, snap shut 2, 4
  zusammen-klappen close, fold 6
  der **Klappstuhl, ⸚e** folding chair 2
klappern clatter, click 5, 6, 14
klar clear 6, 13, 17
klatschen clap, splash 5, 13, 16
kleben stick 1, 5, 13
  klebrig sticky 6
das **Kleid, –er** garment, dress 6, 13, 16
  an-kleiden (*v./t.*) dress 15
  der **Kleiderständer, –** coat stand 18
  die **(Be)kleidung** clothing 15, 18
  das **Kleidungsstück, –e** article of clothing 16
klein small, little 1, 3, 4
  das **Kleingeld, –er** change 6
  die **Kleinigkeit, –en** trifle, detail 4, 6
  das **Kleinkalibergewehr, –e** small arms 16
  die **Kleinstadt, ⸚e** small town 10
klettern (ist) climb 3, 16, 17
die **Klingel, –n** bell 4, 5
  der **Klingelknopf, ⸚e** bell-button 6
  klingeln ring 4, 5, 15
klingen, a, u sound 1, 3, 15
  auf-klingen ring (out) 5
die **Klinke, –n** latch, knob 6
  aus-klinken unlatch 18
klirren clatter, reverberate 1, 5, 16
klopfen knock, hammer 1, 5, 7
  der **Klopfende(r)** person knocking 15
klug clever 3
  überklug super-smart, wise-guy 5
der **Klumpen, –** chunk, heap 16, 17.
knapp close, clipped 13, 27
knarren squeak, screech 2, 6, 18
kneifen, i*, i* pinch 17, 18

die **Kneipe, –n** beer-house, pub 6, 20
das **Knie, –** knee 13, 16, 17
  die **Kniescheibe, –n** knee-cap 2
  knien kneel 12, 13
knirschen grate 16, 18
der **Knöchel, –** ankle 13
  der **Knochen, –** bone 6, 11
  knochig bony 6
der **Knopf, ⸚e** button, knob 5, 6, 9
  das **Knopfloch, ⸚er** buttonhole 5
der **Knoten, –; (ver)knoten** knot, tie 4, 13
kochen cook 17, 18
  das **Kochgeschirr, –e** cooking utensils 17
die **Kohle, –n** coal, charcoal 1, 2
der **Kohlkopf, ⸚e** cabbage head 1
  der **Kohlstrunk, ⸚e** cabbage stalk 2
der **Kollege, –n, –n** colleague 10, 26, 27
komisch funny, odd 1, 2, 12
der **Kommandant, –en, –en** commander 3, 16
die **Kommandantur, –en** military headquarters 16, 17
der **Kommandoruf, –e** commando command 16
kommen, a*, o (ist) come, get 1, 2, 3
  darüber (hinweg-) kommen get over it 4
  zum Vorschein kommen appear 18
  an-kommen arrive, touch 3, 12, 17
  an-kommen auf + *acc.* depend on 18
  auf-kommen arise 29
  aus-kommen manage (financially) 5, 29
  daher-kommen come along 13
  her-kommen approach, hail from 16
  überein-kommen agree 28
  sich* vor-kommen occur; appear to oneself, feel 4, 5, 6
  voran-kommen make progress 17
  weg-kommen über + *acc.* get over something 2
  zu-kommen auf + *acc.* come at 18
  zurecht-kommen arrive in time 13
  zustande-kommen come about 29
  zuvor-kommen + *dat.* anticipate 13
  (*cf.* **überkommen**)
der **König, –e** king 26
  königlich royal 16

können (kann), o*, o* be able 1, 2, 3
   französisch können speak French 3
die Konservenbüchse, –n or –dose, –n
   food can 17, 18
der Kopf, ⸚e head 1, 2, 3
   auf den Kopf stellen turn upside
      down 6
   die Kopfbewegung, –en head-
      movement 18
der Korb, ⸚e basket 17, 22
der Kork, –e cork 24
   die Korkeiche, –n cork oak 3
   die Korkplatte, –n cork slab 16
der Körper, – body 5, 6, 10
   körperlich physical 5, 15
   die Körperpartie, –n part of the
      body 26
korrekt proper, correct 6
   der Korrektor, –en proofreader 6
   die Korrektur, –en correction 26
   korrigieren correct 6, 27
kostbar precious 5
   die Kostbarkeit, –en jewel,
      valuable(s) 11
kosten cost 18
   die Kosten (pl.) cost, expenses 11
   der Kostenanschlag, ⸚e estimate 4
krachen crack 6, 13
die Kraft, ⸚e strength, vigor 6, 13, 18
   kräftig powerful, strong 5, 11, 17
   kraftvoll vigorous 18, 27
der Kragen, – collar 1, 3, 17
der Krampf, ⸚e spasm, cramp 5, 11
krank ill, sick 6, 18
   der Kranke(r) invalid 16
   kränken vex, grieve 6
   die Krankheit, –en disease, illness
      5, 6, 26
der Kranz, ⸚e wreath 1, 16
kratzen scratch 18
   heraus-kratzen scrape out 16
das Kraut, ⸚er weed, cabbage
   13, 14, 18
   ins Kraut schießen run wild 13
die Krawatte, –n necktie 4, 5
die Kreide, –n chalk 1, 10
   in Kreide stehen be in debt 10
   kreidebleich white as chalk 2
   kreideweich soft as chalk 17
   kreidig chalky 18
der Kreis, –e circle 13, 29
   (um)kreisen revolve, circle 5, 13
das Kreuz, –e; kreuzen cross 1, 13, 15
   die Kreuzung, –en crossing 17

kriechen, o, o (ist) creep, crawl 2, 4,
   12
   (cf. sich verkriechen)
der Krieg, –e war 1, 3, 16
   der Krieger, – warrior 3
   der Kriegsgefangene(r) prisoner
      of war 29
   der Kriegsgewinnler, – war-
      profiteer 29
   der Kriegsteilnehmer, – participant
      in the war 29
kriegen get, obtain 1, 2, 18
die Kritik, –en criticism 5, 27
   der Kritiker, – critic 26, 27, 29
   kritisch critical 26, 27, 28
krumm bent, crooked 17, 18, 22
   krümmen (v./t.) bend, curve 5, 18
die Kruste, –n crust, scab 5, 13
der Kübel, – pail, bucket 4, 16
die Küche, –n kitchen 1, 2, 4
   das Küchengeschirr kitchen
      utensils 6
   die Küchentür, –en kitchen door 17
kucken peek, look 2
die Kuh, ⸚e cow 17, 20
   der Kuhstall, ⸚e cow-shed 20
kühl cool 6, 13, 18
   die Kühle coolness 13
der Kummer sorrow, trouble 2
   Kummer bereiten cause grief 6
kümmern + acc. concern someone
   5, 27
   sich kümmern um worry about,
      pay attention to 5, 6, 14
an-künd(ig)en announce 29
   (cf. verkünd(ig)en)
die Kunst, ⸚e art 4, 27
   der Künstler, – artist 27, 29
   künstlerisch artistic 29
   künstlich artificial 15
   kunstreich artful, ingenious 11
   kunstvoll artistic, skillful 5, 27
   das Kunstspringen acrobatic
      diving 27
   das Kunststück, –e trick 6
   das Kunsturteil, –e artistic
      judgment 27
   das Kunstwerk, –e work of art
      16, 27
der Kurs, –e course 6, 18
kurz short, brief 1, 5, 6
   kurzerhand in short order 10
   kürzlich recently 11
   kurzum in short 27

kurzweg simply, without much ado 10
die Kurznachrichten (*pl.*) news in brief 1
der Kuß, ̈e; küssen kiss 4, 6, 15
die Küste, –n coast 3, 4, 18
das Küstenschiff, –e coastal ship 18

lächeln smile 1, 3, 5
  sich an-lächeln smile at one another 4
  sich* zu-lächeln exchange smiles 18
lachen laugh 4, 5, 6
  aus-lachen ridicule 13
  lächerlich ridiculous, laughable, ludicrous 6, 13
(be)laden (lädt), u, a (*or* weak) load 2, 5, 16
  ein-laden (u, a) invite 2, 4, 15
der Laden, ̈ shop, store, shutter 1, 2, 6
die Lage, –n position 6, 9, 13
das Lager, – camp, bed, lair 1, 11, 13
  die Lagerkarte, –n map of the camp 16
  lagern camp 13, 16
die Landkarte, –n map 25
  die Landschaft, –en landscape, countryside 16
  der Landsmann, ̈er *or* **Landsleute** compatriot, countryman 3
  die Landstraße, –n highway 15
landen (ist) land, alight 6, 13
  die Landung, –en landing 18
  der Landungssteg, –e pier, wharf 18
lang long 3, 5, 6
  langbeinig long-legged 17
  die Länge, –n length 13, 16
  an-langen (ist) begin, reach, arrive at 2, 6, 14
  ein-langen (ist) arrive 6
  langgestreckt lengthy, long 16
  langgezogen elongated 16, 18
  längst long ago, long since 3, 6, 10
  am längsten longest 13
  langweilig boring 4, 6, 29
langsam slow 1, 3, 4
  die Langsamkeit slowness 5
  der Lärm noise 6, 10, 13
lassen (läßt), ie, a let, allow, leave (behind) 1, 2, 3
  merken lassen let it be noticed 26
  putzen lassen have cleaned 6

sich* Zeit lassen take one's time 3
auf-lassen close down, abandon 14
aus-lassen leave out, omit 3
ein-lassen let in, set in, attack 3, 15
los-lassen let go, release 1, 17, 18
nach-lassen slacken, subside, let up, weaken 1, 13, 14
sich nieder-lassen sit down 3
zu-lassen permit 13, 29
(*cf.* **überlassen**)
die Last, –en burden 13, 22, 27
  lästig troublesome 6
  der Lastwagen, ̈ truck 6
das Laternenlicht, –er streetlight 1, 4
lauern lurk 18
  auf-lauern lie in wait 17
der Lauf, ̈e course, run, (animal) haunch 5, 6, 10
  der Laufschritt, –e running pace 16
  laufen (läuft), ie, au (ist) run 1, 2, 5
  an-laufen swell up; charge 18
  ein-laufen arrive, come in 6
  nach-laufen pursue 17
  vor-laufen precede 25
(*cf.* **unterlaufen**)
lauschen listen 5, 18, 24
laut loud, aloud 5, 18, 27
  der Laut, –e sound 6, 18
  läuten ring 6, 7, 15
lauter nothing but 6, 12
das Leben, – life 4, 5, 6
  noch am Leben sein be still alive 6
  der Lebende(r) living person 16
  leben live 2, 3, 5
  in den Tag hinein-leben live from day to day, thoughtlessly 6
  zu-leben auf + *acc.* live towards, for, gear oneself 2
(*cf.* **überleben**)
  das Lebensalter, – age 5
  leblos lifeless 6
das Leder leather 12, 17
  lederartig leather-like 3
lediglich merely 5, 26, 27
leer empty 6, 13, 15
  die Leere void 18
legen lay, put 1, 2, 4
  sich legen lie down 13, 18, 24
  ab-legen dock, remove 16, 18
  auf-legen put on, print 16, 27
  (bös) aufgelegt (ill-)humored 26
  aus-legen interpret 27

herein-legen + *acc.* take a person in 6

hin-legen put down 2; **sich hinlegen** lie down 2, 18

um-legen put on, shoulder 18

weg-legen put aside 1

sich zurecht-legen adjust one's position 17

zurück-legen travel, cover 15; **sich zurück-legen** lean back, lean into 18

(*cf.* **belegen**)

der Lehm clay, mud 1

lehmig muddy 16

lehnen an + *acc.* lean 1, 2, 3

ab-lehnen reject, refuse 5

lehren teach 25

der Lehrer, – teacher 3, 16, 17

der Leib, –er body 11, 13, 16

sich vom Leib halten hold away from oneself, hold at bay 26

leicht easy, light, slight, faint, light(footed) 2, 6, 7

leichtfertig frivolous 27

die Leichtigkeit facility, ease 13, 27

leiden, i*, i* suffer 1, 13, 26

der Leidensgenosse, –n, –n fellow-sufferer 6

die Leidenschaft, –en passion 26

leider unfortunately 3, 5, 6

(aus-)leihen, ie, ie borrow, lend 2

(*cf.* **verleihen**)

die Leihgabe, –n loan 2

das Leihhaus, ¨er pawnshop 2

das Leinen linen 23

die Leinwand (movie) screen 5, 9

leise soft, gentle 3, 4, 12

leiten convey, direct 6

ab-leiten derive 6

die Leitung, –en powerline 14

der Leitungsdraht, ¨e conducting wire 14

die Lektüre, –n reading (matter) 27, 29

lenken manage, direct, steer 5, 6, 27

das Lenkrad, ¨er steering wheel 6

lernen learn 3, 4, 5

kennen-lernen meet, become acquainted with 5, 6, 8

lesen (liest), a, e read 2, 3, 4

lesbar legible 8

vor-lesen read aloud 3, 26, 27

die Lesung, –en reading 26, 27, 28

letzt– last 1, 2, 4

der Letzte(r) the last one 15

(be)leuchten light, shine (illuminate) 1, 13, 18

leuchtend shining, bright 6, 18

der Leuchtturm, ¨e lighthouse 3

die Leute (*pl.*) people 1, 2, 4

leutselig affable, benevolent 11

das Licht, –er light 1, 2, 3

das Lichtbild, –er slide 9

der Lichtbrechungseffekt, –e effect of light refraction 11

licht light, thin 17, 18

sich lichten clear, thin out 2, 13

die Lichtung, –en clearing, glade 11

lieb dear 1, 10, 13

lieber rather 11, 12, 13

am liebsten most of all 17

lieber mögen prefer 11

zuliebe + *dat.* to please someone 5

die Liebe love 16

der Liebste(r) sweetheart 11

lieben love 1, 3, 6

liebenswürdig amiable 6

das Lied, –er song 2, 6, 13

liegen, a, e (hat *or* **ist)** lie, be situated 1, 2, 3

liegen an + *dat.* be due to 3

(jemandem) liegen an + *dat.* consider important, be concerned about 4, 6

auf-liegen lie *or* lean on 18

quer-liegen lie across 17

die Linie, –n line 3, 4, 5

link- left 5, 6, 18

links to *or* on the left 1, 3, 5

die Lippe, –n lip 5, 6, 12

das Loch, ¨er hole 1, 2, 6

an-locken attract, lure 13, 24

das Locklied, –er siren song 24

der Lockvogel, ¨ decoy, siren 6

locker loose, slack 12

lockern, sich become loose, give way 13

der Lohn, ¨e reward, pay 10

(be)lohnen reward, recompense 10, 11

los come on! start! let's go! 1, 2, 4

was ist los? what's the matter? 2, 4

los sein + *acc.* get rid of 18

lose loose 13, 18, 29

lösen loosen, untie, release, separate, detach, undo 3, 13, 18

sich lösen disengage, give way 5, 18

ab-lösen relieve 18

auf-lösen (*v./t.*) dissolve 18, 29
aus-lösen release, produce 13, 29
die Lösung, –en solution 27
die Luft, ¨e air, breeze 2, 6, 13
das Luftloch, ¨er airhole 16
die Luftwaffe (German) Air Force 17
der Luftzug, ¨e air current 18
die Lüge, –n; lügen, o, o lie 6, 29
lumpig, zerlumpt tattered 6, 17
die Lust, ¨e inclination, desire 4, 13
lustig gay 16, 17

machen make, do 2, 3, 4
ab-machen agree upon 11, 18
auf-machen open 1, 3, 6
aus-machen matter, decide, settle 5, 6
ausfindig machen locate 15
dazu-machen add 26
fertig-machen make ready, finish 18
kaputt-machen break, ruin 2
mit-machen join in, participate 6, 22
nach-machen imitate 6
wahr-machen carry out, realize 6
weiter-machen carry on, continue 28
zu-machen close, shut 1, 6, 12
sich zurecht-machen put on makeup 4
die Macht, ¨e strength, power, might 6, 10, 13
sich in seiner Macht fühlen gain control over oneself 13
der Machthaber, – ruler, potentate 6
mächtig mighty, enormous 3, 5
das Mädchen, – girl 3, 5, 6
mager thin 4, 17
ab-magern (ist) lose weight, become emaciated 6
mahnen admonish, urge 4, 10
der Makel, – fault 27
makellos flawless 19
mäkeln grumble, haggle 5
(be)malen paint 10, 13, 16
der Mann, ¨er man, husband 1, 2, 3
männlich manly 27
die Mannschaft, –en team 8
der Mannschafts-Trainer, – team-trainer 26
mannigfach various 15
die Mannigfaltigkeit diversity 27

der Mantel, ¨ coat 1, 2, 15
die Manteltasche, –n coat pocket 15
der Markt, ¨ market-place 26
der Marktflecken, – market town 15
der Marktwert, –e market value 28
das Maß, –e measure, degree 5, 13 (*cf.* messen)
am Maß by the measure 28
massig bulky 18
maßlos boundless 27
die Maßnahme, –n measure 6, 13, 26
Maßnahmen treffen take measures 13
matt faint, dull, dim 6, 18
die Mauer, –n wall 3, 6, 16
der Mauerschacht, ¨e wall shaft 16
das Mauerwerk, –e masonry 16
das Meer, –e ocean, sea 3, 9, 18
das Meerende border of the sea 17
sich mehren be on the increase 10
mehrere several 6, 13, 15
(ver)meiden, ie, ie avoid 6, 10, 18
meinen think, suppose, mean, be of the opinion 2, 3, 5
gut(-)meinen be well-disposed 6, 18
die Meinung, –en opinion 6, 13, 26
die Meinungsäußerung, –en expression of opinion 6
der Meister, – employer, master-workman 5, 11
melden announce 6, 24
sich melden come forward 27
die Meldung, –en announcement 6
die Menge, –n a great quantity, crowd 6, 18
eine Menge schaffen achieve a lot 18
der Mensch, –en, –en human being, person 2, 3, 4
die Menschenlänge, –n height of a human being 16
menschenfreundlich philanthropic 27
menschlich human, humane, 3, 16
die Menschheit humanity 5
die Menschheitsdämmerung twilight of mankind 29
merken notice 5, 17, 18; sich* merken remember 16, 18
sich* an-merken lassen show, give away 6
(*cf.* vermerken)

merkbar noticeable 5
merkwürdig odd, strange 2
merkwürdigerweise surprising 6
messen (mißt), a, e measure 5, 13, 16
  aus-messen measure, survey 1
  die Messung, –en measurement,
    survey 11
das Messer, – knife 10, 13, 17
die Miene, –n expression 6
  Miene machen look as if, appear 11
die Miete, –n rent 5
  der Mieter, – tenant 6
  die Mietskaserne, –n (community)
    housing project 1
die Milch milk 3, 8, 11
  die Milchflasche, –n milk bottle 6
  die Milchglasscheibe, –n opaque
    glass pane 7
milde gentle, mild 15
  mildern mitigate 13
mischen mix, shuffle 6
mißhandeln abuse 6, 10
  mißlich disagreeable, awkward 6
  mißmutig ill-humored 15
  das Mißtrauen suspicion 10
  mißtrauisch suspicious 27
mitlebend contemporary 5
  das Mitleid sympathy, compassion
    5, 6, 13
  mitleidig sympathetic, com-
    passionate 6
  der Mitreisende(r) travelling
    companion 26
  mitschuldig accessory to the
    crime 6
  die Mitteilung, –en communication
    5, 6
das Mittagessen, – lunch 5, 6, 15
  mittags at noon 2
  zu Mittag at noon 14
  die Mitte middle, midst 6, 10, 13
  der Mittelgang, ⸚e middle
    corridor 16
  der Mittelteil, –e middle
    partition 16
  die Mitternacht midnight 4, 13, 17
das Mittel, – means 27
mittler, – medium-sized, middle
    2, 16, 18
  mittlerweile in the meantime
    6, 11, 29
mitunter now and then 6, 27
das Möbel(stück, –e), (pl.) die Möbel
  (piece of) furniture 5, 6

mögen (mag), o*, o* like, want,
    may 2, 4, 5
  (cf. vermögen)
möglich possible 6, 10, 13
  die Möglichkeit, –en possibility
    4, 10, 13
  nach Möglichkeit as far as
    possible 10
der Monat, –e month 2, 6, 15
  die Monatsfrist, –en a month's
    leeway 11
der Mond, –e moon 5, 13
ab-montieren dismantle 15
der Monteur, –e serviceman 7
der Mord, –e murder 9, 10
  die Mordabsicht, –en intent to
    murder 13
  der Mörder, – murderer 10
morgen tomorrow 1, 2, 4
  morgens in the morning, a.m.
    8, 13, 16
  der Morgen, – morning 2, 5, 6
  die Morgendämmerung, –en,
    das Morgengrauen dawn 13, 15
  das Morgenlicht morning light 13
  der Morgenrock, ⸚e dressing gown 6
  die Morgenstunde, –n morning
    hour 6
motorig of an engine 5
  das Motorrad, ⸚er motorcycle 13
müde tired 6, 15, 17
die Mühe, –n trouble, effort, pains
    2, 3, 13
  sich* Mühe geben take the trouble,
    make an effort, try hard 2, 3, 16
  mühelos effortless 29
  sich (be)mühen try, strive, attempt
    3, 4, 6
  mühsam painful 17, 28
die Mulde, –n hollow, trough 13, 17,
    18
der Mund, ⸚er mouth 1, 4, 5
  mündlich oral 27
  münden .flow into, run into 1
murmeln mumble, mutter 6, 18
murren grumble 26
mürrisch surly 17, 26
der Muskel, –n muscle 5, 13
  das Muskelmanöver, –
    manoeuvring, flexing of
    muscles 5
müssen (muß), u*, u* must, have
    to 1, 2, 3
  weg-müssen have to leave 4

das **Muster**, – design, model, pattern
2, 4, 13
mustern survey, observe, inspect
18, 26
mutig brave 3
(*cf.* **übermütig, der Unmut**)
die **Mutter**, ∵ mother 3, 5, 6
der **Mutterleib**, –er womb 23
die **Muttersprache**, –n mother-
tongue 29
die **Mütze**, –n cap 1, 6, 16

der **Nachbar**, –n, –n neighbor 5, 8
die **Nachbarschaft**, –en
neighborhood 5
auf gute **Nachbarschaft** halten
believe in neighborliness 5
(*cf.* **benachbart**)
nachdenklich pensive 13, 15, 18
nachdrücklich emphatic 27
der **Nachmittag**, –e afternoon 2, 6, 14
der **Nachmittagzug**, ∵e afternoon
train 15
nachmittags in the afternoon 5
die **Nachricht**, –en news (item)
6, 13, 15
die **Nachrichtenagentur**, –en news
agency 6
der **Nachrichtenredakteur**, –e
news editor 6
der **Nachteil**, –e disadvantage 27
der **Nachtisch**, –e dessert 4
nachwachsend coming up,
successive 29
die **Nachwelt** posterity 5
das **Nachwort**, –e conclusion,
epilogue 26
die **Nacht**, ∵e night 1, 2, 4
nachts at night 5, 13, 19
über **Nacht** overnight 6
die **Nacht** über all night 13
der **Nachtflug**, ∵e night flight 25
der **Nachtwandler**, – sleepwalker 15
nackt bare, naked 16, 17
die **Nadel**, –n needle 12, 17
das **Nadelholz**, ∵er evergreen 3
der **Nagel**, ∵ nail 1
(be)**nageln** nail (on) 16
fest-nageln nail up 6, 18
zu-nageln nail shut 16
(*cf.* **vernageln**)
nah(e) near, close 3, 5, 10
nahezu practically 27, 29
die **Nähe** nearness, vicinity 13, 16, 18

aus der **Nähe** from nearby 13
aus nächster **Nähe** at close range 16
nähern bring close 17; sich **nähern**
approach, draw near 3, 6, 11
die **Nahrung**, –en food, nourishment
5, 16
namens by the name of 6, 26
nämlich namely, to be sure, that is,
that is to say, for 2, 3, 5
der **Narr**, –en, –en fool 3
die **Narrenfreiheit** freedom given
to fools 6
die **Nase**, –n nose 1, 2, 3
die **Nasenwurzel**, –n root of nose 18
naß wet 1, 6, 15
die **Nässe** wetness 13, 18
nässen wet 18
natürlich natural, of course 3, 4, 5
die **Naturlyrik** nature poetry 15
der **Naturschutz** conservation
laws 20
der **Nebel**, – fog 1, 6, 15
die **Nebelwand**, ∵e fogbank 18
der **Nebenraum**, ∵e adjoining room
2, 16
die **Nebensache**, –n matter of
secondary importance 11
nebensächlich incidental 26
nehmen (nimmt), a, o* take 1, 2, 3
ab-nehmen wane 18
an-nehmen accept, assume 4, 16, 17
auf-nehmen receive, take in, hire,
take on, pick up 4, 6, 13
aus-nehmen clean, draw; except
2, 17
ein-nehmen take (in) 6
her-nehmen get, find 2
hin-nehmen accept 6
teil-nehmen participate 27
übel-nehmen resent, take amiss 5
vor-nehmen undertake 11
vorlieb-nehmen be content with 6
wahr-nehmen perceive, assimilate
18, 27
wichtig-nehmen be serious about,
pay attention to 6
zu-nehmen increase 1, 13, 15
sich **zusammen-nehmen** pull
oneself together, control one's
feelings 3
(*cf.* **übernehmen**)
neigen bend, incline 3, 11, 13
sich **ab-neigen** turn away 25
sich (ver)**neigen** bow 3

die Neigung, –en inclination 29
(*cf.* die Abneigung)
(be)nennen, a*, a* call, name 3, 4, 6
nett nice 2, 3, 4
die Nettigkeit thoughtfulness 2
das Netz, –e net, (railroad) network
  6, 15, 18
neu new, anew 1, 3, 4
  von neuem anew 25, 29
  neulich recently 17
  das Neugeborene(s) new-born
    infant 17
  neugierig curious 6, 11
  Neujahr New Year 10
nichts nothing 1, 4, 16
  um nichts not in the least 13
nicken nod 1, 2, 6
  ein-nicken (ist) fall asleep 2
niedrig low 13, 16
die Nonne, –n nun 3, 4
der Norden north 18
  der Nordosten, – north-east 18
  nordöstlich north-eastern 26
die Not, ⸚e need, want 13
  zur Not if need be 3, 13
  nötig necessary 5, 13, 29
  nötig haben need 28
  das Notsegel, – emergency sail 18
  notwendig necessary 9
  die Notwendigkeit, –en necessity 27
notieren note down 27
  die Notiz, –en notice, note 6, 27
die Nummer, –n number 1, 6, 16
nützen aid, be of use, be useful 2, 4, 6
  ab-nützen (*v./t.*) wear out 16
  aus-nützen take advantage of 6
  (*cf.* benützen)
  die Nützlichkeit usefulness 26

die Oberfläche, –n surface 2, 18
  der Oberkörper, – upper part of
    the body 18, 26
öde desolate 16
  (*cf.* veröden)
der Ofen, ⸚ oven, stove 15, 16
offen open 3, 4, 5
  offenbar apparent 10
  offenbart revealed 29
  offensichtlich obvious 6
  öffentlich public 6, 27, 28
  öffnen open 4, 5, 7
  die Öffnung, –en opening 16
öfter frequent 17
  öfters often 6, 20

ohnehin in any case, anyway 6, 12, 14
das Ohr, –en ear 1, 5, 8
das Öl, –e oil 6, 7
das Opfer, – sacrifice, victim 6, 10, 11
ordentlich proper, regular, neat 6
an-ordnen command, demand 11
  um-ordnen rearrange 9
  die Ordnung order 6, 10, 16
  in Ordnung bringen regulate 17
  Ordnung machen straighten up 6
der Ort, –e *or* ⸚er settlement, village,
  13, 14, 23
  die Ortschaft, –en village, settle-
    ment, locality, landscape 3, 16
der Osten east 17, 18
  die Ostsee Baltic Sea 17, 18
  die Ostspitze, –n east point 3
Ostern (*pl.*) Easter 10, 17
  das Osterwasser Easter-water 17
das Paar, –e couple, pair 5
(ein) paar a few 1, 2, 3
(ver)packen pack, wrap; seize 6, 9, 13
  an-packen lay hold of, grasp,
    seize 1, 6
  aus-packen unpack, unwrap
    2, 15, 18
  das Paket, –e parcel 15
das Papier, –e paper 1, 5, 6
  der Papierkoffer, – paper case 6
  der Papierkorb, ⸚e wastepaper
    basket 6, 15, 18
  der Pappschild, –e cardboard peak
    or vizor 18
der Parkplatz, ⸚e parking lot 16
der Passant, –en, –en pedestrian,
  passer-by 15
  passieren pass (by), move across;
    happen 6, 13, 14
passen fit 1, 28
  auf-passen take care, look out,
    pay attention, watch out 1, 2
  passend appropriate 3
peinigen torment 14
  peinlich embarrassing 4
peitschen lash, whip 13, 16, 18
  der Peitschenriemen, – whip-
    thong 17
die Pension, –en boarding house 6
  das Pensionat, –e boarding school 4
die Perle, –n pearl, bead 12
das *or* die Perlmutt mother of pearl
  24
der Pfad, –e path 15, 18
  der Pfadrand, ⸚er edge of path 17

der **Pfahl**, ⁓e post 16, 17
die **Pfanne**, –n pan 1, 17
pfeifen, i*, i* whistle 2, 5, 14
der **Pfeil**, –e arrow 6, 27
   pfeilgerade straight as an arrow 14
das **Pferd**, –e horse 1, 6, 13
   das **Pferdebild**, –er picture of
      horses 6
   das **Pferderennen** horse-racing 6
   das **Pferdewiehern** neighing of
      horses 22
der **Pfiff**, –e whistle, whistling
      5, 13, 16
   (*cf*. **pfeifen**)
das **Pflaster**, – pavement 1, 14
pflegen be in the habit 2, 6, 7
der **Pinsel**, – shaving-brush 18
   pinseln paint 24
der **Plan**, ⁓e plan 18
   der **Planer**, – planner 24
die **(Schall)platte**, –n record(ing) 2
der **Platz**, ⁓e place, space, spot,
      square, seat 1, 2, 6
   der **Platzanweiser**, – usher,
      custodian 26
   die **Platzanweisung** place
      assignation 26
plump plump, crude, impolite 4, 8, 18
   plumpsen (ist *or* hat) fall, plop 1, 18
der *or* das **Polster**, – cushion 5, 9
poltern rattle, bluster 16, 18
die **Post** mail 15
   die **Post** *or* das **Postamt**, ⁓er post
      office 6
der **Posten**, – sentinel, guard 18
prall tightly stuffed, taut 18
   ab-prallen (*or* **ab-prellen**) (ist)
      (re)bound, toss 17
   an-prallen (ist) collide, bump 13
die **Praxis** office, clientele 10, 27
der **Preis**, –e price, cost, prize 4, 6, 15
   preisgekrönt prize-winning 27
   an-preisen, ie, ie praise 29
ab-prellen *see* **prallen**
die **Probe**, –n test 12
   probieren try 5
die **Provinzzeitung**, –en small town
      newspaper 6
(über)prüfen inspect, test 10, 13, 27
Prügel (*pl*.) thrashing 10
   (ver)prügeln beat up, whip 6
der **Punkt**, –e dot, point 16, 18, 26
   die **Punktbewertung**, –en point
      score 27

putzen clean, polish, shine 1, 6, 12
   auf-putzen deck out, decorate 2

quadratisch square 16
   der *or* das **Quadratmeter**, – square
      meter 2
der **Quatsch** nonsense 1
   quatschen spout (nonsense) 28
die **Quelle**, –n spring 17
   quellen (ist *or* hat) well up, swell 18
quer across, diagonal, counter
      13, 16, 17
   querab off, to the side 18
   (*cf*. **durchqueren**; **überqueren**
   der **Querbalken**, – crossbeam 16

die **Rache** revenge 6, 10
   der **Racheengel**, – avenging angel 6
das **Rad**, ⁓er wheel, bicycle 2, 6, 15
   Räder schlagen turn cartwheels 13
der **Radarschirm**, –e radar screen 24
räkeln, sich stretch, loll about,
      stretch one's limbs 5, 6, 15
der **Rand**, ⁓er edge 1, 4, 12
rasch quick 6, 13, 17
   rascheln rustle 16
die **Raserei**, –n frenzy, madness 5, 10
rasieren (*v./t*.) shave 6, 18
   das **Rasierwasser** shaving water 6
   das **Rasierzeug**, –e shaving kit
      6, 18
der **Rat** advice 6
   raten (rät), ie, a advise 13
   ab-raten von advise against 11
   ratlos perplexed 6
   (*cf*. **beraten, sich**)
die **Ratte**, –n rat 6, 19
(be)rauben rob, abduct 5, 6, 11
   das **Raubtier**, –e wild animal 13
der **Rauch** smoke 16, 17, 18
   rauchen smoke 1, 4, 16
   das **Raucherabteil**, –e smoking
      compartment 26
   die **Rauchfahne** trail of smoke 18
rauf *colloq*. for **her-** *or* **hinauf**
der **(Rauh)reif** hoarfrost 13, 15
der **Raum**, ⁓e room, space 2, 6, 13
   die **Räumlichkeit**, –en premises 16
   die **Räumung** evacuation 16
   auf-räumen put in order, clean 6
   aus-räumen empty out 26
   leer-räumen empty 4
   weg-räumen clear away, remove
      6

raus *colloq.* for **her-** *or* **hinaus**
der Rausch, ⸚e intoxication, frenzy
  6, 13
  rauschen rustle, rumble 18, 24
sich räuspern clear one's throat 1, 2
rechnen count, calculate, classify
  8, 10, 11
  ab-rechnen settle accounts 8
  (be)rechnen charge, calculate 8, 11
  ein-rechnen allow for 26
  voraus-berechnen estimate 11
  zusammen-rechnen add 8
  die Rechnung, –en calculation,
    account 10
recht right, correct, good, quite 1, 5, 6
  recht(-)geben agree 6
  recht(-)haben be right 1, 6
  das Recht, –e right, justice 6, 13
  die Rechte, –n right hand 6
  die Rechtfertigung, –en vindication,
    justification 6
  die Berechtigung, –en justification 5
  rechtschaffen honest 26
  die Rechtschaffenheit integrity 26
  rechtwinklig at right angles,
    rectangular 16
  rechtzeitig prompt, in time 26
die Rede, –n speech, words, con-
    versation 4, 8, 13
  nicht der Rede wert not worth
    mentioning 8
  reden speak 2, 4, 5
  an-reden address 17
  ein-reden + *dat.* persuade, talk
    into 6
  wirr-reden talk strangely 17
  (*cf.* **überreden**)
  die Redensart, –en manner of
    speaking, phrase 5
  die Redewendung, –en phrase 6
  der Redner, – speaker 26
die Regel, –n rule 27
  in der Regel as a rule 27
  regelmäßig regular 6, 14, 18
regen stir, move 5, 16
  an-regen stimulate 27
  auf-regen, sich get excited 4
  reg(ungs)los motionless 5, 16, 18
der Regen rain 1, 6, 13
  der Regenschirm, –e umbrella 6
  regnen rain 1, 6, 12
reiben, ie, ie rub 14, 18
reichen pass, reach, suffice 1, 4, 13
reichlich ample, plentiful 2

der Reichtum, ⸚er wealth 2, 15
der Reif *see* **(Rauh)reif**
die Reihe, –n row 5, 6, 16
  an der Reihe sein be one's turn 16
rein pure, clean 1, 3, 25
rein *colloq.* for **her-** *or* **hinein**
reisen (ist) travel 6, 10, 15
  (*cf.* **verreisen**)
  der Reisende(r) traveler 6, 15
reißen, i, i tear, rip, pull 1, 6, 13
  ab-reißen tear off 16
  auf-reißen tear open, slam open
    1, 16
  heraus-reißen tear out 16
  sich hin-reißen lassen be carried
    away 26
reiten, i*, i* (ist) ride 6, 22, 26
reizen irritate, provoke 18
  reizend charming 4
  gereizt irritated, annoyed 18, 26
  reizlos unattractive 3
rennen, a*, a* (ist) run 2, 5, 6
  an-rennen + *acc.* run against 1
der Rest, –e remains 4, 11, 13
  restlich left over, remaining 4
retten save, preserve 6, 13
  der Retter, – rescuer 18
  die Rettung, –en rescue 18
die Reue remorse 6
  (be)reuen repent 6, 9
richten set, arrange 5, 7, 14
  sich gegen richten be directed
    against 13
  sich nach richten go by, adjust
    to 18
  auf-richten raise, install 5
  sich auf-richten raise up (stand up)
    2, 13, 17
  aus-richten level, take word 16
  hin-richten execute 3
  richtig true, right, correct, proper
    1, 2, 3
  die Richtung, –en direction
    13, 15, 16
riechen, o, o an + *dat.* smell, sniff at
    3, 6, 7
  riechen nach smell of 1, 6
der Riemen, – oar, strap 17, 18
der Riese, –n, –n giant 23
  riesig huge, gigantic 5, 6, 16
  die Riesenschüssel, –n giant bowl 2
sich durch-ringen, –a, –u zu struggle
    (through), convince oneself of
    15, 26

rings around 1
ringsum(her) all around 5, 13
die Rinne, –n groove, gutter, pipe 1, 16, 18
rinnen, a, o (ist) trickle, run 6, 13, 16
die Ritze, –n crack 14, 16
die Robbe, –n seal 17, 24
der Rock, ⸚e skirt, jacket, coat 1, 4, 13
  der Rockkragen, ⸚ or – coat collar 6
das Rohr, –e reed, pipe 16, 22
  die Röhre, –n tube, pipe 5, 16
  das Röhrenwerk, –e mechanism of pipes 5
die Rolle, –n role 6, 26
der Roman, –e novel 4, 10, 27
  der Romancier, -s novelist 27
  romanisch Romanesque 9
rostig, verrostet rusty 6, 14, 16
röten redden 6, 15
  rötlich reddish 13, 18
  der Rotstift, –e red pencil 4
die Rübe, –n turnip 1, 18
rüber *colloq.* for her- *or* hinüber
ruckartig jerky 18
  rücken move, shove 18
  raus-rücken (*colloq.*) bring out, loan 1
  vor-rücken (ist) advance 3, 16
die Rückblende, –n flashback 27
  der Rücken, – back(side) 2, 5, 6
  der Rückhalt support 6
  rücklings backward, behind 16, 17
  der Rucksack, ⸚e knapsack 18
  der Rückschritt, –e retrogression 27
  rücksichtslos ruthless 27
  (*cf.* berücksichtigen)
  die Rücktrittbremse, –n back-pedalling brake, reverse brake 5
  die Rückwand, ⸚e back wall 1
  rückwärtig rear 16
  rückwärts back(wards) 17, 18
der Ruf, –e call, reputation 13, 27
  rufen, ie, u call 1, 2, 3
  an-rufen telephone, call up 4, 10, 15
  aus-rufen exclaim 5
  (*cf.* berufen, sich)
die Ruhe quiet, peace, rest, calm 1, 2, 5
  in Ruh(e) lassen leave alone, not bother 12

(be)ruhen auf + *dat.* rest (upon) 13, 18, 24
  (*cf.* beruhigen)
ruhig calm, quiet, serene, steady 2, 3, 4
der Ruhm fame, glory 13, 24
  (*cf.* berühmt)
rühren stir, originate; sich rühren move 1, 6, 13
  an-rühren touch (intentionally) 17, 26
  (*cf.* berühren)
der (Ruinen)klump(en), –en heap (of ruins) 16, 17
rumpeln jolt, thunder 1, 18
die Runde, –n round, circle 10
  der Rundgang, ⸚e inspection tour 5
  das Rundholz, ⸚er log 17
  rundlich roundish, plump 3
  rundum all around 5
  die Rundung, –en curve 5
runter *colloq.* for her- *or* hinunter
rutschen (ist) slide 16, 17, 18
rütteln shake 13, 17

der Saal (*pl.* Säle) hall 1, 26
die Sache, –n thing, matter, business, task 3, 4, 5
  nicht bei der Sache sein be absent-minded 3
  sachgemäß relevant 27
  sachlich objective, sober 27, 29
sacken (ist) sink 17
  durch-sacken settle down 18
  das Sackleinen, – burlap 1
das Sägemehl sawdust 7
sägen saw 27
sagen say 1, 2, 3
  sozusagen so to speak 3, 26, 27
  an-sagen announce 17
  aus-sagen state 29
  sich los-sagen break off relations 6
  nach-sagen + *dat.* ascribe to 27
das Salz, –e salt 23
  salzig salty 21
sammeln gather, collect 13, 16, 20
  ab-sammeln make the round 6
  (*cf.* sich versammeln)
  die Sammlung, –en collection 15
samt together with, including 5, 26
sanft gentle 3, 4, 5
  die Sanftmut gentleness 13
der Satz, ⸚e sentence 5, 26, 27

sauber clean 8
 säuberlich clean, neat 6
 die Sauberkeit cleanliness 16
saugen, o, o (or weak) suck 5, 17, 18
 der Säugling, –e infant 13, 16
die Säule, –n pillar 5, 16
der Saum, ⁚e border 16
 der Saumstein, –e border stone 16
 säumen border 3
schaben scrape 13
 ab-schaben scrape off 16
 schäbig shabby 6
der Schacht, ⁚e pit, (mine)shaft 10, 16
 schachtartig shaftlike 16
 aus-schachten excavate 4
schade too bad, a pity 4, 6
der Schädel, – skull 13
 die Schädelstätte, –n ossuary, boneyard 25
der Schaden, ⁚ damage 13
 schaden harm 6, 26
schaffen achieve, manage 18, 28
 schaffen, u, a provide 14
 zu schaffen machen + dat. bother, disturb 28
 an-schaffen purchase 6
die Schale, –n bowl, dish, peel, (egg)shell 5, 17, 18
 das Schalenende, –n end or top of shell 17
(er)schallen (ist) resound, ring, 5, 11
 die Schallplatte, –n record(ing) 2
die Scham shame 5
 sich schämen be ashamed 6
die Schankstube, –n taproom 15
 der Schankwirt, –e pub owner 10
scharf sharp 2, 6, 13
 scharfkantig sharp-edged 16
 scharfsinnig sagacious 18
der Schatten, – shadow 5, 10, 13
 der Schattenriß, –e outline 22
 schattig, verschattet shady 3, 17
 die Schattierung, –en shading 14
der Schatz, ⁚e treasure 2, 11
 schätzen estimate, esteem 18
 schätzungsweise at a rough estimate 18
der Schauder, – shudder 26
 der Schauer, – shower; shudder 18, 25
 schaurig eerie, awful 5
schauen look 5, 6, 12

aus-schauen nach be on the lookout 13, 14
 nach-schauen check 6
 (cf. beschauen)
 das Schaufenster, – display window 2
 der Schaukasten, ⁚ display case 16
 der Schauspieler, – actor 6
schaukeln (v./t.) rock, pitch, swing, balance 6, 16, 17
die Scheibe, –n pane (of glass), slice 10, 18
scheinen, ie, ie seem, appear; shine 2, 3, 4
 scheinbar seeming, apparent 27, 29
der Schemel, – footstool 16, 17
der Schenkel, – thigh 13, 16
(be)schenken give, donate, reward 2, 11
 das Leben schenken give birth 6
 ein-schenken pour 4, 5
 (cf. verschenken)
die Schere, –n scissors, pincers 6, 13, 26
der Scherz, –e joke, prank 6, 13
 einen Scherz treiben play a joke 13
 scherzen joke 15
schicken send 11, 13, 18
 ab-schicken send, dispatch 6
 sich an-schicken zu get ready for 6
das Schicksal, –e fate 6, 26
schieben, o, o (v./t.) push, shove, move, slide 2, 4, 5
 sich vor-schieben push forward, jut out 16
 (cf. verschieben)
der Schiedsrichter, – umpire 27
 (cf. entscheiden)
schief crooked, slanted 1, 6, 12
der Schiefer, – slate, splinter 12, 23, 24
 sich einen Schiefer ein-ziehen get a splinter 12
 schiefergrau slate-gray 18
 die Schiefertafel, –n slate board 12
die Schiene, –n rail 15, 16
 der Schienenrest, –e remains of tracks 16
schießen, o, o shoot 5, 6, 13
 ab-schießen shoot down 20
 das Schießgewehr, –e firearm, gun 12
 (cf. beschießen)
das Schiff, –e ship 18, 24

das **Schild,** –er door plate, sign 5, 16
  das **Schilderhäuschen,** – sentry-
    house 16
  der **Schildknappe,** –n, –n shield-
    bearer, squire 11
  die **Schildmütze,** –n visor cap 1
das **Schilf,** –e reed 24
  schilfgesäumt bordered by reeds 18
  die **Schilfhütte,** –n hut of reeds 5
  die **Schilfwiese,** –n reedy field 17
der **Schimmer,** – glow 18
  schimmernd sparkling, luminous 3
schimpfen scold 26
  das **Schimpfwort,** ·er invective 17
schippen shovel 1, 2
der **Schirm,** –e umbrella 1, 6
schlachten slaughter 9
  das **Schlachtfeld,** –er battlefield 3
der **Schlaf** sleep, 13, 14, 15
  das **Schlafpulver,** – sleeping
    powder 6
  schlaftrunken sleepy, half-asleep 2
  das **Schlafzimmer,** – bedroom 4, 6
  die **Schläfe,** –n temple 4, 6, 10
  schlafen (schläft), ie, a sleep
    2, 6, 13
  ein-schlafen (ist) fall asleep 5, 6, 18
  (*cf.* **verschlafen**)
  das **Schlafengehen,** – bedtime 26
der **Schlag,** ·e blow, shock, stroke;
  (car)door 4, 6, 13
  schlagen (schlägt), u, a hit 4, 5, 6
  in die Flucht schlagen put to flight 6
  durch-schlagen, sich come
    through 17
  ein-schlagen hit, burst; take
    (a road) 5, 27
  sich herum-schlagen struggle, put
    up with 6
  quer-schlagen (ist) veer around 18
  tot-schlagen kill 27
  trocken-schlagen dry, beat out the
    moisture 18
  um-schlagen (ist) change suddenly
    18
  vor-schlagen propose 4
  zu-schlagen slam, hit 13, 17
  zurück-schlagen throw back 18
  (*cf.* **verschlagen**)
die **Schlagader,** –n artery 24
die **Schlange,** –n snake 6
  die **Schlangenhaut,** ·e snakeskin 13
schlank slim, slender 4, 11
die **Schlaufe,** –n loop 1, 18

schlecht bad 2, 4, 8
  schlechthin as such 29
schleichen, i, i (ist) prowl, creep,
  sneak 13, 17
der **Schleier,** – veil 13
  schleierig filmy 18
schleifen drag 5
  nach-schleifen drag after, trail 13
  die **Schleifbahn,** –en slipway 16
schlendern (hin- *or* **her-) (ist)**
  stroll 1, 3
schleppen drag, move slowly, shuffle
  6, 18
  schleppend drawling 26
schleudern dump 17, 18
schleunig speedy 27
  (*cf.* **beschleunigen**)
schließen, o, o shut, close; deduce,
  form, clasp 3, 4, 5
  sich an-schließen join 3
  auf-schließen unlock 19
  ein-schließen include, hem in 13, 23
  (*cf.* **beschließen, verschließen**)
  schließlich finally, after all 2, 5, 10
schlimm bad 2, 3, 10
die **Schlinge,** –n noose, loop 13, 16
  schlingen, a, u wind, coil 13, 18
das **Schloß,** ·er lock; castle 7, 17
der **Schluck,** –e sip 18
  (ver)schlucken swallow 2, 10, 17
der **Schluß,** ·e end, finish,
  conclusion 3, 6, 26
der **Schlüssel,** – key 4, 19, 25
  der **Schlüsselsatz,** ·e key sentence 27
schmal narrow, small, scanty 3, 5, 6
schmecken taste 13
  (gut) schmecken taste good 18
die **Schmelze,** –n thaw 10, 17
der **Schmerz,** –en pain 5, 13, 28
  schmerzen hurt 13
(ver)schmieren smear, grease 1
  das **Schmieröl** lubricating oil 6
der **Schmuck,** –e ornament 13
  schmücken decorate 2
schmutzfleckig dirt spotted 17
  schmutzig dirty 6, 12, 16
  die **Schmutzkonkurrenz,** –en
    unfair competition 6
schnallen strap 3, 18
  auf-schnallen unbuckle 18
  zu-schnallen buckle up 18
schnappen catch 1
  zu-schnappen (ist *or* **hat)** snap
    (shut) 11

der **Schnaps**, ⸚e liquor 6, 18
 die **Schnapsflasche**, –n whisky
  bottle 18
der **Schnee** snow 10, 13, 15
 der **Schneefall**, ⸚e snowfall 15
 der **Schneemann**, ⸚er snowman 5, 9
 die **Schneeschmelze**, –n melting
  of the snow 10, 17
 schneeweiß snow-white 6
 schneien snow 10
 verschneit snowed in, snowy 15
schneiden, i*, i* cut, clip 2, 6, 9
 ab-schneiden cut off, shear 16
 aus-schneiden cut out 18
schnell fast, quick 4, 5, 6
 hoch-schnellen (ist) *or* sich . . . (hat)
  jump up, jerk up 13, 18
 der **Schnellhefter**, – file binder 4
der **Schnitt**, –e(n) (slice), cut 26
 (*cf.* **schneiden**)
 das **Schnitzel**, – (veal) cutlet 15
 schnitzen carve 18
die **Schnur**, ⸚e string, cord 2, 13, 18
 ab-schnüren tie as tightly as
  possible 13
 schnurgerade straight as a rod 16
schön beautiful, fine 1, 2, 3
 die **Schönheit**, –en beauty 17
schöpfen draw, gain, bail 6, 10, 18
der **Schornstein**, –e chimney 1, 16
schräg oblique, diagonal 13, 16, 17
 die **Schrägstellung**, –en diagonal
  position 26
der **Schrank**, ⸚e cupboard, chest
  4, 12, 15
der **Schrecken**, – terror, fear 10
 ab-schrecken discourage 26
 auf- (*or* **er)schrecken**
  frighten, startle 27
 hoch-schrecken (ist) start up 18
 (*cf.* **erschrecken**)
 das **Schreckensregiment**, –er reign
  of terror 10
 schrecklich terrible 6, 9, 26
schreiben, ie, ie write 1, 3, 4
 ab-schreiben deduct, copy 4
 auf-schreiben record 23
 fertig-schreiben finish writing 6
 nieder-schreiben record 16
 um-schreiben rewrite 6
 (*cf.* **beschreiben, unterschreiben**)
 der **Schreiber**, – clerk, writer 16, 27
 die **Schreibmaschine**, –n type-
  writer 6

der **Schreibtisch**, –e desk 4, 6, 16
 die **(Hand)schrift**, –en handwriting
  8, 20
der **Schriftsteller**, – writer 6, 27, 29
 die **Schriftstellerei** literary
  profession 29
 der **Schriftstellerklub**, –s authors'
  club 6
 das **Schriftstellertreffen**, – meeting
  of authors 27
 die **Schriftstellervereinigung**, –en
  association of authors 29
schreien, ie, ie scream, cry, shout
  1, 6, 12
 der **Schreikrampf**, ⸚e fit of
  shrieking 11
schreiten, i*, i* (ist) step, stride 22
 fort-schreiten progress 5
 (*cf.* **überschreiten**)
 der **Schritt**, –e step, stride 1, 6, 10
schüchtern shy, timid 5, 7, 26
der **Schuh**, –e shoe 6, 12, 13
 die **Schuhcreme**, –n shoe polish 6
 der **Schuhputzer**, – shoeshine boy 6
 die **Schuhspitze**, –n toe of a shoe 1
die **Schuld**, –en guilt, blame, fault,
  debt 5, 9, 10
 Schuld (**schuld**) **haben** bear the
  blame, be to blamed 1, 9
 schuldig guilty 6
 (*cf.* **beschuldigen, verschulden**)
die **Schule**, –n school 6, 10, 16
 der **Schüler**, – student, pupil 18, 29
 die **Schuljungenübung**, –en
  school-boy exercise 13
 der **Schulweg**, –e way to school 10
die **Schulter**, –n shoulder 1, 2, 4
 das **Schulterblatt**, ⸚er shoulder-
  blade 24
der **Schuppen**, – shed 10, 15, 16
die **Schürze**, –n apron 4
 schürzen tuck up 1
der **Schuß**, ⸚e shot 3, 16, 22
 (*cf.* **schießen**)
schütteln shake 2, 5, 9
der **Schutz** protection, shelter 5, 18
 der **Schutzmann**, ⸚er *or* -leute
  policeman`1
 der **Schutzumschlag**, ⸚e dust
  jacket 15
 schützen protect 6, 10, 18
schwach weak, faint; barely 5, 10, 14
 die **Schwäche**, –n weakness 13, 27
 schwächlich feeble 17

schwanken waver, sway, fluctuate 1, 3, 6

der Schwarm, ⁀e swarm 13

schwärmen swarm; rave (about) 9

schweben hover, hang, glide, soar 1, 6, 15

schwebend suspended, hovering 24

schweigen, ie, ie be silent 1, 2, 3 (*cf.* verschweigen)

der Schweiß sweat 6, 15, 25

die Schwelle, –n threshold 6, 16, 25; (an-)schwellen, o, o (ist) swell 13, 18

schwenken swing, wheel, shake, turn 1, 13, 17

schwer heavy 2, 5, 6 (*cf.* beschwerlich)

die Schwerkraft (force of) gravity 18

der Schwerkranke(r) critically ill person 5

schwierig difficult 3, 27

schwimmen, a, o (ist) swim 12, 13 (*cf.* verschwommen)

schwingen, a, u swing, wave 2, 5, 13

sich auf-schwingen use, gather one's strength 5

die See, –n sea, lake 3, 17, 18

der Seegrashalm, –e stalk of seaweed 18

die Seeluft, ⁀e sea air 3

das Segel, – sail 18

segeln (hat *or* ist) sail 18

das Segeltuch sailcloth 23

sehen (sieht), a, e see, look 2, 3, 4

ab-sehen auf + *acc.* aim at 2

ab-sehen von desist from 15

an-sehen *or* sich* an-sehen look at 4, 6

jemandem etwas an-sehen gather from someone's countenance 4

aus-sehen look, appear 1, 2, 3

ein-sehen agree to, accept 13

es ein-sehen see the point 5

nach-sehen check into, look 1, 4

sich um-sehen look around, back 1

zu-sehen watch 17, 26 (*cf.* besehen)

die Sehenswürdigkeiten (*pl.*) sights 28

sich sehnen long, yearn 6

die Sehnsucht longing, yearning 9

die Seide, -n silk 25

seiden silken 24

das Seil, –e rope 13, 18

der Seiltänzer, – tightrope-walker 13

die Seite, –n page, side 1, 6, 10

der Seitengang, ⁀e side corridor 16

die Seitenwand, ⁀e side wall 16

seitwärts sideways, aside 14, 16, 17 (*cf.* beseitigen)

der Seitenweg, –e sideroad 16

selbst self, even 5, 6, 10

selbständig independent 6

selbstverständlich self-evident, it goes without saying, naturally 5, 11, 15

selten rare 27

seltsam strange 5, 6, 15

senken (*v./t.*) sink, let down, lower 1, 3, 13

sich senken settle 13

senkrecht perpendicular, straight 5

setzen put, set 1, 4, 5

sich setzen sit down 3, 4, 6

ab-setzen put, set down, unload, take off 1, 18

an-setzen get ready, lunge 13, 17

auf-setzen put down, put on, compose 1, 17

aus-setzen stop, cease 18

sich aus-setzen expose oneself 27

auseinander-setzen explain 6

ein-setzen begin 1, 18, 26

sich fest-setzen gain a footing 15

fort-setzen continue 15, 18

gleich-setzen equate 29

herauf-setzen raise 4

hin-setzen set down 26 (*cf.* besetzen, versetzen)

seufzen, der Seufzer, – sigh 4, 5, 15

sicher certain, sure 2, 4, 6

die Sicherheit, –en security, safeguard, certainty 6, 27

das Sicherheitsschloß, ⁀er safety lock 10

sicherlich surely 6

sichern protect, secure 7 (*cf.* entsichern, versichern)

die Sicht, –en sight, view 18, 29

sichtbar visible 18, 26

besichtigen tour, inspect 16

die Siedlung, –en settlement, housing project 4, 16

der Sieger, – victor, winner 6, 11

der Siegeskranz, ⁀e victory wreath 6

das **Silber** silver 13
  silbern (of) silver 4
  die **Silbergestalt, –en** silvery form 21
  der **Silberstreifen, –** silver streak 25
  silbrig silvery 5
(ver)sinken, a, u (ist) sink, drown 5, 6, 13
  ein-sinken in sink into 16
der **Sinn, –e** meaning, memory, sense 6, 17, 24
  (*cf.* **sich besinnen, besinnungslos, besonnen**)
  sinnlos foolish 6, 13
  die **Sinnlosigkeit** senselessness 16
  sinnvoll meaningful 27
die **Sitte, –n** moral, custom 3, 10
der **Sitz, –e** seat 3, 5
  sitzen, a*, e* (hat *or* **ist)** sit 3, 4, 5
  fest-sitzen be stuck 18
  sitzen lassen (hat) let down 18
  (*cf.* **besitzen**)
  der **Sitzungstisch, –e** council table 16
soeben just now 6, 15, 27
sofort at once, instantly 4, 12, 13
die **Sohle, –n** sole 13, 17
der **Soldat, –en, –en** soldier 3, 6, 14
  das **Soldatenbild, –er** picture of soldier(s) 12
  Soldatenhosen (*pl.*) uniform trousers 17
der **Sommer –** summer 13, 15, 20
  den **Sommer über** all summer long 13
  die **Sommersprosse, –n** freckle 17
  sommersprossig freckled 6
sonderbar strange 18, 29
  ab-sondern secrete, separate 16
die **Sonne, –n** sun 3, 6, 7
  der **Sonnenaufgang, ⁀e** sunrise 17
  der **Sonnenreflex, –e** reflection of the sun 16
  sonnenverbrannt sun-tanned 11
  sonnig sunny 24
sonst otherwise, other, at another time 1, 2, 3
  was sonst what else 18
die **Sorge, –n** care, worry, 2, 10, 13
  (be)sorgen take care, see to, look after 13, 18, 26
  besorgt anxious, worried 17, 18
  sich sorgen worry 24
  vor-sorgen take precautions 18
  (*cf.* **versorgen**)

die **Sorgfalt** care, carefulness, 5, 15, 18
  sorgfältig careful 5, 6, 11
  sorglich careful 13
spähen peer 3, 6
spannen strain, stretch, span, draw, tighten 1, 6, 13
  gespannt intent, eager, tense 6, 18
  auf-spannen stretch, open 15
  durch-spannen span across 16
  (*cf.* **bespannen**)
  die **Spannweite** span, range 13
(er)sparen (sich) save 2, 3, 6
  spärlich sparse 14
der **Spaß, ⁀e** fun, joke, amusement 2, 26
  spaßig funny 5
  der **Spaßmacher, –** joker, clown 13
spät late 4, 5, 6
  spätnachts late at night 6
  spätsommerlich late-summer 15
der **Spaten, –** spade, shovel 1, 2
  der **Spatenstiel, –e** handle of a shovel 1
der **Spaziergang, ⁀e** walk 3
der **Speck** bacon 17, 18
  speckig fat, greasy 1
  (*cf.* **spicken**)
der **Speicher, –** storage tank, granary, silo; hot water heater 6, 10
  speichern store up 13
das **Speisefett, –e** cooking fat 6
  ab-speisen + *acc.* put off (throw a bite to) 6
  das **Speisezimmer, –** dining room 12
spicken lard, decorate 26
der **Spiegel, –** mirror 6, 7, 11
  das **Spiegelbild, –er** reflection 6, 11
  spiegelglatt mirror-smooth 12
  das **Spiegel-Kabinett, –e** mirror-cabinet 26
  der **Spiegelmacher, –** maker of mirrors 11
  das **Spiegelei, –er** fried egg 17
  spiegeln mirror, reflect 13, 16
  zurecht-spiegeln mirror into shape 11
das **Spiel, –e** game 5, 6, 26
  der **Spieler, –** gambler 13
  spielerisch playful 13
  der **Spielraum** elbow-room 13
  die **Spielregel, –n** rule of the game 27
  spielen play, take place 2, 4, 5
die **Spitze, –n** tip, point 3, 13, 15

(ver)spotten sneer, ridicule 6
der Spottruf, –e sneer 13

die Sprache, –n language 6, 25, 26
sprachlich stylistic 6
sprachlos mute 24
sprechen (spricht), a, o speak
3, 4, 5
aus-sprechen utter, pronounce
16, 18, 26
durch-sprechen discuss 4
sich herum-sprechen become
common knowledge 29
nach-sprechen repeat 26
zu-sprechen + *dat.* do justice to,
help oneself to (food) 11
(*cf.* besprechen)
spreizen spread wide, stretch out
17, 18
springen, a, u (ist) jump, spring,
crack 1, 5, 7
an-springen jump at 13
um-springen shift 18
vor-springen project, jut out 16, 18
der Springer, – diver 27
die Spritze, –n injection 16
spritzen splash, spatter 17
der Spritzer, – splash, stain 16, 18
der Spruch, ⸚e decree, verdict 23, 27
der Sprung, ⸚e crack; leap, bound,
dive 2, 13, 17
(*cf.* springen)
spucken spit 1, 2, 5
die Spur, –en trace, track, lead 2, 5, 10
spurlos trackless, without a trace 24
spüren feel 4, 5, 6
der Spürsinn scent, sagacity 11
staatlich governmental 6, 16
der Staatsbeamte, –n, –n civil
servant 6
der Staatsbürger, – citizen 6
der Stacheldraht barbed wire 1, 16
die Stacheldrahtumzäunung, –en
barbed-wire fence 16
die Stadt, ⸚e city, town 3, 4, 5
städtisch municipal 1
das Stadtviertel, – quarter (of a
city) 29
das Stahlgefieder steel plumage 25
staken punt, stalk 17, 18
der Stamm, ⸚e trunk 17
stammen come, hail from 18, 26
der Stammgast, ⸚e regular
customer 6
stämmig sturdy, massive 6, 18

der Stammplatz, ⸚e accustomed
place, reserved seat 2, 6
stampfen thud, stamp, bump 1, 14, 16
der Stand, ⸚e (upright) position 17
die Standkante, –n standing-edge 17
ständig constant 6, 16
stark strong, severe 6, 12, 13
(ver)stärken strengthen, reinforce
10, 18
starr fixed, staring, rigid, unmoving
5, 6, 16
die Starre rigidity, stiffness 5
(*cf.* erstarren)
starren (auf) stare (at) 1, 6, 18
an-starren stare at 1, 6
die Station, –en station, stage, stop
5, 16 (*cf.* Zwischenstation)
der Staub dust 13, 16, 17
verstaubt dusty 6
das Staunen astonishment,
amazement 13, 25
staunen be amazed 17
stechen (sticht) a, o pierce, stick,
strike, stab, burn 5, 14, 18
stecken put, stick, lie 1, 2, 3
an-stecken connect, infect, light
(cigarette) 2, 5, 18
stecken-bleiben (ist) stop, halt 6
(*cf.* verstecken)
der Steg, –e (*or* Steig) footpath *or*
–bridge 14, 17
das Steggeländer bridge-railing 17
stehen, a*, a* (hat *or* ist) stand 1, 2, 3
ab-stehen stick out 8
abgestanden stale 13
auf-stehen (ist) rise, stand up,
get up 4, 6, 8
bei-stehen aid 10
dafür-stehen be worth while 6
fest-stehen be settled 18
frei-stehen es steht ihm frei be
free to 13
nach-stehen (ist) stay behind 10
(*cf.* bestehen, überstehen)
die Stehzelle, –n standing cell 16
(be)stehlen (stiehlt), a, o steal, rob
2, 12, 13
steif stiff, wooden 2, 5, 17
(*cf.* versteifen)
der Steig, –e see Steg
steigen, ie, ie (ist) climb, step
1, 3, 5
an-steigen ascend 16, 17
auf-steigen rise 16, 21, 23

aufsteigend mounting, rising 6
aus-steigen get out, step out
3, 4, 16
um-steigen change over 18
steigern (hat) enhance, heighten 27
sich hinein-steigern transpose
oneself, immerse oneself 15
steil steep 17, 18
der Steilhang, ⁚e face of cliff,
ledge 18
die Steilküste, –n rocky coast,
cliff, shelf 18
der Stein, –e stone 6, 13, 16
steinern (of) stone 16
die Versteinerung petrifaction 5
die Steinfuge, –n stone joint 16
die Steingrube, –n stone pit 16
der Steinguß, ⁚e stone foundation
16
der Steinhaufen, – stone-pile 16
steinig stony 18
die Steinnelke, –n wood pink 13
steinreich enormously rich, a
millionaire 28
die Stelle, –n place, spot, position
2, 3, 5
stellen set, place, put, assign 1, 2,
3
sich stellen + *dat.* present oneself
to, surrender 27
an-stellen arrange, contrive,
undertake; employ 5, 6, 15
dar-stellen (re)present 6, 27
ein-stellen hire; discontinue 2, 15
sich ein-stellen present oneself,
appear 11
fest-stellen establish, ascertain
6, 9, 16
her-stellen establish 6
sich heraus-stellen turn out 27
hoch-stellen erect, raise 16
sich* vor-stellen imagine 2, 3, 7
(*cf.* **bestellen**)
die Stellung, –en position 29
stellungslos jobless 6
stemmen (*v./t.*) brace 17, 18
stempeln stamp 29
ab-stempeln stamp, cancel 16
sterben (stirbt), a, o (ist) die 1, 3, 5
aus-sterben die out, become
extinct 15
kein Sterbenswort not a single
word 17
der Stern, –e star 2, 17, 18

stet(ig)– constant, steady 2, 18
stets always, constantly 5, 29
das Steuer, – rudder 18
steuern steer 4, 18
das Stiegenhaus, ⁚er staircase, lobby 6
stillen quench 14
stillschweigend silent, tacit 18, 27
die Stimme, –n voice 3, 4, 6
die zweite Stimme the base part 2
zweistimmig singen sing in
harmony 2
stimmen agree, be correct 3, 27, 29
(*cf.* **bestimmen**)
die Stimmung, –en mood 18
die Stirn, –en forehead 1, 2, 6
der Stock, ⁚e cane, stick; story, floor
2, 6, 7
das Stockwerk, –e floor (of a house)
7, 16
zweistöckig two-storied 16
der Stoff, –e material, fabric, cloth
18, 26
stöhnen groan 1, 16, 17
stolz proud 5, 6, 27
stören disturb 6
auf-stören disturb, rouse (up) 15
die Störung, –en disturbance 5, 6
der Stoß, ⁚e blow, gust 18
stoßweise jerky, in jerks 18
stoßen (stößt), ie, o push, strike
2, 6, 13
an-stoßen (ist *or* hat) touch, knock
against something 5, 17
aneinander-stoßen (ist *or* hat)
bump together 16
weg-stoßen (hat) knock away 16
(*cf.* **durchstoßen**)
die Strafe, –n punishment 6
strafen punish 5
straff taut, tight 6
straffen tighten 18
strähnig in strands 17, 18
der Strand, –e beach 18
die Strandkiefer, –n beach pine 18
der Strandstreifen, – strip of
beach 3
die Straße, –n road, street 1, 2, 3
die Straßenbahn, –en streetcar 1, 6
der Straßenbau road construction
16
das Straßenbild, –er street scene 4
die Straßenecke, –n street corner 6
der Straßenfeger, – street cleaner 1
der Straßenverkehr street traffic 5

der **Strauch,** ⁻e *or* ⁻er bush 13, 23
  straucheln (ist) stumble 13
streben strive 5
  an-streben aspire to 27
strecken (*v./t.*) stretch 6, 13, 15
  aus-strecken extend 16
  vor-strecken stretch forth 16
streicheln stroke, pet 13, 14
streichen, i, i stroke, strike off;
  (ist) wander 5, 6, 17
  das **Streichholz,** ⁻er matchstick 2
streifen touch, brush against
  13, 18, 25
  ab-streifen strip off 25
  gestreift striped 16
  der **Streifen,** – strip(e), band 3, 13
der **Streit** quarrel 6
  streiten, i*, i* quarrel, argue 5
streng stern, severe 5, 13, 15
  strengstens strictly 6
  sich **an-strengen** strain, try hard
  18
streuen strew, scatter 2, 5, 26
der **Strich,** –e line 18
  (*cf.* **streichen**)
der **Strick,** –e rope 1, 13
  (*cf.* **bestricken**)
das **Stroh** straw 2, 16, 21
der **Strom,** ⁻e stream, river 13, 21
  der **reißende Strom** torrent 13
  stromaufwärts upstream 13
  strömen stream 13, 16
  die **Strömung,** –en current 13, 18
die **Stube,** –n room, chamber 15, 16
das **Stück,** –e piece, bit, fragment,
  stretch 1, 5, 14
die **Stufe,** –n step, stair 6, 16, 17
  die **Stufenbrücke,** –n bridge of
  steps 6
der **Stuhl,** ⁻e chair 1, 5, 6
stumm silent, mute, tacit 6, 27
die **Stunde,** –n hour 4, 6, 10
  stundenlang for hours 6, 16
  der **Stundenschlag,** ⁻e stroke of the
  clock 17
der **Sturm,** ⁻e storm 18, 26
  stürmisch stormy, wild 15, 26
  die **Sturmwolke,** –n storm cloud 18
  stürmen storm 13
der **Sturz,** ⁻e plunge, fall 13, 29
  der **Sturzbach,** ⁻e torrent 5
  stürzen (ist) fall, plunge, tumble,
  precipitate 5, 13, 18
  herab-stürzen cave in 16

zusammen-stürzen collapse 18
  (*cf.* **bestürzen**)
(unter)stützen lean, prop, support
  6, 11, 13
  der **Stützpunkt,** –e base 25
suchen seek, look for 1, 4, 6
  auf-suchen seek out 28
  aus-suchen choose, select 6, 18
  (*cf.* **besuchen**)
der **Süden,** – south 13, 22
  der **Südhang,** ⁻e south slope 13
die **Summe,** –n sum 27, 28
summen hum 1, 2
der **Sumpf,** ⁻e swamp 24
  sumpfig swampy 16
die **Sünde,** –n sin, offence 27
  sündig sinful 5
süß sweet 13
  süßlich sweetish 16
sympathisch congenial, appealing
  6, 27

der **Tabakdunst,** ⁻e tobacco smoke 6
  (*cf.* **Dunst**)
der **Tadel,** – censure 26
  tadellos perfect, first rate 2
  tadeln censure 26
die **Tafel,** –n board, tablet 3, 15, 27
der **Tag,** –e day 1, 2, 3
  an den Tag bringen bring to the
  light of day 10
  auf alte Tage in *or* for one's old
  age 2
  den Tag über at daytime 13
  tagelang for days 5
  täglich daily 5, 8, 13
  tags d(a)rauf the day after 28
  tagsüber during the day 6
  das **Tagebuch,** ⁻er diary 7
  die **Tagung,** –en meeting, session,
  conference 26, 27, 28
  der **Tagungsteilnehmer,** –
  participant in a meeting 28
das **Tal,** ⁻er valley, glen 17
  der **Talkessel,** – steep valley 13
tanken fill up the gas tank 3
  die **Tankstelle,** –n gas station 3
  der **Tankstellenwart,** –e gas station
  attendant 10
die **Tanne,** –n fir 4
  die **Blautanne,** –n blue spruce 2
das **Tarnzelt,** –e camouflaged tent 17
die **Tasche,** –n pocket 6, 13, 15
  die **Taschenlampe,** –n flashlight 18

das **Taschentuch,** ⸚er pocket
  handkerchief 6
tasten grope, feel, fumble 5, 13
die **Tat, –en** deed, act 6, 13, 15
  in der **Tat** indeed 15, 29
  der **Täter, –** culprit 10
  die **Tätigkeit, –en** activity 28
  die **Tätlichkeit, –en** (act of)
    violence 10
  die **Tatsache, –n** fact 4
  tatsächlich actual, indeed 5, 27
der **Tau** dew 21
  tauen thaw 15
taub limp, deaf 26
  die **Taubheit** deafness 5
die **Taube, –n** pigeon, dove 19, 24
tauchen dip, submerge 9, 16, 18
  auf-tauchen (ist) emerge, appear
    1, 2, 15
  unter-tauchen (ist) go into hiding
    6
der **Taumel** frenzy 10
  taumeln stagger 13
(aus-)**tauschen** exchange 18
  ein-tauschen exchange, barter 1
täuschen deceive 3, 13, 14
der **Teer** tar 23
  die **Teerpappe** tarpaper 16
  teeren tar 3, 16
der **Teich, –e** pond, pool 11, 18
der **Teil, –e** part 6, 15, 16
  teilbar divisible 26
  das **Teilchen, –** particle 26
  zum **Teil** in part 28
  teilen (*or* **sich***) share, partition,
    divide 16, 18
  mit-teilen inform, convey, apprise
    15, 16
  der **Teilnehmer, –** participant 27
teuer expensive, dear 3, 7, 8
der **Teufel, –** devil 5, 18, 27
tief deep, low 1, 5, 6
  tiefziehend low moving 18
das **Tier, –e** animal 2, 13, 24
  der **Tierbändiger, –** animal tamer
    13
tippen touch, tap, type 1, 6
der **Tisch, –e** table 1, 2, 3
  das **Tischtuch,** ⸚er tablecloth 5, 12
der **Tod, –e** death 6, 11, 13
  todernst dead serious 6
  der **Todesfall,** ⸚e death, casualty 1
  das **Todesurteil, –e** death-sentence
    16

tödlich deadly, lethal 13, 24
der **Ton,** ⸚e sound, tone 5, 6, 22
  (er)**tönen (ist)** sound 18, 26
  der **Tonfall,** ⸚e intonation 27
  tonlos soundless 5, 15
das **Tor, –e** gate 1, 5, 14
  der **Torgang,** ⸚e gateway 16
torkeln (ist) reel 17, 18
tot dead 6, 13, 16
  der **Totengräber, –** grave-digger 1
  der **Totenkopf,** ⸚e skull 16
  totenstill deathly still 5
  die **Totenstille** dead silence 25
der **Tragbalken, –** supporting beam 16
  der **Tragegurt, –e** carrying strap 18
  tragen (trägt), u, a wear, carry
    1, 3, 4
  ab-tragen wear out (clothes);
    demolish 6, 15, 16
  auf-tragen serve (meal) 15
  bei-tragen contribute 6, 13, 27
  nach-tragen make up for; resent 26
  vor-tragen deliver, present 26
  der **Träger, –** bearer 1, 11
  die **Tragwand,** ⸚e supporting wall
    16
die **Träne, –n** tear 2, 18, 24
trauen, sich dare 6, 17
  (zu)**trauen einem** + *acc.* trust
    someone, believe someone
    capable of 3, 13
die **Trauer** grief, sadness 6, 13
  die **Traueranzeige, –n** death
    notice 1
der **Traum,** ⸚e dream 6, 13, 25
  die **Traumwäscherei, –(e)** dream
    laundry 25
  träumen dream 6, 13, 14
traurig sad 2, 5, 6
  die **Traurigkeit** sadness 13
treffen (trifft), a*, **o** hit, encounter,
  meet 5, 6, 17
  der **Treffpunkt, –e** meeting place 18
treiben, ie, ie carry on, set in motion;
  (ist) drift 5, 13, 16
  ab-treiben (ist) drift off 18
  an-treiben (ist) drift ashore;
    (hat) drive, urge 5, 18
  sich **herum-treiben (hat)** wander,
    run around with 6, 13
  das **Treiben, –** activity, goings-on
    29
trennen (*v./t.*) separate, tear (away),
  abandon, sever 2, 6, 7

durch(-)trennen sever 13

die Treppe, –n step, flight of stairs, staircase 3, 4, 5

treten (tritt), a, e (ist) step, tread, go, pass; (hat) kick 1, 2, 5
  ab-treten (ist) tread down 17
  auf-treten (ist) appear 26, 27
  aus-treten (hat) + *acc.* wear out 16
  ein-treten (ist) enter, come about 6, 16, 25
  um-treten (hat) tread under foot 17
  zurück-treten (ist) retreat, step back 29
  zutage(-)treten (ist) manifest itself 15

treu loyal, faithful 6, 9
  treuherzig candid 26

trinken, a, u drink 2, 3, 4
  der Trinker, – drinker 10

trocken dry 11, 13, 18
  der Trockenschuppen, – drying shed 17
  trocknen dry 1, 6, 11

die Trommel, –n; trommeln drum 18, 25

der Tropfen, – drop 6, 12, 18

trösten comfort, console, cheer 6, 14, 26
  getrost easily, with good reason 2, 27
  tröstlich comforting 18

der Trotz defiance 28
  zum Trotz in spite of 28, 29
  trotzdem nevertheless, nonetheless 3, 6, 12

der Trupp, –s troop, band 6, 16
  die Truppen (*pl.*) the troops 17

die Tücke, –n malice 18
  tückisch malicious 6

tun, a*, a do, act 2, 3, 4
  an-tun jemandem etwas bewitch, do something to someone 2
  angetan sein be suited 2
  auf-tun open 5
  weh-tun hurt 2, 12, 17
  zuliebe(-)tun do for someone's sake, to please someone 5
  das Tun activity 6

die Tür, –en door 1, 4, 6
  die Türöffnung, –en doorway 16
  die Türritze, –n door-crack 16
  das Türschild, –er door-plate, name-plate 7

der Turm, ⸚e tower 3, 16, 17
  auf-türmen raise high, heap up 16

übel bad, nauseated 6, 18
  die Übelkeit nausea 6

üben practice, exercise 13, 27
  aus-üben practice, carry out 6, 27

über- over(-), out-, sur- 2, 3, 4

überdies in addition, moreover 27

die Übereinkunft, ⸚e agreement 13 (*cf.* überein-kommen)

der Überfall, ⸚e raid, surprise attack 6, 13
  überfallen (überfällt), ie*, a overcome, attack 6

überflüssig superfluous 5, 6

überfluten flood, inundate 13

der Übergang, ⸚e transition 13

überhaupt at all, in fact 4, 5, 13
  überhaupt nicht not at all 6

überholen overtake 13

überklug super-smart, wise-guy 5

überkommen, a*, o overcome 15

überlassen (überläßt), ie, a + *dat.* leave to, turn over to 6, 11, 18

überleben survive 26

überlegen (*or* sich* überlegen) ponder, consider 2, 4, 6
  die Überlegenheit superiority 13
  die Überlegung, –en reflection, consideration 5, 15, 16

der Übermut wildness, insolence 10

übernehmen (übernimmt), a, o* accept, take upon oneself 6

überprüfen examine 27

überqueren cross 13, 16

überraschen surprise 6, 11, 13

überreden persuade 18

überschreiten, i*, i* cross; transgress 6, 26

übersetzen translate 3, 6, 23

übersiedeln (ist) move 6, 15

überstehen, a*, a* survive, come through 17

übertreffen (übertrifft), a, o outdo, surpass 5, 11

übertreiben, ie, ie exaggerate 3, 27

überwachen supervise 16

überwiegen, o, o prevail 13

überwinden, a, u overcome 27
  der Überwinder, – conqueror 29

überzeugen convince 13, 26
  überzeugen, sich satisfy oneself 13, 18

üblich customary, usual 15, 27
übrig left over, remaining 11
 im übrigen however, moreover
  10, 29
 übrigens by the way, as a matter
  of fact 5, 14, 15
das Ufer, – shore, bank 12, 13, 18
die Uhr, –en clock, watch 4, 5, 10
um- around, about 2, 6, 13
umarmen embrace 6, 14
 die Umarmung, –en embrace 6
umfassen clasp, grasp, survey
  5, 17, 18
 die Umfassung, –en enclosure 13
der Umgang, ⁓e association 10
umgeben (umgibt), a, e surround
  6, 16
umgekehrt in reverse 11
die Umgitterung, –en fencing, railing
  16
die Umgrenzung, –en boundary 16
der Umhang, ⁓e wrap 18
umher- around, about 6, 16
umklammern clasp 13, 18
 die Umklammerung, –en clasp,
  embrace 18
der Umkreis, –e vicinity 13
umlaufen (umläuft), ie, au surround,
  hem 16
umliegend surrounding, nearby 13
umreißen, i, i outline, sketch 16
 der Umriß, –e outline 13, 14, 18
der Umschlag, ⁓e envelope, cover
  6, 15
umschließen, o, o surround 18
umsonst in vain, for nothing 5, 26
der Umstand, ⁓e circumstance
  15, 18, 26
der Umweg, –e detour 17
die Umwelt surrounding world 5
umzingeln hem in, ensnare, encircle
  6, 24
der Umzug, ⁓e move (to new
  quarters) 5
un- un-, im-, dis- 1, 2, 3
unabhängig independent 6, 26
 die Unabhängigkeit independence
  26
unauffindbar undetectable 18
unaufhaltsam irresistible 28
unaufhörlich unceasing, incessant
  6, 16, 18
unbegreiflich unbelievable,
  incomprehensible 4, 13, 27

unbeschrieben blank 6
unbestimmbar vague, indefinable 18
unendlich infinite 5
unerbittlich inexorable, relentless
  15, 29
ungebührlich excessive, improper 5
ungefähr approximate 5, 18
ungeheuer huge, enormous 5
 das Ungeheuer, – monster 11
ungehörig unseemly, improper 5
ungemein extraordinary 6
ungerührt calm, unmoved 6
ungeschickt awkward, clumsy 6
das Unglück misfortune 21
 unglückselig unfortunate,
  disastrous 6
ungünstig unfavorable 15
unhaltbar untenable 16
unhörbar noiseless 5
die Unlust listlessness 15
unmäßig excessive, intemperate 5
unmerklich imperceptible 14
unmittelbar immediate 15, 16, 18
der Unmut displeasure 26
unnachsichtig unyielding 26
die Unruhe restlessness 13, 15
 unruhig restless 5, 17, 18
der Unsinn nonsense 6, 28
unter- under, inter-, sub- 1, 3, 4
unterbrechen (unterbricht), a, o
  interrupt 1, 4, 15
der Unterdruck negative pressure 23
 unterdrücken repress, suppress
  5, 13
sich unterhalten (unterhält), ie, a
  talk, converse 3, 18
das Unterholz, ⁓er underbrush 17
unterirdisch subterranean 16
unterlaufen (unterläuft), ie, au (ist)
  occur, creep in 4
unterliegen, a, e (ist) be defeated;
  (hat) be the basis for 13, 27
unterscheiden, ie, ie distinguish,
  discern, differentiate 5, 6, 13
unterschreiben, ie, ie sign 4
unterstützen *see* stützen
untersuchen *examine* 16, 18
unterteilen *see* teilen
unüberblickbar unsurveyable 16
unüberlegt ill-considered 15
unverbindlich noncommital,
  neutral 6, 15
unverkennbar unmistakeable 29
unvermutet unexpected 18

das **Vergnügen**, – pleasure,
  enjoyment 3, 6, 13
  vergnügt gay 15, 28
vergrößern increase 27
verhalten (**verhält**), **ie**, **a** hold back,
  repress 5, 19
  sich **verhalten** be related; behave
    13, 29
  das **Verhältnis**, **–se** affair, relation,
    circumstance, relationship
    5, 6, 19
verhärten (*v./t.*) harden 5
sich **verheiraten** (**mit**) marry 5, 26
verhelfen (**verhilft**), **a**, **o** einem zu
  help someone get something 6
verhindern prevent 18
verhören interrogate, cross-examine
  13, 25
verhüllen cover, wrap up 11, 15
verhungert famished 14
der **Verkauf**, ⁝e sale 16
  der **Verkäufer**, – vendor, salesman 2
  der **Verkaufsstand**, ⁝e stall, sales
    booth 2
  verkaufen sell 2, 6, 10
der **Verkehr** (train) service, traffic 15
  verkehren be in touch, see, run
    (of train) 6, 15
  das **Verkehrslicht**, **–er** traffic light 15
verkennen, **a***, **a*** fail to recognize,
  mistake 29
verkleiden (*v./t.*) disguise, veil 16
verkleinern (*v./t.*) diminish 19
verkniffen pinched 17
  (*cf.* **kneifen**)
(**ver**)**knoten** knot, tie 13
sich **verkriechen**, **o**, **o** hide, creep
  under 1
(**ver**)**künden** announce 13
der **Verlag**, **–e** publishing house 6
verlangen demand 6, 13, 14
verlassen (**verläßt**), **ie**, **a** leave,
  desert, abandon 3, 5, 6
  sich **verlassen auf** + *acc.* rely on 27
verlaufen (**verläuft**), **ie**, **au** (**ist**)
  develop, pass, run through,
  run (off) 16
verlegen transpose, move, publish 15
  der **Verleger**, – publisher 28
  (*cf.* **Verlag**)
verlegen sein be embarrassed 3, 6, 18
verleihen, **ie**, **ie** lend 6
verletzen hurt 11, 26
  die **Verletzung**, **–en** violation 6

sich **verlieben in** + *acc.* fall in love
  (with) 6, 11
verlieren, **o**, **o** lose 1, 3, 5
das **Verlies**, **–e** dungeon, cell 16, 24
verloben, sich get engaged 6
  die **Verlobungszeit** engagement
    period 4
vermeiden, **ie**, **ie** avoid 6, 18, 27
vermerken note down 6
vermögen, (**vermag**), **o***, **o*** be able 27
vermummen (*v./t.*) muffle up 16
  die **Vermummung**, **–en** covering,
    disguise 18
vermuten conjecture, expect,
  presume 5, 10 14
  die **Vermutung**, **–en** supposition,
    speculation 10, 14
vernageln nail up 14
vernehmen (**vernimmt**), **a**, **o*** hear,
  interrogate 23
  die **Vernehmung**, **–en** interrogation
    16
sich **verneigen** bow 3
die **Vernunft** common sense, reason
  3, 13
  vernünftig sensible 2
  der **Vernünftige(r)** sensible
    person 10
veröden (**ist**) become desolate 15
veröffentlichen publish 6
verpacken wrap up 9
verprügeln beat up, whip 6
der **Verrat** treason 18
  verraten (**verrät**), **ie**, **a** betray 6, 18
  der **Verräter**, – traitor 3, 6
verreisen (**ist**) depart, go on a trip 10
verrichten do, perform 6
  die **Verrichtung**, **–en** task 15
verrostet rusty 6, 16
verrückt mad, insane 1, 2, 6
  zum **Verrücktwerden** to the point
    of madness 5
versagen deny, fail 29
versammeln (*v./t.*) assemble, gather
  10, 26
versäumen miss 10, 15
verschaffen obtain 18
verschatten shade 17
verschenken give away 2
verschieben, **o**, **o** (*v./t.*) shift 18
verschieden various, different 4, 6,
  13
verschlafen (**verschläft**), **ie**, **a** over-
  sleep 15, 17

verschließen, o, o shut 15, 16, 17
  der Verschluß, ⸚e closure, top,
    cap 4, 18
verschlucken swallow up 10, 27
verschmieren smear over, dirty 1
verschneit snowed in, snowy 15
verschulden cause 6
verschweigen, ie, ie keep secret 13
verschwinden, a, u (ist) disappear
  14, 15, 16
verschwommen hazy 3, 6
  (*cf.* schwimmen)
versehen (versieht), a, e provide,
  supply 6, 26, 27
versenden, a*, a* *or weak* dispatch 26
versetzen put, transfer 5, 13, 15
versichern assure 13
versinken, a, u (ist) sink, be absorbed,
  drown 5, 15, 16
versorgen provide for, supply 2, 6
sich verspäten be late 14, 15
  verspätet late 28
verspotten ridicule 6
versprechen (verspricht), a, o
  promise 6, 17, 18
verständigen communicate, inform 6
  verständlich intelligible, under-
    standable 6, 29
  das Verständnis understanding
    6, 16
verstärken reinforce 10
verstaubt dusty 6
verstecken (*v./t.*) hide 2, 6, 10
verstehen, a*, a* understand 2, 3, 4
versteifen (*v./t.*) stiffen 18
die Versteinerung petrifaction 5
verstellen obstruct 13, 17
  verstellt disguised, blocked 10, 17
verstummen (ist) become silent
  6, 10, 27
der Versuch, –e attempt 5, 13, 26
  versuchen try, tempt 2, 4, 5
  versucht sein be tempted 17
  die Versuchung, –en temptation 29
verteidigen defend 13, 26
verteilen distribute 5, 10, 18
vertiefen (*v./t.*) deepen 18
vertilgen destroy, exterminate 5, 6
sich vertippen make a typing error 6
der Vertrag, ⸚e agreement, contract 6
  verträglich peaceable 18
das Vertrauen trust, confidence 6
  vertrauen trust 27
  vertraut familiar 5, 14

das Vertraute the familiar 29
an-vertrauen confide 18
vertreiben, ie, ie drive out 5
  der Vertriebene(r) exile 17
vertrocknet dry, dried up 16
vertun, a*, a waste, squander 13,
  21
verursachen cause 5
verurteilen condemn 27
  der Verurteilte(r) the condemned
    man 6
verwachsen overgrown, reedy,
  deformed 18
verwandeln (*v./t.*) change, transform
  6, 11
  sich zurück-verwandeln revert,
    change oneself back 16
verwandt related 1
  der Verwandte, –n, –n relative 6
verwaschen soft, much-washed 8
verwechseln mistake, interchange
  6, 16
verweilen bei dwell on 15
verwelkt faded, withered 6
verwerfen (verwirft), a, o cast away
  24
verwischen (*v./t.*) smudge, rub off 1
  verwischt blurred 17
verwundert astonished 6, 14
  die Verwunderung surprise,
    astonishment 6, 14
verzeihen, ie, ie pardon, forgive
  3, 6, 18
verzerren distort 11, 18
der Verzicht, –e renunciation 6, 29
  verzichten forego 18, 26
die Verzweiflung despair 6, 15, 23
viel, mehr, am meisten much, more,
  most 2, 3, 4
  vielerei many kinds of 5
  vielfach frequent, manifold 11
  vielmehr rather, much more
    13, 14, 15
  mehrfach several times, repeated
    10, 13, 27
  um so mehr that much more 6
  meistens mostly, usually 2, 8, 13
  am meisten most of all 2, 27
der Vogel, ⸚ bird 5, 11, 13
  das Vogelgesicht, –er bird-face 6
das Volk, ⸚er people, nation, crowd
  3, 5, 6
voll full, complete 2, 3, 6
  vollauf fully 29

vollends completely, finally, entirely 29
voller + *gen* full of 23
völlig completely 6, 16, 17
vollkommen perfect, complete 6, 27
vollständig complete 6
vollziehen, o*, o* consummate, accomplish 25, 29
der Vorabend, –e previous evening, eve 6
voraus- in advance, ahead 6, 11, 18
die Voraussetzung, –en presupposition 27
vorbei- past, over 1, 6, 10
die Vorführung, –en showing, presentation 9
der Vorgänger, – predecessor 6, 26, 29
der Vorgarten, ∵ front garden 5
das Vorgefallene incident 6
die Vorhaltung, –en reproach 6
vorhanden existing, present 16, 29
der Vorhang, ∵e curtain 7, 12, 16
das Vorhängeschloß, ∵er padlock 7
vor(her)ig previous 13, 17
das Vorholz, ∵er outer edge of the forest 17
vorig *see* **vorherig**
der Vorläufer, – forerunner 18
die Vorliebe liking, predilection, preference 5, 7
    mit Vorliebe with special pleasure 5
der Vormittag, –e morning, forenoon 5, 18, 26
vorn(e) in front 12, 16
    nach vorn forward 17, 18
    von vornherein from the first 27
der Vorraum, ∵e waiting room 16
der Vorschlag, ∵e proposal, offer 6
der Vorschuß, ∵e (salary) advance 4, 6
die Vorsicht caution 13, 16
    vorsichtig cautious, prudent 4, 5, 12
der Vorsprung, ∵e projection, point (geographic) 18
vorstellbar imaginable 27
    die Vorstellung, –en performance, notion, concept 13, 15
der Vorteil, –e advantage 13, 18, 27
der Vortrag, ∵e delivery, lecture 27
    der Vortragskünstler, – orator 27
das Vorwort, –e introduction 26
der Vorwurf, ∵e reproach 5
    einen Vorwurf machen reproach 26

zum Vorwurf machen jemandem + *acc.* blame someone for 5
vorwurfsvoll reproachful 18
der Vorzug, ∵e advantage 9

waag(e)recht horizontal 19, 26
die Wache, –n guard 17
    wachen guard, be awake 2, 17
    wach awake 6, 13, 17
    auf-wachen (ist) wake up 2
    (*cf.* **überwachen**)
    die Wachheit wakefulness 15
    der Wachhund, –e watchdog 10
    der Wachmann, -leute policeman, guard personnel 16
    der Wachposten, – guard-post 6
    der Wachturm, ∵e watchtower 16
wachsen (wächst), u, a (ist) grow 6, 13, 14
    an-wachsen become attached, grow on 2
    auf-wachsen rise, be brought up 6, 18
    sich aus-wachsen (hat) develop 29
    zu-wachsen (ist) grow together, close 17
    das Wachstum growth 13
die Waffe, –n weapon 13
    (be)waffnen arm 6, 27
wagen dare 6, 13, 18
    waghalsig daredevil 5
der Wagen, – car, cart, wagon 1, 3, 4
die Wahl, –en choice 13
    die Wahlen (*pl.*) elections 4
    wählen choose 4
    aus-wählen select 4, 26
    der Wahlspruch, ∵e slogan 16
wahr true, real 2, 3, 6
    nicht wahr? isn't it so? 3, 6
wahrhaft truthful, truly 11
    die Wahrhaftigkeit truthfulness 16
    die Wahrheit, –en truth 2, 6
wahrnehmbar perceptible 6
wahrscheinlich probable 1, 2, 3
der Wald, ∵er wood, forest 2, 5, 7
    der Waldstreifen, – strip of forest 16
wälzen roll, wallow 11, 18
die Wand, ∵e wall 5, 6, 10
wandeln change turn 11
    (*cf.* **verwandeln**)
wandern (ist) travel, wander, move away 18, 23, 25
    umher-wandern wander about, roam 16

die **Wange, –n** cheek 5, 13, 18
die **Wärme** warmth 9, 13, 15
warnen warn 13
  die **Warnkette, –n** warning
    network 24
(er)warten wait 1, 2, 3
  ab-warten await, wait and see 2
  der **Wärter, –** attendant, keeper
    2, 13
  die **Wärterstube, –n** guardroom 16
die **Wäsche** linen(s), wash, washing
  1, 6, 13
  die **Waschküche, –n** laundry
    room 2
  der **Waschtrog, ⁀e** washtrough 16
  waschen, u, a (*v./t.*) wash 13, 15, 17
  ab-waschen wash dishes 4
das **Wasser** water 1, 2, 3
  gehendes Wasser running water 17
  wasserbesprüht bespattered,
    sprayed 18
  wäß(e)rig wet, watery 16
  der **Wasserspiegel, –** water surface
    12
  der **Wassersportler, –** athlete in
    water sports 27
  der **Wasserstaub** spray 6
  wassersträhnig water-straggled 17
waten wade 15, 18
der **Wechsel, –** bill of exchange 27
  wechseln change (money),
    exchange 7, 13, 14
  ab-wechseln alternate 18
(er)wecken arouse, awaken 13, 17, 18
der **Weg, –e** road, way, path 1, 3, 4
  auf halbem Wege half-way 6
  die **Wegbiegung, –en** bend in road
    17
  das **Weglose(s)** pathless waste 24
  die **Wegmündung, –en** mouth of
    the road 17
wehen blow 13, 21
das **Wehr, –e** dam 17
  ab-wehren ward off 26
  sich wehren resist 26
weich gentle, soft 1, 3, 18
weichen, i, i (ist) retreat 13
  auf-weichen soften, soak 1, 16
  aus-weichen (ist) + *dat.* avoid,
    make way for 14
  zurück-weichen (ist) recede,
    retreat 16
die **Weide, –n** willow 13, 17
weigern, sich refuse, object 6, 26

ein-weihen initiate, let into the
  secret 2, 13
Weihnachten (*pl.*) Christmas 2, 10
  der **Weihnachtsmann, ⁀er** Santa
    Claus 2
  der **Weihnachtsmarkt** Christmas
    market 20
(ver)weilen (bei) stay, sojourn
  dwell on 6, 15
weinen cry, weep 6, 17, 18
  weinerlich whining, tearful 6
die **Weise, –n** way, manner 6, 10, 27
  weisen, ie, ie point 6, 15
  an-weisen assign, direct 15
  auf-weisen produce, show 16
  sich aus-weisen identify oneself 6
  zurecht-weisen reprimand, rebuke
    6
die **Weisheit, –en** wisdom 11, 24
  weißgerändert white-edged 18
  weißlich whitish 5
weit far, wide 1, 3, 5
  weitgehend extensive 29
  weithin far off 5
weiter further, on 5, 7, 10
  und so weiter (usw.) and so on,
    etc. 3
  ohne weiteres without further ado 9
weiter- farther, on 3, 6, 18
welk, verwelkt withered, faded 6, 13
die **Welt, –en** world 1, 5, 6
  weltanschaulich philosophical 29
  die **Weltansicht, –en** view of the
    world, philosophy 23
  weltlich worldly 26
  die **Weltrichtung, –en** direction of
    the compass 14
wenden, a*, a* *weak* (*v./t.*) turn
  3, 5, 6
  an-wenden employ, use 6
  ein-wenden object 13
  um-wenden turn 3
wenig little, few, minimal 3, 4, 5
  wenigstens at least 3, 6, 12
werden (wird), u, o (ist) become
  1, 2, 6
  fertig-werden mit cope with,
    manage 28
  los-werden get rid of 6
  Herr(–)werden + *gen.* gain control
    of *or* over 10
werfen (wirft), a, o throw 1, 6, 7
  ein-werfen smash 10
  hinein-werfen thrust in 16

der **Wunsch**, ⁀e wish 3, 5, 13
  (er)**wünschen** (*or* sich*) **wünschen**
  wish, desire 3, 6, 18
die **Würde**, –n honor, dignity 28
  würdevoll with dignity 6
  würdig sein + *gen.* be worthy of
  5, 6
  würdigen appreciate, honor 5, 26
die **Wurst**, ⁀e sausage 18, 20
die **Würze**, –n spice, aroma 15, 25
die **Wurzel**, –n root 2, 18

zäh tough, tenacious, clinging 5, 6, 18
zahlen pay 3
  an-zahlen pay a deposit 18
  (be)**zahlen** pay for 6
zählen count, number 1, 4, 5
der **Zahn**, ⁀e tooth 11, 16, 19
  die **Zahnbürste**, –n toothbrush
  2, 6, 16
zärtlich affectionate 27
  die **Zärtlichkeit**, –en tenderness
  13
die **Zauberformel**, –n magic formula 6
  weg-zaubern make disappear 28
der **Zaun**, ⁀e fence 1, 17
  ein-zäunen fence in 1
der **Zeh**, –en *or* die **Zehe**, –n toe 1, 17
  die **Zehenspitze**, –n tiptoe 3, 17
das **Zeichen**, – signal, sign, brand,
  stamp 2, 10
  aus-zeichnen distinguish 14
  die **Zeichnung**, –en drawing,
  design 6, 7, 16
der **Zeigefinger**, – forefinger 18
  zeigen point, show 1, 3, 4
die **Zeile**, –n line 1, 6, 27
die **Zeit**, –en time 2, 3, 4
  vor Zeiten in times past 17
  zeitig early 26
  die **Zeitentwicklung** march of
  time 29
  der **Zeitgeist**, –er spirit of the
  time 29
  zeitgenössisch contemporary 26
  die **Zeitkontrolle**, –n timing-
  control 23
  eine **Zeitlang** for a time 6, 26
  die **Zeitschrift**, –en magazine 6
  die **Zeitung**, –en newspaper 1, 3, 4
  der **Zeitungshändler**, – newspaper
  vendor or distributor 10
  der **Zeitungsmann**, ⁀er news
  vendor 1

  der **Zeitungsverkäufer**, – newspaper vendor 6
  das **Zeitungsweib**, –er (*coll.*)
  female news vendor 24
  das **Zeitwort**, ⁀er verb 6
das **Zelt**, –e tent 13, 17
  der **Zeltausgang**, ⁀e exit of tent 13
  der **Zeltpflock**, ⁀e tent peg 13
  (*cf.* **Tarnzelt**)
zer- to bits 1, 3, 6
zerbeißen, **i**, **i** crush with one's teeth,
  chew, bite 18, 26
zerbersten (**zerbirst**), **a**, **o** (**ist**) stave
  in 16
zerbeult crumpled 6, 8
zerbröckeln (**ist**) crumble 16
  (*cf.* **Brocken**)
zerdrücken crush, crumple 6
der **Zerfall** decline, decay 16
  zerfallen (**ie***), **a** (**ist**) fall apart 16
zerkleinern reduce, cut up 26
zerlegen dissect 26
zerlumpt in rags, tattered 6
  (*cf.* **lumpig**)
das **Zerrbild**, –er caricature 5
  zerren pull drag 5, 10, 18
  der **Zerrspiegel**, – distorting
  mirror 11
zerreiben, **ie**, **ie** crush, mash 1, 3
zerreißen, **i**, **i** rend, tear 18, 25
  zerrissen torn, broken up 18, 24
zerschlagen (**zerschlägt**), **u**, **a** destroy,
  break, batter, beat to pieces
  10, 16, 28
zerschlissen bedraggled, seamy 6, 16
zersetzen disintegrate 6
zerstören destroy, demolish 5
zertreten (**zertritt**), **a**, **e** crush
  underfoot 4
der **Zettel**, – note, slip, scrap of
  paper 1, 6, 8
der **Zeuge**, –n, –n witness 2, 6, 24
  zeugen bear witness, attest 27
  die **Zeugenaussage**, –n eye-witness
  account 17
der **Ziegel**, – brick 16, 23, 25
  das **Ziegeldach**, ⁀er tile roof 7
  die **Ziegelei**, –en brickyard 17
  der **Ziegeleischuppen**, – brickyard
  shed 17
ziehen, **o***, **o*** pull, move, draw; (**ist**)
  travel 2, 3, 4
  seines Weges ziehen (**ist**) take off,
  move on 11

ab-ziehen pull off, strip off; **(ist)**
    depart 12, 15
abgezogen skinned 17
an-ziehen (*v./t.*) dress, put on,
    draw tight, pull up 1, 6, 17
sich **anziehen** get dressed 2, 6
anziehend attractive 5
auf-ziehen open, move up wind up;
    (ist) appear, arrive 2, 15, 18
aus-ziehen take off; **(ist)** move out
    7, 18, 19
durch-ziehen stroke (oars) 18
ein-ziehen move in, pull in 5, 7, 18
entgegen-ziehen (ist) head
    towards 16
fest-ziehen pull tight 4
sich **hin-ziehen** extend 13, 18
sich **hinauf-ziehen** pull oneself up
    18
vor-ziehen prefer 6
weg-ziehen (ist) move away 10
    (*cf.* **vollziehen**)
das **Ziel, –e** goal, purpose 6, 13, 14
ziemlich rather 3, 6, 18
der **Zigarettenstummel, –** cigarette
    butt 4, 17
das **Zimmer, –** room 2, 5, 6
zimperlich prudish, gingerly 4
    die **Zimperlichkeit** affectation,
        prudery 2
zischen hiss 11, 18
das **Zitat, –e** quotation 3
    zitieren quote 26, 27
zittern tremble; reverberate 17, 18
zögern hesitate 6, 13, 14
der **Zorn** fury, anger 6, 13
    zornig angry 13
züchten develop, cultivate 26
    die **Zucht** breeding, raising,
        discipline 2
    das **Zuchthaus, ̈er** penitentiary 10
    der **Zuchthäusler, –** convict 10
    die **Zuchtlosigkeit** lack of
        discipline 10
zucken shrug, jerk 1, 17, 18
    zuckend convulsive 5
der **Zufall, ̈e** chance, accident
    1, 6, 15
    zufällig accidental, by chance 5
zufrieden satisfied 3, 5, 6
der **Zug, ̈e** line, trait, expression;
    train 6, 14, 15
die **Zugabe, –n** addition, supplement
    26

der **Zugang, ̈e** admittance, entry
    15
zügellos unbridled 5
    die **Zügellosigkeit, –en**
        licentiousness 28
der **Zugvogel, ̈** migratory bird 13
    (*cf.* **ziehen**)
der **Zuhörer, –** listener 26, 27
die **Zukunft** future 1, 15
    zukünftig future 26
zuliebe *see* **zuliebe-tun**
zumal particularly (since) 10, 27
die **Zunge, –n** tongue 6
    die **Zungenspitze, –n** tip of the
        tongue 17
die **Zurücknahme** revocation 29
    der **Zuruf, –e** shout 18
der **Zusammenhang, ̈e** connection,
    context 4, 6, 27
    die **Zusammensetzung, –en**
        composition 26, 29
    das **Zusammentreffen, –**
        coincidence 15
der **Zuschauer, –** spectator 5, 13
der **Zustand, ̈e** condition, situation,
    state 6
    zustande(–)kommen come about
        29
    zuständig respective, competent 6
    zuständig sein be the proper
        authority 18
der **Zwang** compulsion, force 6, 18
    zwangsläufig compulsive 18
    zwangsmäßig compulsory 16
    zwängen force, squeeze 7, 17
der **Zweck, –e** purpose, aim 6, 14,
    18
der **Zweifel, –** doubt 6, 17
    zweifellos doubtless 5, 26
    zweifeln doubt 13, 27
der **Zweig, –e** branch, twig 2, 3, 13
    ab-zweigen (ist *or* **hat)** branch off
        16
der **Zwerg, –e** dwarf 2, 12, 23
    das **Zwerggewächs, –e** dwarf
        plant 5
das **Zwielicht** twilight 15
(er)zwingen, a, u compel, force,
    extort 3, 6, 10
der **Zwischenraum, ̈e** space,
    distance 13
    die **Zwischenstation, –en** wayside
        station, stopover 16
    die **Zwischenzeit** meantime 5